戦乱でみるとちぎの歴史

―「とちぎ」の源流を探る―

江田郁夫・山口耕一［編］

下野新聞社

はしがき

人類がこの地球上に誕生して以来、意思・意見のくいちがいや感情のもつれに起因するいざこざが絶えることは、たぶんなかったと思う。とはいえ、そのいざこざが集団どうしの戦争にまで発展し、国が乱れるような事態、つまり戦乱にまでエスカレートすることも、そうそうあることではなかった。戦乱がもたらすさまざまな悲劇・惨禍を思えば、当然のことである。しかし、戦乱が地球上から根絶されないまま現代に至っている以上、今後も戦乱と無縁でいられる保障はどこにもない。本書があえて戦乱を通じて郷土の歴史を見直す理由は、その点にある。

古来、いくさ、合戦、乱、変、役、事変等々、その時々にさまざまな名称で呼ばれてきた戦乱だが、集団による戦闘行為がおこなわれ、多くの死傷者や周囲への略奪をともない、それゆえしばしば長期化してしまう。当事者にとどまらず、戦乱に巻き込まれた人びとにとっては、暴風・洪水・地震などの天災に勝るとも劣らない災害といえる。

ただし、その一方で戦乱にともなって政治権力の消長・興廃がおこり、結果的にあらたな政治・社会体制に移行する原動力となる場合もあった。長期にわたった戦国時代を経て徳川幕府のもとでの平和が実現し、悲惨なアジア・太平洋戦争の敗戦のうえに現代の繁栄が築かれたことを想えば、一概に戦乱をまったくの害悪と片づけ去ることもまたむずかしいのではなかろうか。

かつての下野国、現在の栃木県は絶えざる戦乱のなかで地理的、政治的にどのような位置・役割を占め、その地に暮らした人びとは戦乱とどのように関わってきたのか。非常事態ともいえる戦時だからこそ、普段は目立たない下野国（栃木県）の特徴・特質が浮き彫りになる面もあろう。

そこで本書では、弓射と馬術に優れる職業戦士であり、戦乱の主役でもあった武士が本格的に登場する平安時代、九世紀ごろまでさかのぼり、戦乱のなかでの下野国（栃木県）の歴史を現代までたどっていきたい。想像以上にドラマチックな出来事や知られざる武人たちの物語がそこでは展開されていたことがご理解いただけることと思う。

江田　郁夫

戦乱でみるとちぎの歴史
―「とちぎ」の源流を探る―

目次

関東の主要街道Ⅰ
（鎌倉～南北朝時代）
越後
陸奥
下野
上野
常陸
武蔵
甲斐
相模
下総
上総
至陸奥
至陸奥
至陸奥
至上野
至信濃
至京
至房総
白河
芦野
伊王野
余瀬
福原
喜連川
氏家
三依
藤原
会津西街道
鎌倉街道中道
（奥大道）
宇都宮
横田
児山
多功
薬師寺
「宇都宮大道」
結城
小山
鎌倉街道上道下野線
足利
只木
天命
古江
岩舟
児玉塚
世良田
太田
本庄
長井渡
児玉
庁鼻和
村岡
古河
塚田
吉見
高坂
大蔵
苦林
入間川
堀兼
高野渡
岩付
鳩ケ谷
岩淵
王子
中野
渋谷
鎌倉街道上道
府中
関戸
瀬谷
飯田
権現山
丸子
品川
江戸
墨田
葛西
国府台
松戸
千葉
龍ケ崎
土浦
府中
水戸
鎌倉街道下道
京鎌倉往還
曽我
大磯
藤沢
鎌倉
大船
六浦
小田原
那珂川
鬼怒川
渡良瀬川
利根川
入間川
荒川
多摩川
相模川
常陸川

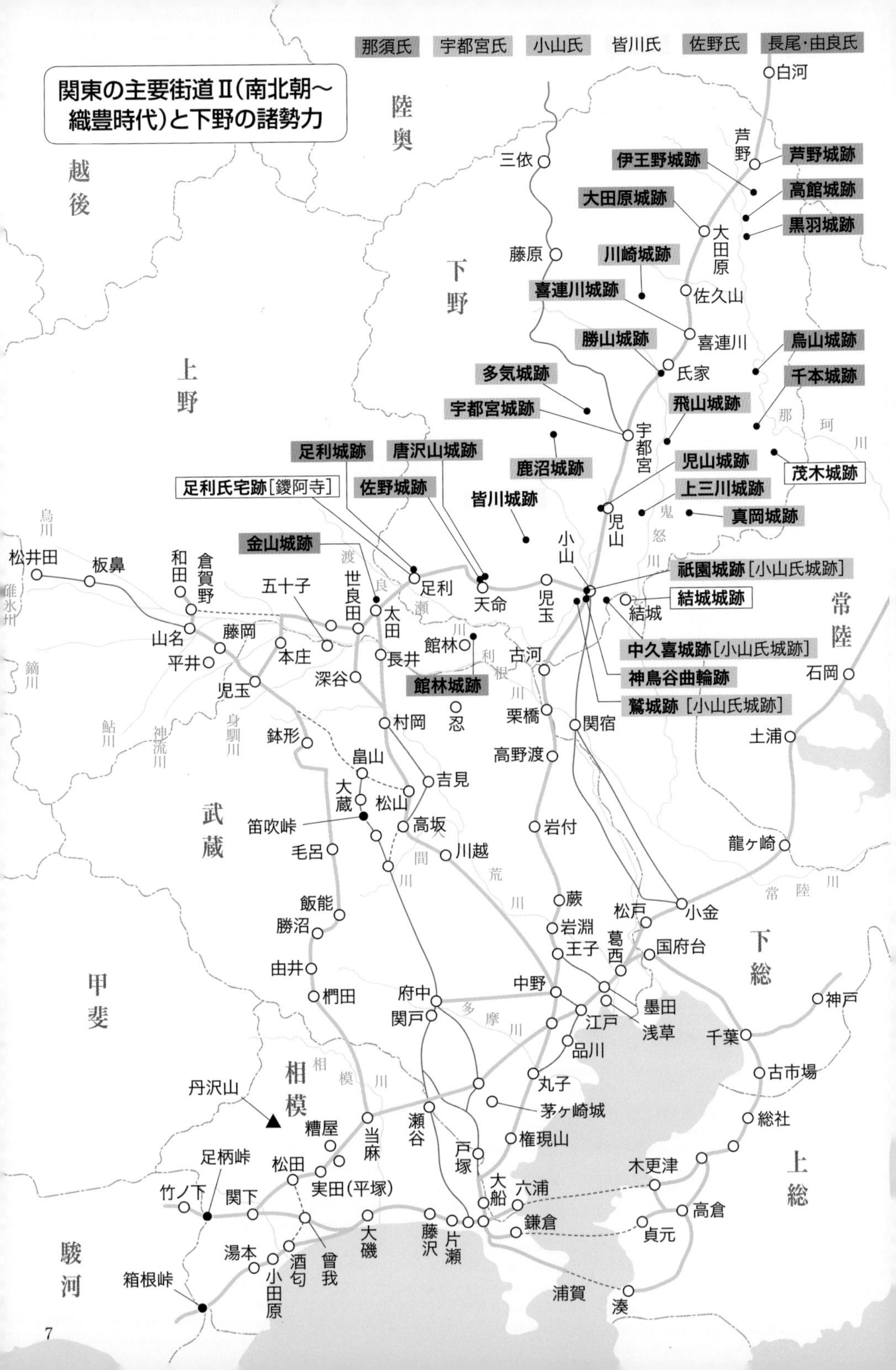

関東の主要街道Ⅱ（南北朝～織豊時代）と下野の諸勢力
那須氏
宇都宮氏
小山氏
皆川氏
佐野氏
長尾・由良氏
陸奥
越後
下野
上野
武蔵
甲斐
相模
駿河
常陸
下総
上総
白河
芦野
芦野城跡
伊王野城跡
高館城跡
大田原城跡
黒羽城跡
大田原
三依
藤原
川崎城跡
喜連川城跡
佐久山
喜連川
勝山城跡
氏家
烏山城跡
千本城跡
多気城跡
宇都宮城跡
飛山城跡
宇都宮
鹿沼城跡
児山城跡
上三川城跡
真岡城跡
茂木城跡
足利城跡
唐沢山城跡
佐野城跡
足利氏宅跡［鑁阿寺］
皆川城跡
金山城跡
児山
小山
祇園城跡［小山氏城跡］
結城城跡
結城
中久喜城跡［小山氏城跡］
神鳥谷曲輪跡
鷲城跡［小山氏城跡］
那珂川
鬼怒川
渡良瀬川
利根川
松井田
板鼻
和田
倉賀野
五十子
世良田
太田
足利
天命
児玉
山名
藤岡
平井
本庄
児玉
長井
館林
館林城跡
古河
深谷
忍
栗橋
関宿
村岡
鉢形
畠山
吉見
高野渡
大蔵
松山
笛吹峠
高坂
岩付
毛呂
川越
入間川
荒川
蕨
松戸
小金
飯能
勝沼
岩淵
王子
葛西
国府台
由井
中野
椚田
府中
関戸
多摩川
墨田
浅草
江戸
品川
丸子
茅ヶ崎城
相模川
丹沢山
糟屋
当麻
瀬谷
権現山
戸塚
足柄峠
松田
実田（平塚）
竹ノ下
関下
大船
六浦
鎌倉
大磯
藤沢
片瀬
曾我
酒匂
湯本
小田原
箱根峠
浦賀
湊
石岡
土浦
龍ヶ崎
常陸川
神戸
千葉
古市場
総社
木更津
高倉
貞元
碓氷川
烏川
鏑川
鮎川
神流川
身馴川

近世下野の主要
街道・河岸・城・陣屋

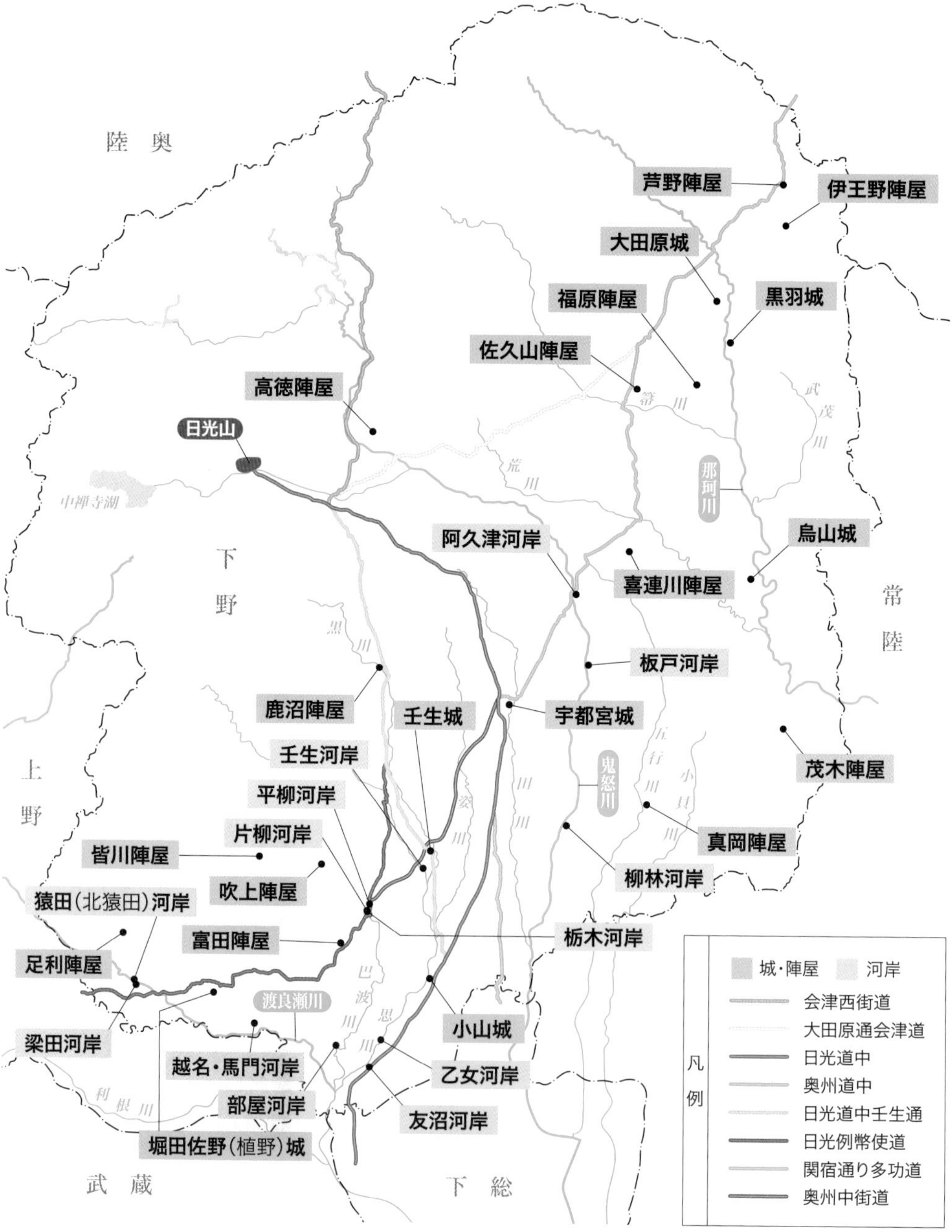

陸　奥
常　陸
上　野
武　蔵
下　総
下　野

芦野陣屋
伊王野陣屋
大田原城
黒羽城
福原陣屋
佐久山陣屋
高徳陣屋
日光山
中禅寺湖
箒　川
武茂川
荒　川
那珂川
阿久津河岸
烏山城
喜連川陣屋
黒　川
板戸河岸
鹿沼陣屋
壬生城
宇都宮城
壬生河岸
五行川
小貝川
鬼怒川
茂木陣屋
平柳河岸
姿　川
田　川
片柳河岸
真岡陣屋
皆川陣屋
吹上陣屋
柳林河岸
猿田（北猿田）河岸
富田陣屋
栃木河岸
足利陣屋
巴波川
思　川
渡良瀬川
小山城
梁田河岸
越名・馬門河岸
乙女河岸
利根川
部屋河岸
友沼河岸
堀田佐野（植野）城

凡例
城・陣屋　河岸
会津西街道
大田原通会津道
日光道中
奥州道中
日光道中壬生通
日光例幣使道
関宿通り多功道
奥州中街道

I 序説

七廻り鏡塚古墳（栃木市）出土時の舟形木棺と大刀や黒漆塗弓などの副葬品
（下野市教育委員会提供）

第一節 「とちぎ」の地政

現在の栃木県は県域境界部に海岸線を有しない内陸県であるが、約五五〇〇年前の縄文時代前期中葉頃の海進頂期には、現在の野木町、茨城県古河市、群馬県板倉町付近まで古鬼怒湾（鬼怒川）や奥東京湾が入り込む地形であったことを篠山貝塚（栃木市）や野渡貝塚（野木町）が示している（下図参照）。この時代以前から人びとは、河川・低地・台地・山地などの地形を効果的に読み取り、いかにうまくモノ（情報）を効率よく運べるかを熟慮し、さまざまな努力の中で、新たな文化の融合が図られたものと考えられる。

河川流域と文化の伝播

古墳時代前期の那珂川町や大田原市域に点在する前方後方墳やそこから出土する土器は、神奈川方面から東京湾周縁を経由し、房総半島に沿って北上する海流とともに常陸沿岸の那珂川河口に辿り着き、さらに河口からおよそ九〇キロメートルを遡ることで、この地

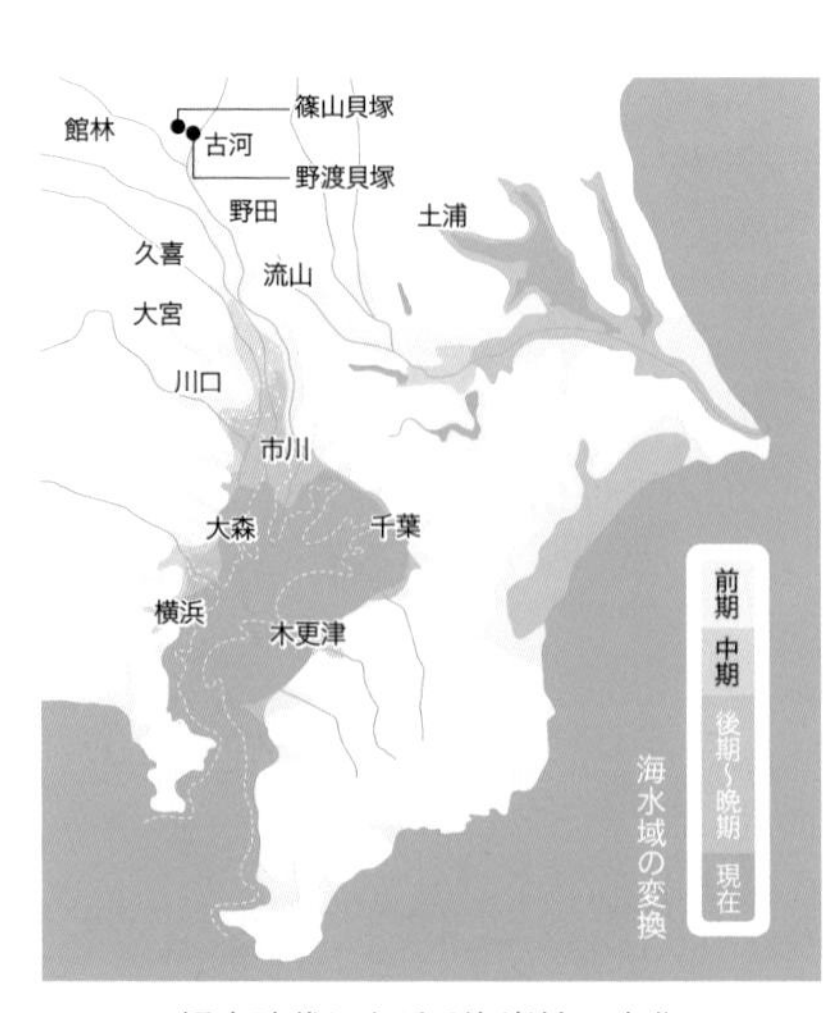

縄文時代における海岸線の変化
（縄文海進：『藤岡町史』通史編前編掲載地図を基に作成）

に至った東海地方由来の古墳文化と想定されている。

また、茂原愛宕塚古墳、茂原権現山古墳（以上、宇都宮市）、三王山南塚古墳（下野市）など県央部の宇都宮市・上三川町・下野市域に分布する前方後方墳を築造する文化は、印旛沼（千葉県印西市ほか）・手賀沼周辺（千葉県我孫子市ほか）から西仁連川・江川・飯沼川を北上し、当地域に流入した古墳文化と想定される。このルートでさらに関宿（千葉県野田市）周辺から、茨城・千葉県道一七号（結城野田線）、茨城・栃木県道一四六号（結城石橋線）を経由し鞘堂（上三川町）付近で現在の国道四号（旧日光道中に近い道筋）と合流するルートは、江戸時代に整備された日光東街道（関宿通多功道）の道筋とほぼ同じコースで、古来よりさまざまな物資や人が往来したと考えられる。

人とモノの動き

茨城県古河市域（旧三和町）周辺では、九世紀中頃～一〇世紀前半に須恵器の生産がおこなわれた。付近で生産された製品は、西仁連川・江川・飯沼川を利用し、小山市南東部や下野市域、宇都宮市南部にも供給・消費されていたことが知られている。このことは水運とともに、平坦な地形を活用した物資の運搬や国域を超えた広域流

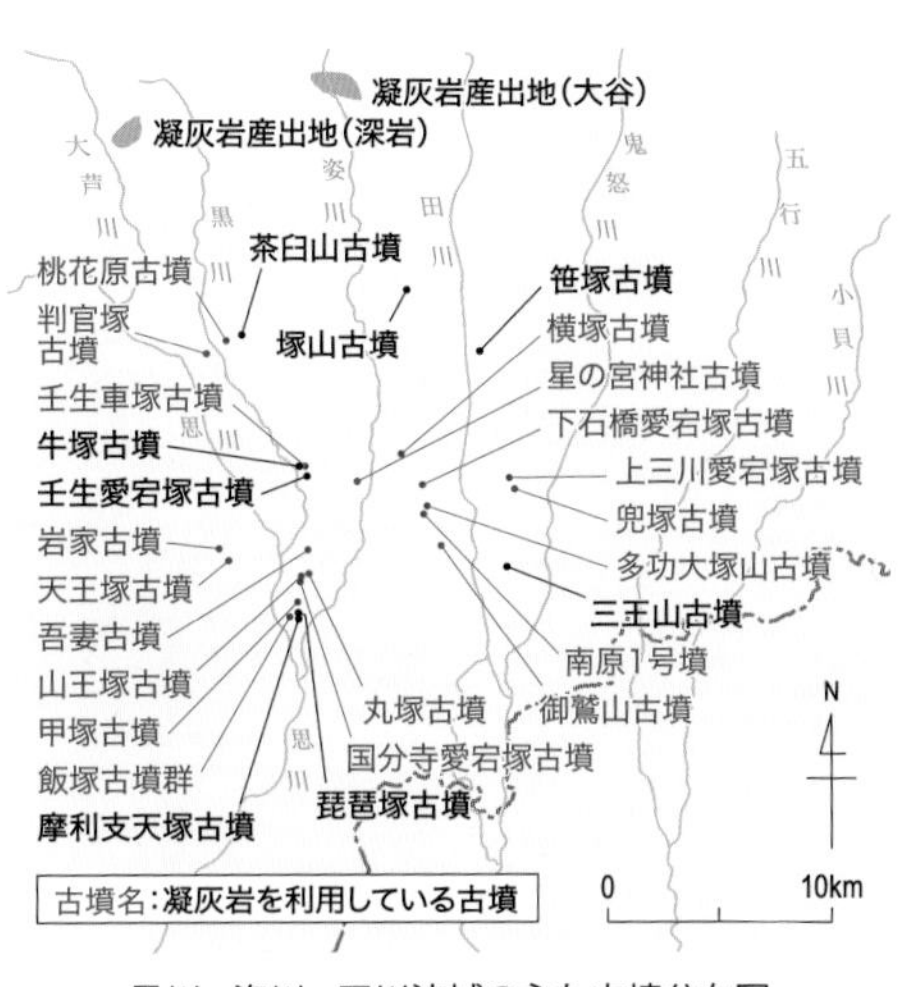

思川・姿川・田川流域の主な古墳分布図
（古墳時代後期）

通品（商品）の需給ルート網が整備されていたことを意味する。このルート沿いには、平将門と平良兼軍が戦ったという古い記録の残る下総結城法城寺（結城廃寺）があり、将門が下野国府（栃木市）に進軍する際もこのルートを通過した可能性が考えられる。

近年の出土資料の蓄積と分析成果で、想像以上に広範囲にわたり人やモノ、情報の往来が頻繁にあったことが解明されてきた。近隣間のモノの移動を示す例として、古墳時代後期の下野型古墳の横穴式石室に使用された凝灰岩は、宇都宮市域の大谷・長岡地区と鹿沼市域の深岩地区が主な採掘地と想定される（一一ページ地図参照）。大谷地区から古墳が築かれた壬生・上三川両町と下野市域までの約三〇キロメートルの運搬は一大事だったであろう。巨石の運搬が水運か陸運かについては今後の課題となるが、採掘地と古墳が造られた場所の途中で仮に反対勢力が存在したならば、巨石を入手し利用することは不可能であり、人（権力・勢力）とモノの動きが連動することで、初めて巨大な首長墓の築造が可能となるわけである。

権力の道

古墳時代には勢力圏をつなぐ、あるいは需給に関わるルート整備

深岩地区で産出された凝灰岩を使用した玄門石（吾妻古墳出土：壬生町城址公園）

凝灰岩露頭（鹿沼市深岩地区：小森哲也氏撮影）

の構築が予測されている。しかし、この時代には中央と地方、地方と地方を結ぶ公の道路網（権力の道）は未整備であり、この後の律令体制の主な目的は、税の徴収・徴兵制度の確立であり、中央は地方をいかに統治するかが最大の課題であった。下野国からも、税を主としてさまざまな物資が都に送られた。正倉院宝物のほか、藤原京や平城京から出土する下毛野国（下野国名）や、評・郡名を表記した資料がその実情を示している。

また、蝦夷地（東北）と接し、常に緊張状態の東国北部（上野・下野・常陸国）からは東山道や東海道を利用し、国内の兵員・武器・兵糧などが蝦夷地に送られた。さらに天平一〇（七三八）年には、伊豆・甲斐・相模・安房・上総・下総・常陸国から送られた一〇八二人の防人が駿河国を通過しており、下野国からも数百人単位で防人が派遣された。関東地方では東山・東海道と想定される道路遺構の調査が進んでいるが、ルートが明らかになっていない地域も多い。これとは別に、東北と鎌倉を結ぶ中世の道路（奥大道・鎌倉街道）跡も近年確認されつつある。路盤幅は一〇メートル規模で両側に側溝があり、直線的で硬化した路面には補修や荷車が通過した痕跡なども確認されている。この道は、源頼朝や豊臣秀吉も通った道である。

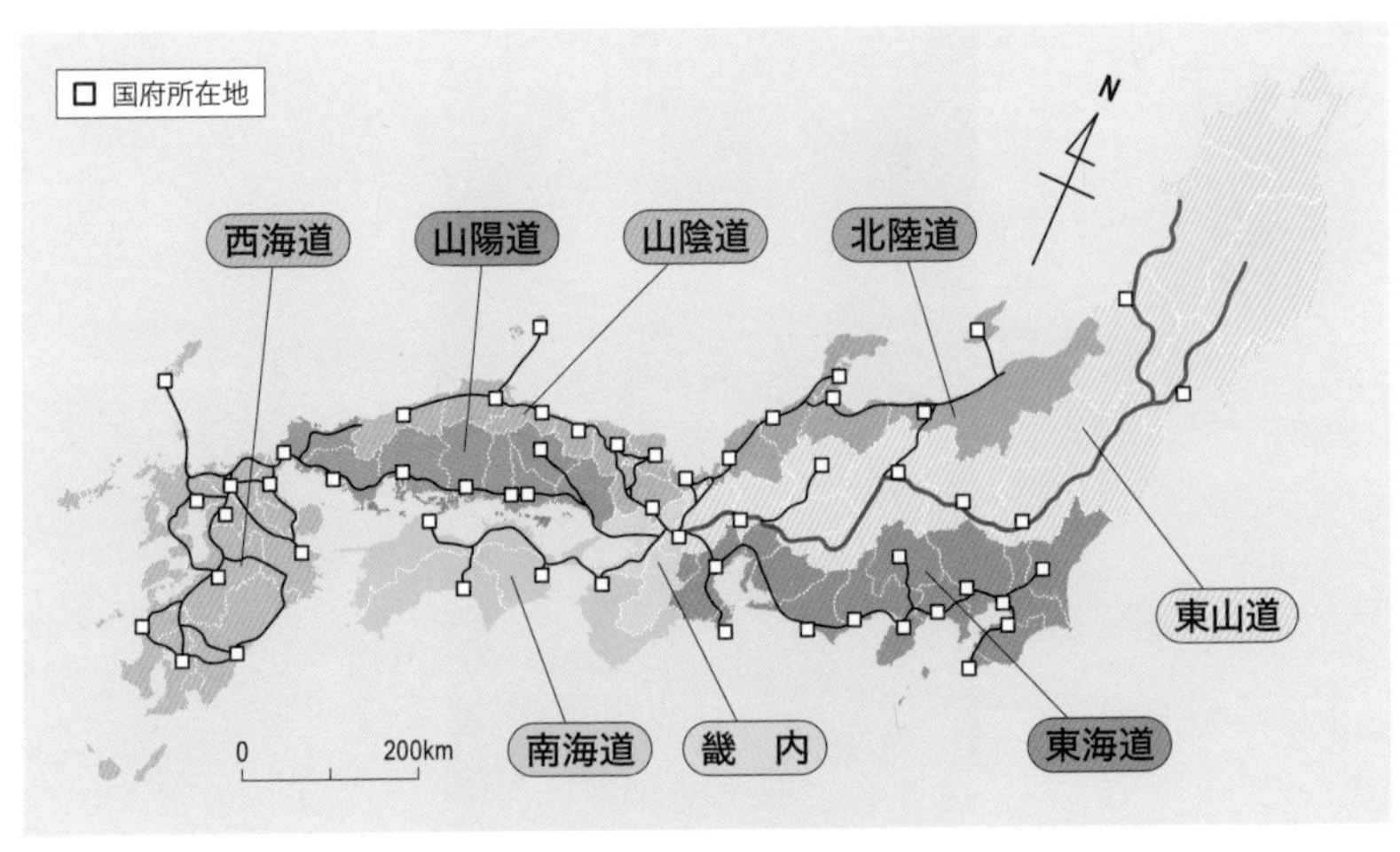

古代の交通路と行政区分

第二節　合戦と街道

合戦と街道

古代に都の防備と反乱防止のために設置された三つの関所を三関（さんげん）と呼ぶ。具体的には、伊勢国鈴鹿関（三重県亀山市関町付近）・越前国愛発関（あらちのせき）（福井県敦賀市）・美濃国不破関（ふわ）（岐阜県関ケ原町）をさし、内乱や天皇死去の際には異変防止のために使者（固関使（こげんし））が派遣され、関を閉鎖した（固関）。

六四五年の大化の改新（乙巳の変（いっし））で中央集権化を進めた中大兄皇子（なかのおおえのおうじ）（のちの天智天皇）の没後、皇位継承をめぐって弟大海人皇子（おおあまの）（のちの天武天皇）と天智の子大友皇子が争った壬申の乱（じんしん）（六七二年）では、大海人皇子がいち早く不破関を閉鎖し、攻め寄せた大友軍を玉倉部邑（たまくらべのむら）（関ケ原町）で破った。その後、近江瀬田（滋賀県大津市）でも大友軍を破って大友皇子は戦死し、翌年に大海人皇子が即位した。

中世になると、一四世紀の南北朝の内乱初期に奥羽の大軍を率いて上洛をめざした南朝方の北畠顕家（きたばたけあきいえ）が、これを追撃する室町幕府軍

北畠顕家像（三重県津市北畠神社）

（北朝方）と暦応元（一三三八）年一月に美濃青野原（あおのがはら）（岐阜県大垣市・垂井町一帯、のちの関ヶ原）で戦って、幕府軍を撃退している。顕家は合戦後、伊勢（三重県）を経て後醍醐（ごだいご）天皇のいる吉野（奈良県吉野町）に参じ、同年五月に和泉石津（大阪府堺市）で戦死した。

近世初頭には、秀吉没後の豊臣政権の主導権をめぐって東軍徳川家康ら約九万と西軍石田三成ら約八万の軍勢が、慶長五（一六〇〇）年九月一五日に美濃関ヶ原（関ヶ原町）で戦い、合戦の帰趨はわずか一日で決し、東軍が勝利した。この結果、家康の覇権が確立され、まもなく江戸に幕府が開かれた。関ヶ原合戦は、まさに天下分け目の戦いとなった。

注目されるのは、関ヶ原合戦以前にもほぼ同じ場所で青野原の戦い、そして玉倉部邑の戦いが繰り広げられた点で、東国と西国を結ぶ重要交通路上に関ヶ原（青野原、不破関）が位置していたからこそ、歴史的に重要な合戦が何度も繰り返されたと考えられる。つまり、合戦と街道は密接不可分の関係にあったことが以上の事例からはあきらかとなる。

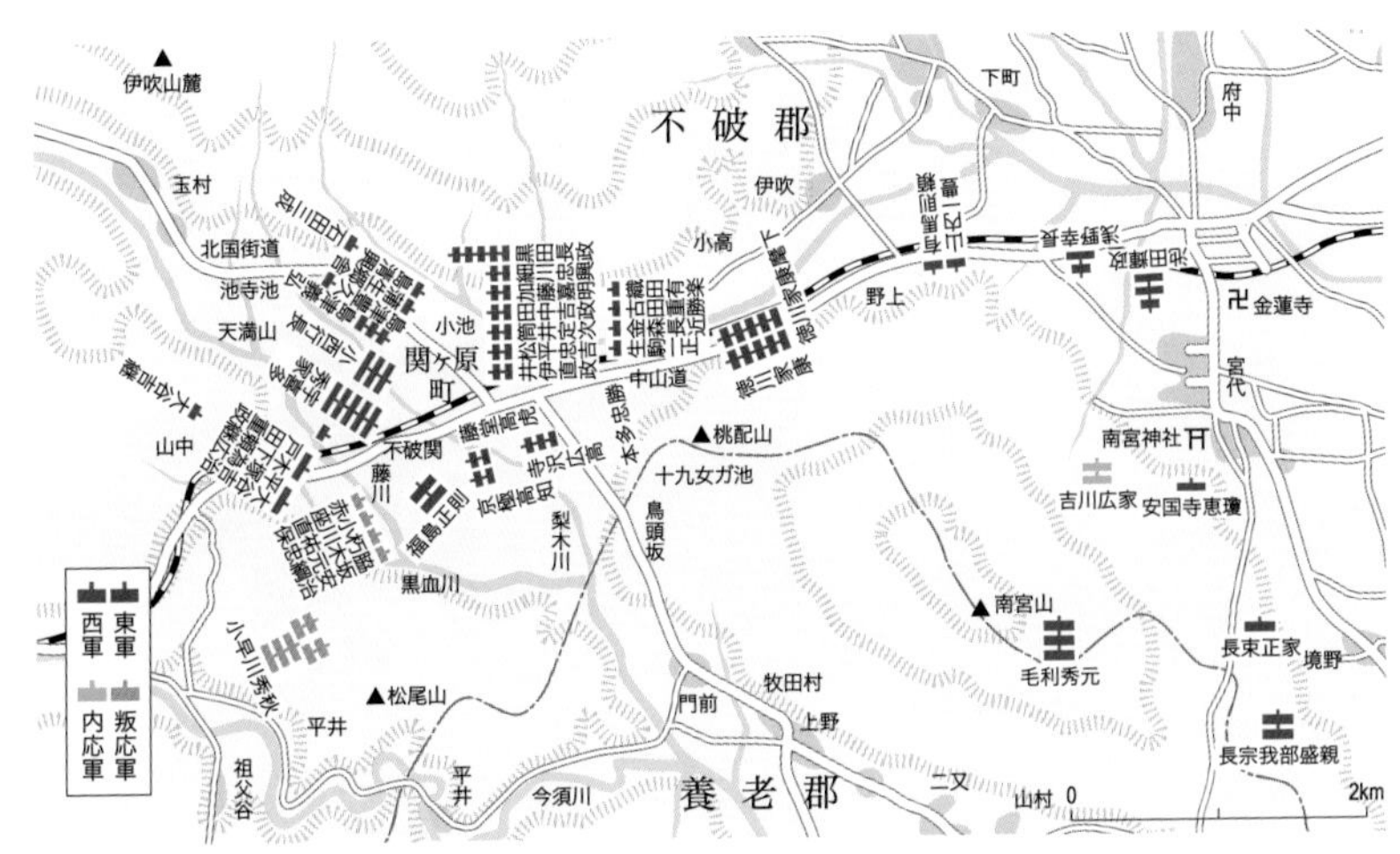

関ヶ原合戦対陣図（本多隆成『徳川家康と関ヶ原の戦い』掲載地図を基に作成）

下野の街道と合戦

北関東にあって東北と接する下野（栃木県）の場合は、古代は東山道、中世は奥大道、近世は奥州道中、近代は陸羽街道、そして現代は国道四号や東北自動車道などの重要交通路が南北に縦断している。このため歴史上、都や鎌倉・江戸・東京から東北に向かう数多くの人びとが下野の地を北上していった。

たとえば、古代には征夷大将軍の坂上田村麻呂や陸奥守・鎮守府将軍の源頼義・義家父子、中世には鎌倉幕府将軍の源頼朝、近世には関白・太政大臣の豊臣秀吉や江戸幕府将軍の徳川家康といったそうそうたる武人をはじめ、かれらに率いられた軍勢、そのほか商人や職人、そして旅人たちも下野を通過した。

なかでも、下野の中心に位置し、同国の一宮である宇都宮明神（二荒山神社）では、同社に戦勝を祈願した武将として、以下のような人びとが記録されている（「宇都宮大明神代々奇瑞之事」）。一〇世紀半ばの平将門の乱では、藤原秀郷が一七日間の祈願ののちに神剣を授かり、秀郷がその神剣で将門の首を刎ねた後、神剣はひとりでに社殿に飛来したという。また一一世紀中ごろの前九年合戦では、源義家が奥州の安倍貞任追討を祈願したところ、社殿が三度鳴動し、鏑矢が社

二荒山神社（宇都宮市）

殿から東に向けて飛び去ったと伝わる。そして、文治五（一一八九）年の奥州合戦では、源頼朝が平泉（岩手県平泉町）の藤原泰衡誅伐を祈り、みごと祈願が成就したお礼として泰衡一族の樋爪季衡を生け贄に献じたとされる。「宇都宮大明神代々奇瑞之事」が書き記されたのは、一五世紀後半の文明一六（一四八四）年のため、その後に参詣した秀吉・家康らの祈願の内容までは定かではないが、ともかく宇都宮明神が多くの武将たちから信仰を集めていたことがうかがえる。

　中世の下野を代表する街道・奥大道をめぐる戦いとしては、寿永二（一一八三）年の野木宮合戦（野木町）、建武三（一三三六）年の那須高館合戦（大田原市）、康暦二（一三八〇）年の茂原合戦（宇都宮市）等のほか、永正一一（一五一四）年の宇都宮竹林合戦や天文一八（一五四九）年の喜連川早乙女坂合戦（さくら市）などがよく知られている。ともに奥大道上を移動していた軍勢が敵に遭遇、もしくは敵方の城館等に近接したことによりおこった合戦になる。

　このうち茂原合戦では宇都宮氏一一代当主基綱、早乙女坂合戦では二〇代当主尚綱が討ち死にするなど、壮絶な戦いが繰り広げられただけでなく、その時点では勝者だった小山義政、那須高資ものちに非業の死をとげるなど、後世に及ぼした影響も甚大だった。

宇都宮尚綱五輪塔（さくら市早乙女）

図版提供・協力者（敬称略）

秋田市立秋田城跡歴史資料館／宇都宮市上下水道局／宇都宮美術館／宇都宮二荒山神社／大田原市教育委員会／桶川市／小山市立博物館／唐澤山神社／孝顕寺／光明寺／國王神社／国立国会図書館／国立歴史民俗博物館／小杉放菴記念日光美術館／さくら市ミュージアム ―荒井寛方記念館―／下野市教育委員会／常楽寺／随想舎／高橋龍太郎事務所／ＤＮＰアートコミュニケーションズ／東京国立博物館／東京都現代美術館／東京都立中央図書館／栃木県立博物館／長岡市立中央図書館／那須烏山市／那須野が原博物館／日光山輪王寺宝物殿／坂東市教育委員会／ミヅマアートギャラリー／壬生町立歴史民俗資料館

岩田幸治
岩田清子
大嶽浩良
長田実穂
小森哲也
中野英男
増田俊雄
山口　晃
山本真次
渡辺弘一

地図・系図制作　塚原英雄

凡　例

一、本書で叙述の情報および知見は、二〇一九年十二月時点のものである。
一、本書で用いている「とちぎ」は、現在の行政区域としての栃木県と、かつての国名「下野国」を一体的に表現することを意図し表記している。
一、「Ⅰ序説」では、「地政」「合戦」「街道」の視点から、「とちぎ」の歴史的位置を確認している。
一、各章（Ⅰ序説・Ⅵ座談会除く）冒頭では、全体の見取図として概説を叙述し、各節冒頭の青色ゴシック体は、本編を読む前のガイダンスとして、その節に関する概説等を叙述している。
一、「Ⅵ座談会」では、本書の目的やポイントとなるトピックス等について執筆者たちが確認・検討している。

II 古代から中世へ

大蘇芳年「相模次郎平将門」『芳年武者无類』
（明治16［1883］年、国立国会図書館デジタルコレクションより）

これから、日本の古代から中世前期の戦乱（乱・役・合戦・戦い）に関する事象をひも解いていきたいと思います。

考古学者佐原眞の著書に、イラクの洞窟遺跡で五、六万年前のネアンデルタール人の墓が発掘され、そこには花が手向けられていたことが紹介されています（『考古学千夜一夜』）。また、同書「戦争と平和」の章では「四〇〇万年という人類の長い歴史の中で、武器をもって殺戮をはじめたのはごくごく最近のことで、文明が武器・戦争を生み出した」と記されて、強く戦争を否定しています。

戦いがなかった縄文時代から一転して弥生時代には、稲作を原資とした富や土地の収奪を目的とした集団闘争が始まり、古墳時代には「大王」が出現、権力の表象として巨大古墳が造られます。古墳には副葬品として大量の武器や武具が埋納されますが、埋納しても有り余るほど大量の武器の保有を見せつける行為とともに、死して祖霊となる被葬者が武器を保持して埋葬されることが、争いの抑止力的意味を持つ祭祀行為になっていたのかもしれません。

『宋書倭国伝』には五世紀、倭の五王が中国の宋から「安東将軍倭国王」の称号を受け、さらに「昔から祖禰躬ら甲冑を環き、山川を跋渉し寧処に遑あらず（略）」と記した上表文※1を奉っています。各

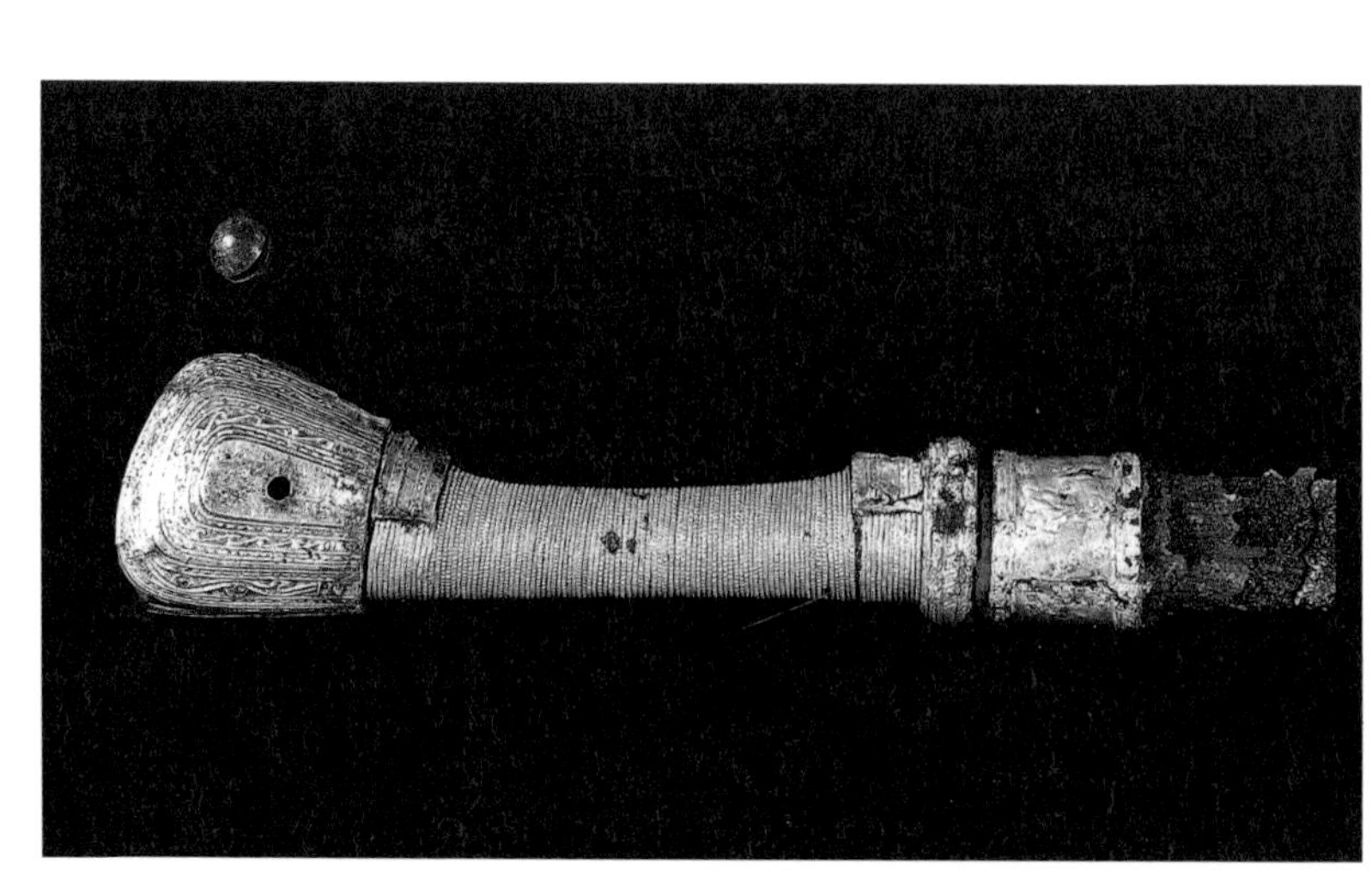

別処山古墳（下野市）から出土した大刀の柄頭（下野市教育委員会蔵）

地の古墳出土の埴輪に模倣された当時の武人は、果たしてどれくらい実戦に参加し、彼らは何と戦ったのでしょう。

この後、「倭」から「日本」という国が生まれる過程で、大きな戦いが二回起きました。一つは天智二（六六三）年、韓（朝鮮）半島の白村江で、日本と百済遺民の連合軍が唐・新羅連合軍と戦い大敗を喫した戦いです。この大敗により日本は防御を固めることとなり、九州警護のため、東国からも多くの成人男子が「防人」として派遣されました。もう一つの戦いは、天武元（六七二）年に起きた古代日本最大の内乱である壬申の乱です。この戦いは、直接的には皇位継承をめぐる争いですが、結果として天皇を頂点とする中央集権国家が完成します。国家が運用する大宝律令の制定には、下野を本貫※2とした下毛野朝臣古麻呂が深く関与していました。古麻呂は後に兵部卿、大将軍として軍の発展に関与したと考えられます。

桓武期には、東北地方を対象とした軍事行動が活発化します。宝亀五（七七四）年から弘仁二（八一一）年の対東北戦は「三十八年戦争」と呼ばれ、下野や常陸は兵站基地としての役割を担いました。一〇世紀頃になると地方政治は国司に一任され、土地の管理、収税なども国司の権限となりました。一一世紀頃には開発領主が現れ、

※1　君主など最高権力者に文書を差し上げること。
※2　氏族集団の発祥地。

下毛野朝臣古麻呂
（イメージ写真：『ビジュアル版 下野薬師寺』より）

地方に土着した国司の子弟などと主従関係を結び、自らの支配領域を守るため一族（家子）や配下の上層農民（郎等）らを武装化させ自衛を図ります。このほか僦馬の党※3、弓馬の士など、弓馬の技に長けた者の中から国司、郡司などの職に就く領主的階層や臣籍降下した皇統につながる貴種の者たちが勢力を伸ばします。この兵農未分離の武装集団を率いた「もののふ」が起こした古代東国最大の戦いが、平将門の乱（九三九～四〇年）です。この乱を鎮圧したのが将門の従兄弟である平貞盛と当時下野掾・押領使※4の地位にあった藤原秀郷で、両名とも乱の後に鎮守府将軍に任命されます。

この当時、「将軍」といえばこの鎮守府将軍のことであり、「もののふ」にとっては名誉な官職でした。後に彼らの子孫たちは地方で経済的な基盤を確立し、都でも弓馬の武芸が認められ宮城護衛の職務に就き、さらに地方ではその立場を利用し、都では本貫地の財力を背景に権門との結びつきを深め、都鄙を往還しながら勢力を堅固なものとしていきました。秀郷は下野守や武蔵守にも任じられ、小山氏をはじめとするその子孫は、坂東諸国を支配する武家諸氏の祖となっています。

貞盛の子の維衡は、平忠常の乱（一〇二八年）を契機に勢力を伸ば

※3　九世紀末の坂東諸国で、自ら武装し租税などの輸送を業とした集団で、馬や荷の強奪を行った強盗。なお、僦馬の僦の文字は「雇う」「雇われる」の意味で、荷駄用の馬を用いて物資を運送した者（後の馬喰に類似）と考えられる。

※4　平安時代初期から存在し、当初は防人や兵士などを管理統率する臨時の役職だったが、平将門の乱以降は常設の役職として、東国の国司や郡司の中で武芸に長けた者が任命されるようになった。

平将門木像（国王神社蔵：坂東市教育委員会提供）

し、後に清盛に繋がる伊勢を中心に武士団を形成した伊勢平氏として成長します。源頼信と子の頼義も平忠常の乱鎮圧後に東国に勢力を伸ばします。源頼義・義家親子により前九年合戦が鎮圧され、後三年合戦では藤原清衡と源義家が手を結び清原氏を倒します。前九年・後三年合戦を制した源頼義、特にその息子の義家は「天下第一之武勇之士」とたたえられ、一門は「武門の家」と認知されますが、平氏と源氏の立場は保元の乱（一一五六年）、平治の乱（一一五九年）で逆転します。平治の乱で源義朝は清盛に敗れ、その子頼朝は伊豆に流罪となります。

それから二〇年の歳月が流れ、平氏政権に陰りが現れだした治承四（一一八〇）年に頼朝が挙兵。源氏復権の戦いである治承・寿永の乱（一一八〇～八五年）が始まります。その一連の戦いにおいて北関東勢力の趨勢を占う重要な戦いが起こります。下野野木宮付近（野木町）で、頼朝の叔父で常陸に勢力を持つ志田義広と藤姓足利俊綱・忠綱親子がかつて将門を打ち破った秀郷系の小山一族を中心とする頼朝方の軍勢と戦います。この戦いにより、東国（関東）で頼朝に敵対する勢力は一掃され、参戦した小山一族や宇都宮氏は後に鎌倉幕府において、武門の家として代々要職を占めることになります。

野木神社（野木町）。野木宮合戦の舞台は神社周辺だったという

第一節 武士の発生と平将門の乱

蝦夷との三十八年戦争以降、九世紀の俘囚の反乱などにより、東国各所では「凶猾党を成し、群盗山に満つ」と記される深刻な争乱状況が続いていた。九州大宰府管内でも調庸徴収を妨げる「遊蕩放従之輩」が横行し、各地の警察権を有する国府・郡衙機能は弱体化し、統制は乱れていた。

このような中、国衙機構は院宮王臣家※1などが抱える諸家兵士や富豪浪人と結託した地方豪族をも組み込んだ国衙軍を再編する。院宮王臣家は、任期終了後も都に戻らず土着し、地方豪族と血縁を結んだ嵯峨源氏や桓武平氏など中央貴族との結びつきを背景に国衙との対等の地位を築き勢力を拡大していった。この中から、国衙権力とは無関係に軍事組織として群党を統括し、国衙に対抗する勢力を有する者が現れ、平将門の乱が起こった。

※1 皇族と貴族（三位以上の上級廷臣）と準貴族（五位以上の中級廷臣）で構成される社会の最上層の総称。

※2 奈良時代から平安時代初期にかけて、順化（環境への適応）程度によって区別した蝦夷の呼称。順化が進むと俘囚となり、令制外の蝦夷爵（蝦夷に対して与えられた爵位）から令制上の位階に切り替えられた。

俘囚の活発化

東国には多くの夷俘※2や俘囚が暮らしていた。とくに上野国には碓氷・多胡・緑野三郡に俘囚郷があり、『延喜式』によれば、下野と常陸国の俘囚料稲はともに一〇万束と、他の東国地域とは桁違いである（下表参照）。これは下野・常陸両国が陸奥国と接し俘囚の受け入れが多かったからである。東国以外では肥前・肥後・筑前・筑後・豊後国など大宰府管内の俘囚料稲が多く、これは俘囚を対朝鮮半島防衛のための兵力に移配したためと考えられる。

移配された俘囚は恭順し、公民となった者が多かっただろう（『続日本紀』神護景雲三年一一月条）。「一を以て千に当たる」（『続日本紀』天応元年六月朔日条）と記されているように、俘囚には戦う技術に長けた者が多かった。その技能の一つが牛馬の畜産技術や馬の扱いであった。しかし、移配先で言葉の違いや生活習俗の違いから、時折、小競り合いを起こすようになる。彼らは武芸と乗馬の技術を有することから、その小競り合いは反乱へと拡大していく。承和一五（八四八）年（六月に改元し嘉祥元年）二月、上総国で俘囚丸子廻毛らが反乱を起こし、五七人が捕縛、斬首された。貞観一七（八七五）年五月にも下総国で大規模な俘囚の反乱がおこり、武蔵・上総・常陸・下野の各国から

東海道、東山道、西海道の俘囚移配国と諸国俘囚料稲（荒井秀規『覚醒する〈関東〉』掲載表を基に作成）

	国名	俘囚料稲	俘囚料稲／全出挙稲	推定俘囚人口
東海道	相模	28600束	3.3%	119人
	武蔵	30000束	2.6%	125人
	上総	25000束	2.3%	104人
	下総	20000束	1.9%	83人
	常陸	100000束	5.4%	416人
東山道	近江	105000束	8.7%	437人
	美濃	41000束	4.7%	170人
	信濃	3000束	0.3%	12人
	上野	10000束	1.1%	41人
	下野	100000束	11.4%	416人
西海道	筑前	57370束	7.3%	239人
	筑後	44082束	7.1%	183人
	肥前	13090束	1.9%	54人
	肥後	73435束	11.0%	722人
	豊後	39370束	5.3%	164人

兵士三〇〇名が動員された。六月には下野国から「俘囚八九人を殺害、または捕縛した」との報告が残されている。

東国の争乱と俘囚

元慶二（八七八）年三月には出羽国で俘囚が秋田城（秋田県秋田市）を襲撃し、城下の村がその支配下に置かれる事態に陥った元慶の乱が起こる。この乱の鎮圧にも上野・下野両国の兵が動員された。鎮圧に失敗した出羽守に代わって出羽権守に任じられていた藤原保則は、不動穀※2の賑給※3などの懐柔策をとり、翌三年には乱も終息し秋田城も再建された。この乱は上野・下野の兵だけで鎮圧が不可能な場合、続けて武蔵・常陸国の兵も動員される予定であった。この争乱と前後するように、元慶二年九月二九日夜、「関東」（「三関」以東）で大地震が発生した※4。地震の被害も関係するが、乱が終息した三年五月には、上総国出挙の二カ年停止が認められた。人的・物理的な被害のためか、徴税が不可能だったと判断されたのである。

この後、更に俘囚の反乱が横行し、官物を盗み人々を殺害する事件が起こるが、国衙に代表される政府機構は既に兵を派兵し討伐に当たることもかなわず、事の次第を「強盗」にすり替え、政府のあ

秋田城跡（政庁：秋田市立秋田城跡歴史資料館提供）

※2　律令制において、非常時に備えて不動倉に貯蔵された穀類のこと。

※3　律令制において、高齢者や困窮者、身寄りのない人たちに対して国家が食料品や衣料を支給する福祉制度あるいは支給する行為のこと。

ずかり知らぬこととした。この頃から後の記録は「凶猾が党を成し、群盗が山に満る」「東国賊首」「僦馬の党」などの争乱の賊首を指す言葉が現れる。この輩は東山道沿線（上野・下野）で盗んだ馬を東海道（武蔵・相模）に持ち込み、その逆の行為で得た馬や物品を略奪し利益を得ていた。このほか、院宮王臣家の権威を背景に国司・郡司の支配に対抗する者たちは「富豪の輩※5」と呼ばれ、富裕層は自らの下に集まった富を守るため武装化し、時には賊徒として横行を働いた。彼らの中には相互に結合して「党」と呼ばれる武装集団を形成し、地方行政官（郡司など）に圧力を加え、これまでの地方の支配体系を瓦解させるような者も現れた。

　これら東国の争乱を起こす賊徒に対して、政府は押領使をたびたび派遣している。後に常陸国衙と対立して将門の下に逃げ込む藤原玄明（ふじわらのはるあき）は、この富豪の輩に相当すると考えられ、「下野国の罪人」藤原秀郷は事件を起こして裁かれた立場の者と考えられる。

　このように当時の坂東諸国は、俘囚の反乱や群盗の横行が相次ぎ、その対処策として諸国や諸郡に検非違使を配置したが効果はなく、九世紀以降、さらに治安が悪化し各地で争乱が多発した。一〇世紀初頭には「武人」として戦闘知識と技能を有し、臣籍降下し坂東へ

※4　夜、地震す。この日、関東諸国の地、大いに震裂す。相模・武蔵は特に尤も甚だしとなす。その後、五六日、震動いまだ止まず。公私の屋舎は一つとして全ったきもの無し。或は地の窪陥して、住還通ぜず。百姓の圧死すること勝（あ）げて記すべからず（『日本三代実録』元慶二［八七八］年九月二九日条）

※5　広大な土地や多数の農民・牛馬を所持し、私出挙などで巨利を築き在地領主化した。

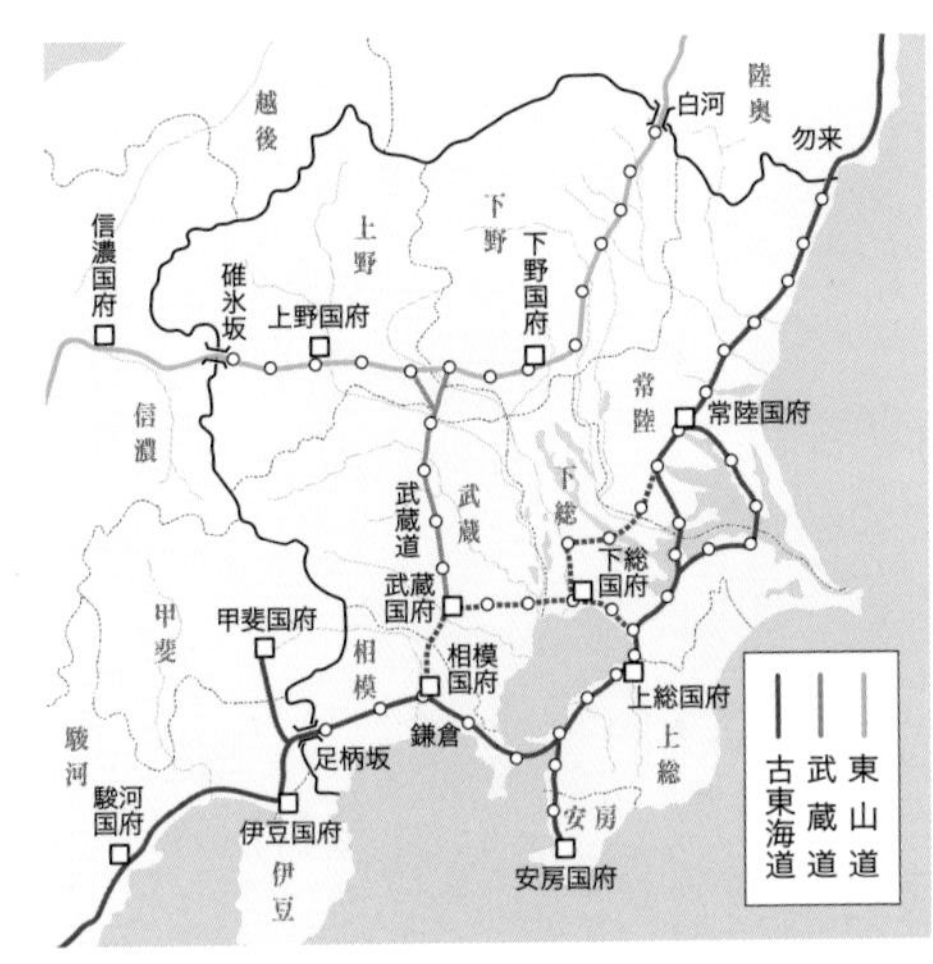

東海道と東山道
（鈴木哲雄『平将門と東国武士団』掲載地図を基に作成）

下向した貴族・皇族の末裔（賜姓皇族）たちは、中央貴族との結合を背景に国衙と対等の地位を有することで群党を組織化し、これを配下に従えた軍事貴族へと成長していった。

土着化する王臣子孫たち

貞観一〇年、王臣家収益の回収には国司が関与するという、斉衡二（八五五）年に出された命令の再確認のような発令が行われる。また、この頃、五位以上の者、孫王、元国司などに「許可無く畿外への下向を禁止」している。この五位以上や孫王は、ほぼすべてが王臣子孫であり、地方に下ったこれらの者の中には権威を悪用し「党」を結び、集団で百姓から収奪を行う「群盗」のような者も現れた。これらの群盗紛いの連中には、藤原・源・平の各氏に関連する氏族も含まれていた。

藤原秀郷もこれらの氏族と同様な動きをしたことが史料から読み取れる。秀郷の曾祖父藤成は弘仁二（八一一）年に播磨介に任じられ、弘仁四（八一三）年に播磨守に昇進、併せて「夷俘専当」（対俘囚専任官）にも任じられている。祖父豊沢は、下野国の任用国司（少掾）として下向し、現地氏族（鹿島氏、鳥取氏諸説あり）と婚姻関係を結び勢力を伸

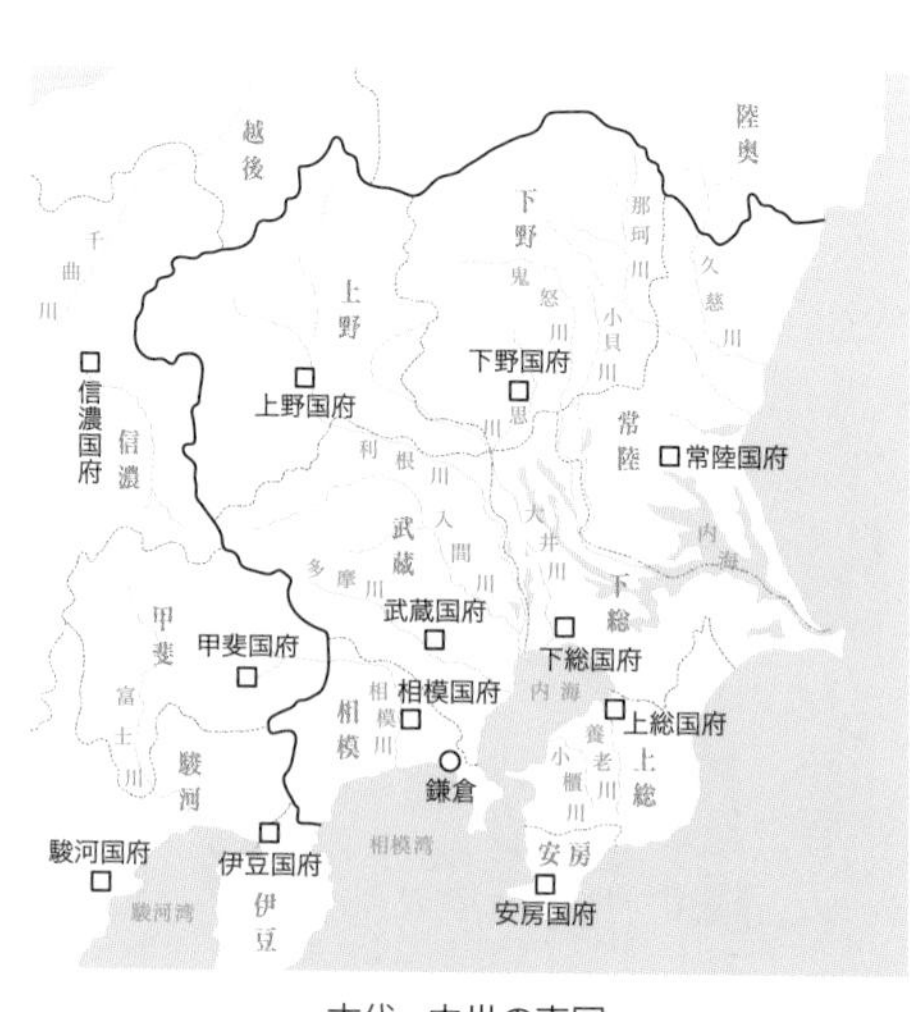

古代・中世の東国
（鈴木哲雄『平将門と東国武士団』掲載地図を基に作成）

ばした。また、子孫の小山朝政に関する史料では、豊沢は下野国の押領使と記されているが、その子孫で下野大掾（だいじょう）・藤原村雄（むらお）の子の秀郷は、罪人として幾度か追捕されている。

延喜一六（九一六）年八月、秀郷は何らかの事件を起こし、秀郷を含め一八人が罪人として追放されている。さらに延長七（九二九）年五月には下野国で「濫行（らんぎょう）」を繰り返していることから、秀郷追捕のため、太政官から下野国と五カ国に派兵要請が行われている。このように、秀郷は群盗として何度も罪人として追捕の対象となりながらも、後に東国一帯を席巻した将門を下野掾・押領使の立場で追討し、他の者とは比較にならない突出した褒賞を受けている。

およそ二五〇年後、鎌倉を中心とした武家政権の開始期において、その子孫となる小山一族は、その血脈を度々誇らしげに語り、源頼朝まで小山一族の武人的資質を認めている。

東国の変化と平将門の乱

承平五（九三五）年二月、平将門と前常陸大掾源護（ひたちだいじょうみなもとのまもる）の子である扶（たすく）や隆・繁をはじめ婚姻関係から護に味方した叔父の平国香（くにか）を殺害、館などを焼き払った。『将門略記』では、この争いは「女論」とされて

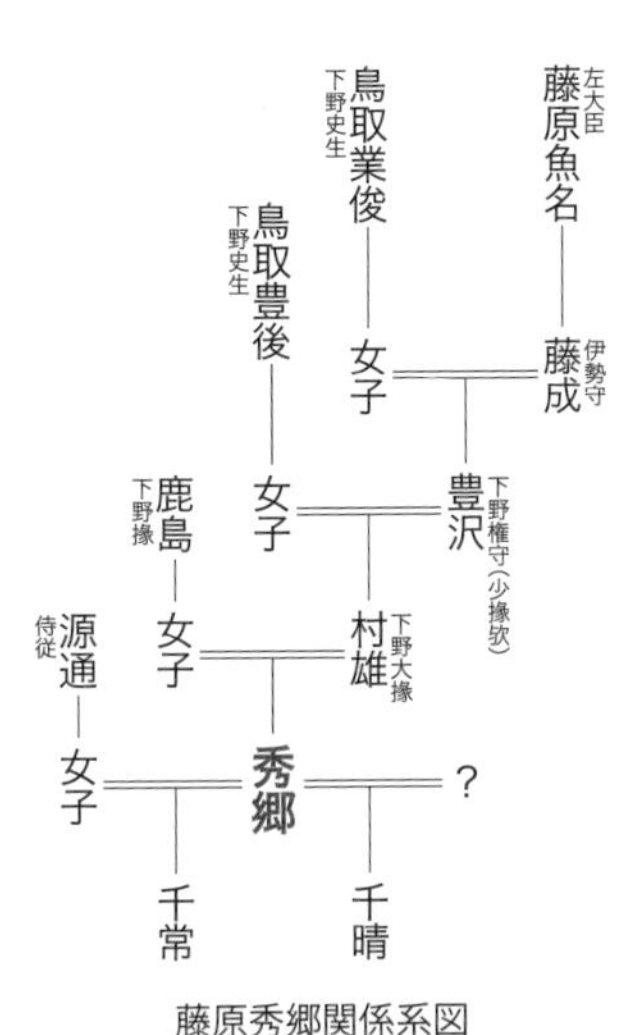

藤原秀郷関係系図
（鈴木哲雄『平将門と東国武士団』掲載地図を基に作成）

いるが『今昔物語集』などでは、将門の父良将の遺領※6の相続問題とされている。この豊田・猿島郡の周辺は、小貝川（子飼川）・糸繰川、鬼怒川（衣川）、飯沼川、西仁連川、宮戸川などが南流し、現在、利根川に注ぎ込んでいる河川も当時は手賀沼周辺から印旛沼、霞ヶ浦、北浦がつながった「香取海」と呼ばれる内海を形成し、銚子付近で外海に繋がっていた。乱のきっかけとなった父良将の領地には、この河川とともに鳥羽江、大宝沼、広河江（飯沼）、菅生沼、藺沼などの低湿地が点在していた。また、この河川や湿地を利用した河川交通も発達していたと考えられ、河川沿いや沼などに交通と物資の結節点として「津」が設けられていたと考えられる。豊田と猿島両郡の接する地点の沼周辺には「大井津」が、信太郡（茨城県稲敷市）には「榎浦津」の地名が所在し、「水守の営所」や「子飼の渡」「堀越渡」「川曲村」「川口村」など河川に関するような地名の場所で戦が起きているが、これらの場所は水陸ともに交通の要衝であったと考えられる。

源護や平国香・貞盛の本拠地は、筑波山麓西から南にかけての微高地や現在の茨城県石岡市に所在する常陸国府周辺（香取海北端部）と想定され、また良兼は香取の海の南側を本拠地としており、彼らの領地はこの低湿地から離れた地域のため、交通の要衝を掌握し難く、

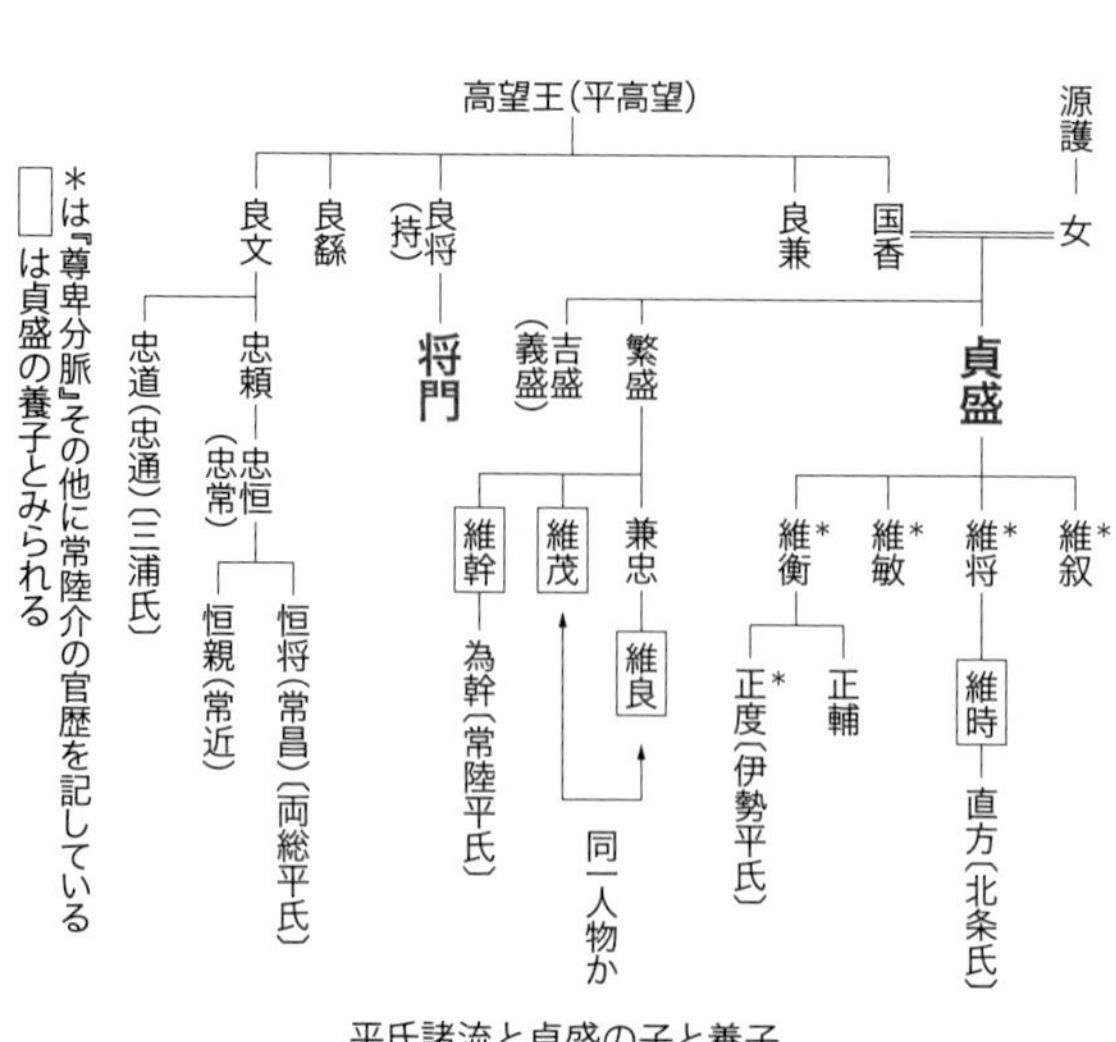

平氏諸流と貞盛の子と養子
（野口実『源氏と坂東武士』掲載図を基に作成）

良将の遺領は可耕地・原野以外にも様々な魅力がある土地であったと考えられる。

筑波山南西部は、氷河期に形成された樹枝状の支谷に河川が流れ込む、起伏のある地形である。この丘陵部間に低地が広がることで、丘陵部はそれぞれが独立した地形となる。さらに舌状の丘陵の付け根を区切れば、低地（水辺）に囲まれた閉塞空間となる。このような空間を利用して官牧（かんぼく）※7が置かれた。下野国の場合、現在の渡良瀬遊水地に朱門馬牧（あかまのまき）が、常陸国には信太馬牧が、下総国は五カ所、上総国には牧が三カ所置かれた。このほか『延喜式』によれば、勅旨牧は信濃国（一六カ所）、上野国（九カ所）、武蔵国（四カ所：承平期は六カ所）が置かれた。古墳時代以降に渡来系氏族の技術で始まった馬の飼育は、平安時代には官・勅旨の牧として整備され、東国は全国でも優駿の産地となっていった。

九世紀以降の蝦夷や俘囚・群盗を相手とした戦いでは、それまでの律令官軍が用いた戦闘方法は通用しなくなっていった。さらに騎馬を中心とした戦いは、騎馬戦に適応した武器の形状と種類へと変化していった。その変化を示すように、大刀（たち）は直刀（ちょくとう）から反りをもつ彎刀（わんとう）へと変化した。新たな武装とともに、騎馬隊を用いた戦闘方法、

※6　下総国豊田・猿島郡内及び将門の母方の領地は下総国相馬郡。
※7　律令制で規定された国有の牧場。

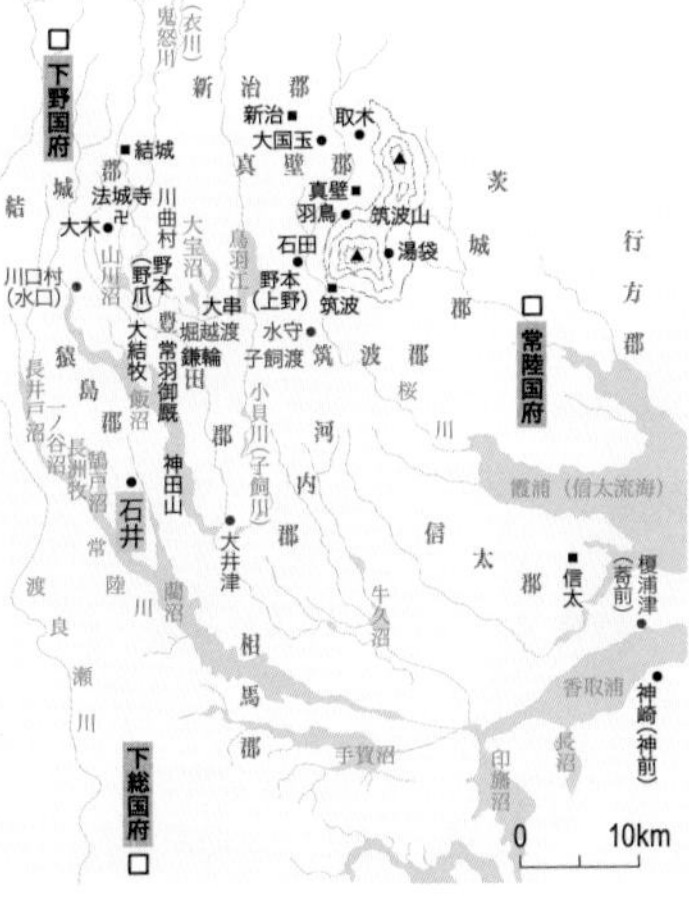

平将門の乱関係地図
（倉本一宏『内戦の日本古代史』掲載地図を基に作成）

操兵など、この東国でも古代から中世への変化が現れ、「兵（つわもの）の時代から武士の時代」への幕開けへと時代が流れていった。

第二節　源氏と平氏の台頭

平安時代末期の一二世紀前半に成立した『今昔物語集』には、東国の勇猛な兵の話として、源充（みなもとのあつる）（宛）と平良文が武勇を競い合った話が記されている。彼らはどちらの武芸が優れているかを決めるため、それぞれが五、六〇〇人ほどの手勢を引き連れ、その衆目の中で馬上から雁股（かりまた）※1の矢を互いに射掛け合う「馳組み」の一騎打ちを行っている。しかし、決着がつかず最後には両者が互いの武芸を讃えあって友誼（ゆうぎ）を結んだとある。彼らは互いの「名」を賭け、後に源平屋島合戦において那須与一が扇を射落とした後に弓を流してしまった義経の言葉にある「命を惜しむな、名こそ惜しめ」の世界に生きていたのである。良文は東国ばかりか中央政府までも震撼させ、

※1　先が二またに分かれ、内側に刃をつけたやじり。

将門終焉の地に創建されたと伝わる国王神社（茨城県坂東市）

東大寺や比叡山、さらには全国に伝説が残る平将門の叔父であり、源充（宛）は武蔵国を本拠とする嵯峨源氏の一族である。

彼ら武門の「名」を継ぐ者たちは、前九年・後三年合戦、保元・平治の乱など争いの中で、武家の棟梁として「家（一門）の名」をかけた闘争を繰り返す。やがて、平治の乱で源氏が敗北するが、この一連の闘争において武士の実力を目の当たりにした貴族らは、勝ち残った清盛（平氏）を中央政界に組み込まざるを得なくなり、中世という武士が政権運営に関わる世へと時代が移っていく。

平貞盛一門と源氏の台頭

平将門の乱に勝利した平貞盛とその一門は、正（従）五位上、右馬助に任じられ、都を基盤とした武士へと成長していく。貞盛は乱の勃発以前は朝廷の左馬允（さまのじょう）の職にあった。馬寮の官人は武人相当の官職で、全国の官牧の差配や検非違使（けびいし）とともに都の治安に関わる「都の武士」の業務であった。貞盛は後に鎮守府将軍に任じられ、陸奥守、丹波守を歴任し、従四位下（じゅしいげ）に叙せられている。貞盛の子息らは父の貞盛同様、衛門府（えもんふ）の尉（じょう）などを出発点に、後に下野守、上野介、上総介、相模介、陸奥守など、東国支配に関わる要職に就いている。

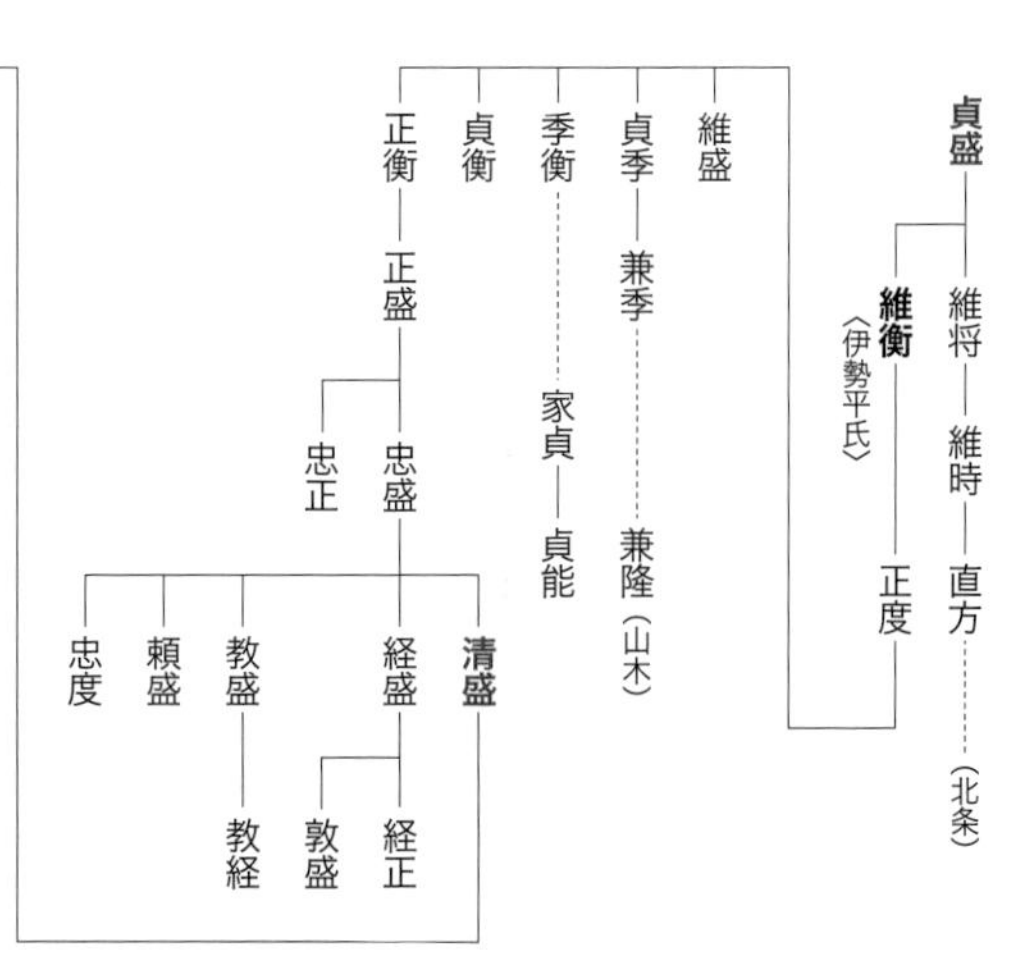

平貞盛と伊勢平氏系図

四男維衡（これひら）は左衛門尉（さえもんのじょう）から下野守を歴任。後に伊勢守、上野介、備前守、常陸介などを歴任しながら本拠地を伊勢国とした、維衡－正度（まさのり）－正衡（まさひら）－正盛－忠盛－清盛へと繋がる伊勢平氏となっていく。

貞盛の養子となった維幹（これもと）（貞盛の弟繁盛の三男）は、常陸国に拠点を置き大掾職などに就いた。一方、貞盛の次男維将（これまさ）の孫直方（なおかた）（維時の子）は、長元元（一〇二八）年に平忠常の乱の際、望んで追討使の任に就いたが平定に失敗する。代わりに清和源氏流　源　経基（みなもとのつねもと）の孫で満仲の子の常陸守頼信が乱を平定する。この失敗から直方は、自らの娘を頼信の嫡男頼義に嫁がせるが、この婚姻により東国における貞盛流平氏の多くは清和源氏の下位に属することとなった。

頼信の祖父経基は武蔵介として将門追討に関与し、後に武蔵国や信濃国などの受領を歴任している。父の満仲も武蔵・陸奥国の受領を歴任しており、後に野木宮合戦で朝政が小山一族の名声を高めたように常陸・下総・上総国を中心に東国において清和源氏一門の地位を確立していった。

このように頼信は常陸国に影響力を持ちつつ、後に河内国に拠点を移し河内源氏の祖となる。頼信の兄（満仲の次男）頼親は、大和国を拠点とした大和源氏、長男の頼光は摂津国を拠点とし摂津源氏と

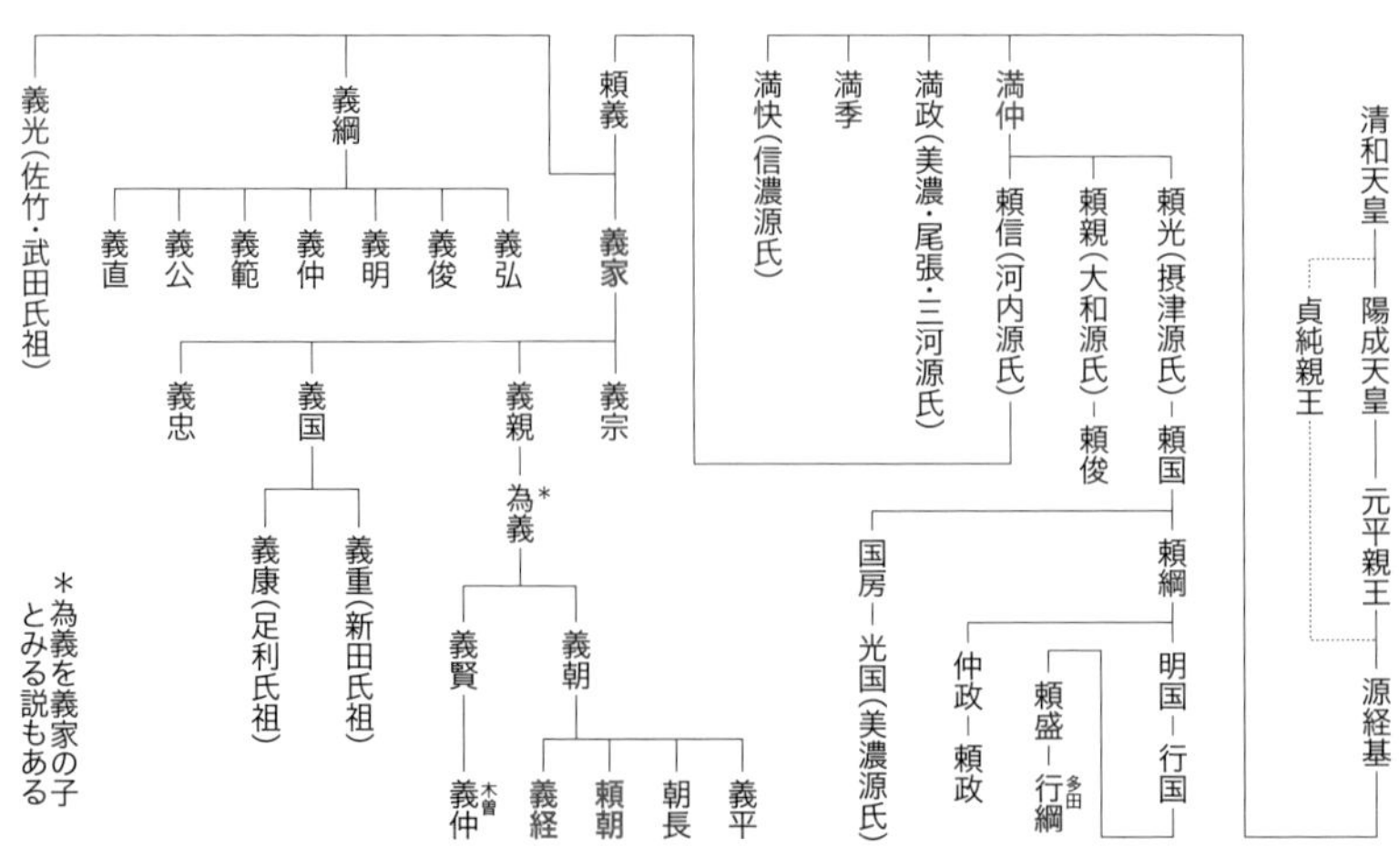

清和（陽成）源氏系図（鈴木哲雄『平将門と東国武士団』掲載図を基に作成）

呼ばれるように一門は近畿地方に拠点を移す。この要因は彼らの父左馬助満仲が、安和二（九六九）年に起きた安和の変で、秀郷の子で鎮守府将軍の経歴を持つ藤原千晴を失脚させている。この時、千晴は源高明（みなもとのたかあきら）に属しており、高明が藤原氏に排斥されたことでその勢力を失う。満仲は藤原北家に属しており、政争に勝ったことから都における武士としての地位を手に入れ、武蔵・摂津・越後・越前・伊予・陸奥国の受領を歴任した。また都では、左馬権頭（さばごんのかみ）と治部大輔（じぶたいふ）を歴任し、鎮守府将軍の地位を手に入れる。この陸奥守と鎮守府将軍の地位は、孫の頼義以降、清和源氏にとって東国を強く結びつける要因となった。満仲はこのような役職を歴任したが、拠点を摂津国の多田院としたため、「多田源氏」と呼ばれた。長男の頼光の屋敷は「一条邸」と呼ばれ、左京北辺二坊五町付近にあったとされるが、大江山の酒呑童子の物語で有名な人物である。この酒呑童子退治の際、頼光の家来が四天王と呼ばれ、その中の坂田公時が後に金太郎のモデルとされるが、この坂田公時にもモデルがいた。元々は下毛野公時（しもつけのきんとき）（三条天皇期の近衛府舎人、藤原道長の随身）という「第一の者」と称された下毛野氏出身の「つわもの」であった。

歌川国芳による武者絵「源頼光以下六勇士、鬼退治之図」から、酔いつぶれて眠っている酒呑童子を斬りつけようとする坂田公時と平井保昌（東京都立中央図書館特別文庫室蔵）

前九年・後三年合戦

頼信以降、東国において貞盛流平氏よりも上位に立った清和源氏はさらに勢力を拡大する。頼信の子である頼義と平貞盛の曾孫直方の娘との嫡男が八幡太郎義家である。平忠常の乱での直方の失敗以降、この忠常を輩出した良文流平氏とこの清和源氏の立場は固定化し、前九年・後三年合戦を経てさらに確定的なものとなった。

『陸奥話記』には、父頼信が平忠常討伐の際、討伐軍にいた頼義について「勇決は群を抜き、才気は世を被う」と記しており、ここで源氏が代々「武勇の者」としての名声を誇示することとなった。前九年合戦の発端の一つである天喜五（一〇五七）年の合戦で、頼義は家臣の金為時（きんのためとき）と下毛野興重（しもつけのおこしげ）らを北奥（八戸・十和田周辺）に派遣し、夷人を説き伏せ官軍の兵に加えた。ここでも頼義の評価がなされており、その家人として下毛野氏が活躍していることがわかる。

この合戦で相手方として登場する安倍頼時の女婿の亘理権大夫（わたりごんのだいぶ）藤原経清（ふじわらのつねきよ）は、秀郷からは六代目の秀郷流藤原氏である。経清は前九年合戦の始まりとされる、永承六（一〇五一）年の鬼切部（おにきりべ）の戦いでは安倍氏側に属したが、永承七年に源頼義が陸奥守に任じられ、安倍頼時が大赦により許され朝廷に帰服すると頼義に従った。この後、

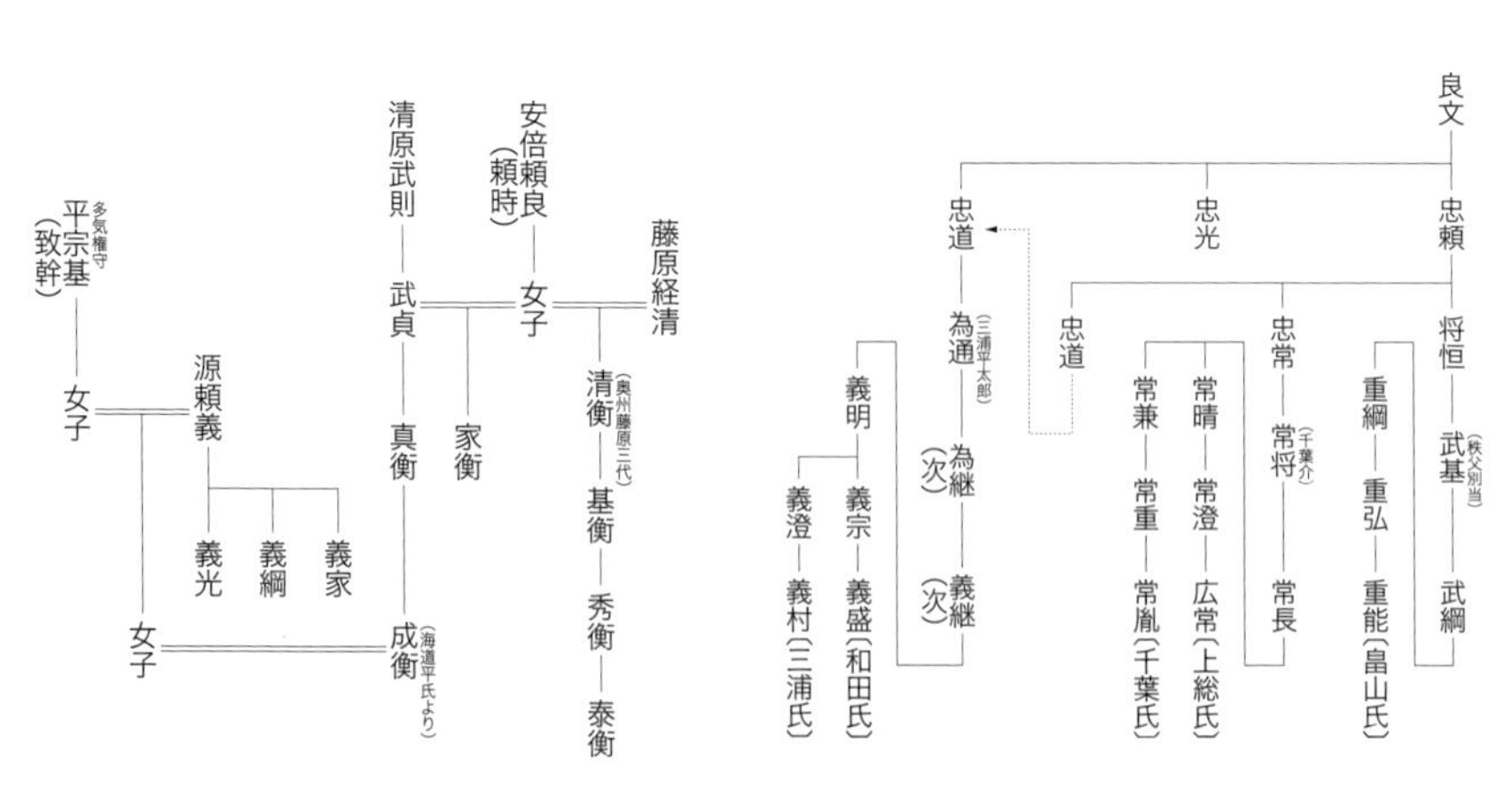

清原氏と常陸平氏系図（左）と良文流平氏系図（右：鈴木哲雄『平将門と東国武士団』掲載図を基に作成）

天喜四（一〇五六）年の阿久利川事件後には再度安倍側に属するが、その後の膠着状態を経て康平五（一〇六二）年に清原氏の協力を得た頼義は安倍氏を滅ぼす。この時、生け捕りにされた経清は頼義から責められ、わざと刃を潰した鈍刀で首を切られた。

延久二（一〇七〇）年、後三条天皇が即位し桓武天皇の国政に倣って東夷征討が行われた。陸奥守源頼俊（大和源氏の惣領、義家の又従兄弟）が蝦夷地を目指し侵攻すると、その間に在庁官人藤原基通（ふじわらのもとみち）が陸奥国府の印鎰（いんやく）を奪って、下野守義家のもとに逃亡する事件が起きた。この事件には義家が関与していたとされ、義家の陸奥守頼俊への妨害工策とする考えもあり、陸奥国と下野国の密接な関係とともに、下野守義家と陸奥国の在庁官人の深い関係が想定されている。

永保三（一〇八三）年には、子のいなかった清原真衡（きよはらのさねひら）は、海道平氏一族（陸奥国南部の石城軍、楢葉郡付近豪族）の海道小太郎を養子に向かえ「成衡」と名付けた。頼義の娘を迎え源氏（頼義）の血筋を入れることで清原氏の権力強化を図ったが、行き過ぎた権力強化は清原一族内に亀裂を引き起こすこととなった。『奥州後三年記』には、「真衡が富裕の奢、過分の行跡より起りて一族ながら郎従となれりし、一族ながら郎従となれにし（吉彦）秀武、深き恨みを含みて合戦をいたす」

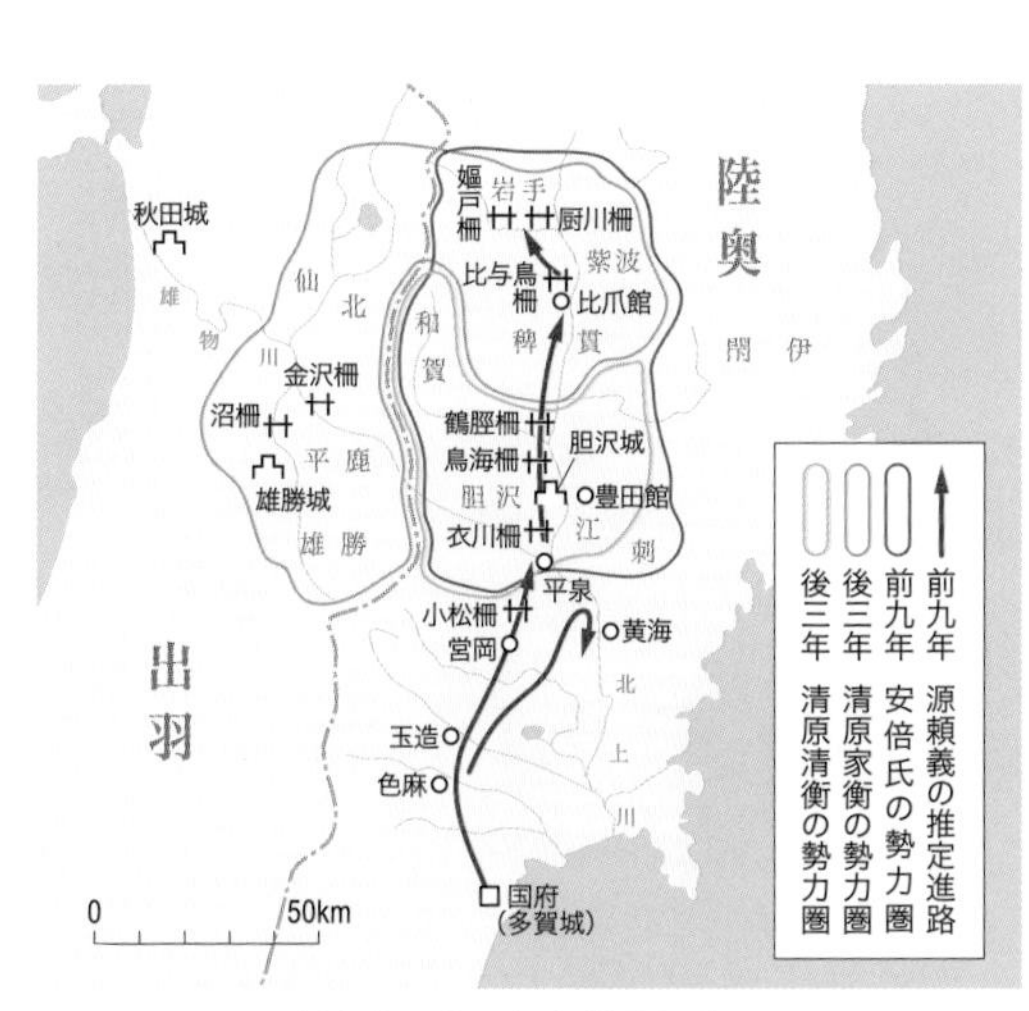

前九年・後三年合戦関係地図
（福田豊彦『東国の兵乱ともののふたち』掲載地図を基に作成）

と記されている。この一族の内紛に陸奥守に任じられた源義家が関与したことで、後三年合戦へと紛争が拡大していった。

この義家の関与は、朝廷の命令無しに合戦を起こした違法行為の私闘と判断され、恩賞は与えられなかった。伝承では、数カ年にわたる沼柵・金沢柵（かねざわのさく）の合戦では、双方ともに殺戮が繰り返され、寛治元（一〇八七）年の金沢柵の陥落の際には城中に火を掛け、降伏してきた女子供も含めすべての者が虐殺された。

このような凄まじい戦いの過程で、後に「髭切（鬼丸－獅子の子－友切－髭切）」をはじめ、「源太が産衣」・「楯無」・「薄金」などの「源氏八領」と称される武具が生まれる。また壮絶な戦いの中で、源氏に対して東国武士たちは畏怖の念を持つようになっていく。一連の戦いの組み立てそのものは未熟であったが、源氏一門が「武家の棟梁」としての立場を立脚させる素地となっていった。

この義家の次男義親の孫が保元・平治の乱を戦う義朝であり、その三男が頼朝である。義朝は幾度にもわたり下野守を重任し、頼義の代から鎌倉にも拠点を置き、後には武蔵国など東国各地に勢力を有した。義家の三男義国（母は秀郷流藤原氏足利基綱（もとつな）の女）は、後に足利尊氏や新田義貞を輩出する源姓足利氏・新田氏の祖となる。義国は

康治元（一一三七）年、義家から継承した下野足利郡内の開発私領を鳥羽上皇の御願寺である安楽寿院に寄進し、下司職を保持していた。この職は後に、義康－義兼－義氏－泰氏－頼氏へと相伝され、義康はこの寄進を機に鳥羽上皇の北面武士に列し、中央との結びつきを強めていった。源氏は頼義以降、歴代が所有した東国における勢力基盤を利用しつつ、時代を追うごとに傍流の氏族を拡大し、中央との結びつきをも強化しつつ、勢力の保持拡大を進めていった。

源氏の没落と保元・平治の乱

承徳二（一〇九八）年、後三年合戦から一一年後、「天下第一の武勇の士」と評された義家は、院の昇殿まで許される立場となった。この頃、二男の対馬守義親が九州や出雲国などで、目代や人民を殺害し、官物を奪取する反乱を起こした。親である義家が子の義親を追討することとなったが、義家が嘉承元（一一〇六）年に没したことから、その後継者と目された四男義忠に義親追討の命が下るも義忠は固辞したため、朝廷は翌二年に義忠の舅（しゅうと）である平正盛を追討使に任じ、翌三年に義親は討伐後梟首（きょうしゅ）された。

この義親の乱のほか、義家の後継を巡り弟の義綱、義光などの一

金沢柵の合戦（飛騨守惟久『後三年合戦絵詞』中巻第二段：東京国立博物館蔵、Image: TNM Image Archives）

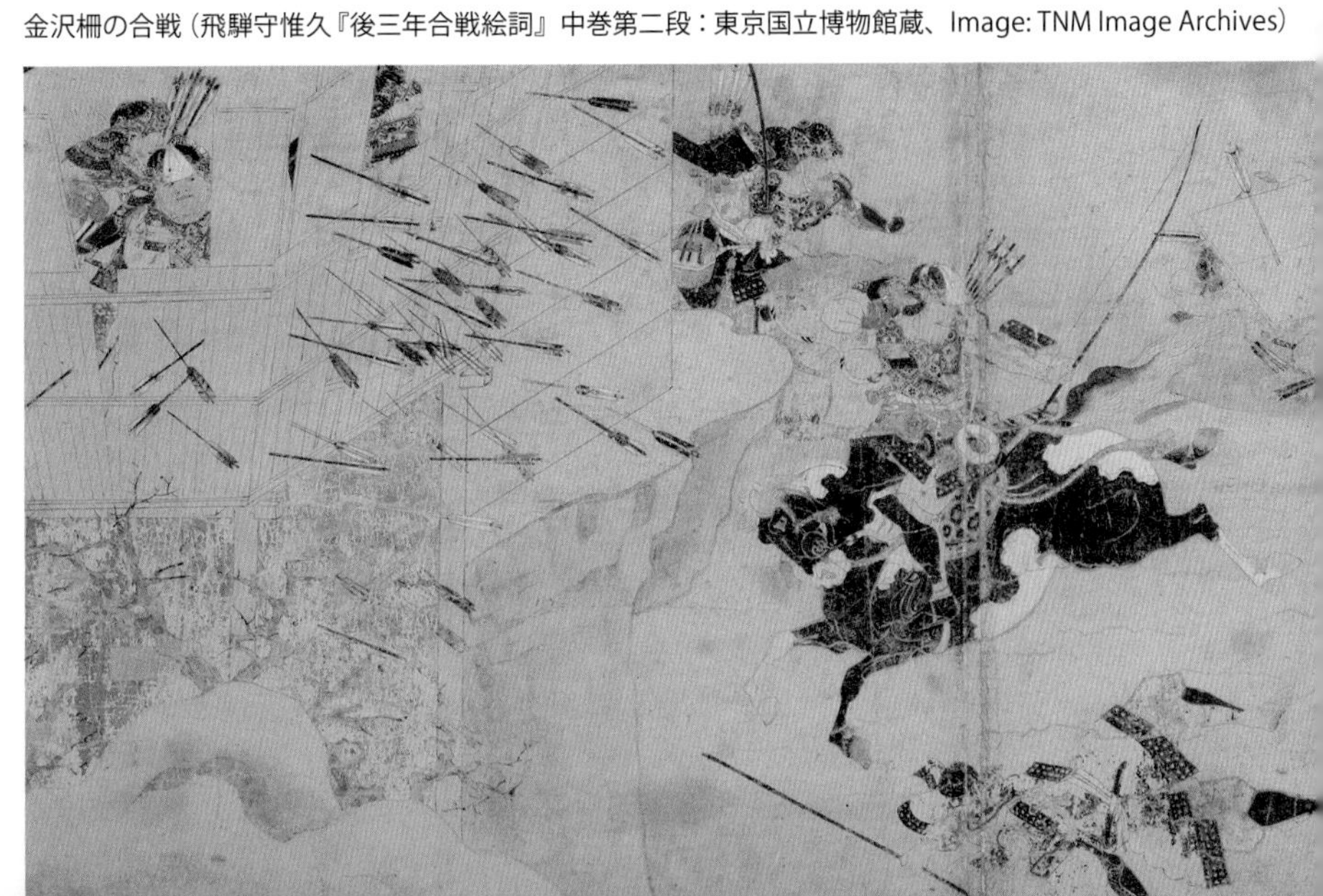

族間で内紛を繰り返した。その一例として、義国が叔父である義光と常陸で合戦している。この合戦は単なる源氏の内紛のみならず、下野の一部を領有する足利基綱・義国対常陸の一部を領有する平重幹（たいらのしげもと）・源義光の東国における勢力争いでもあった。

さらに天仁二（一一〇九）年には、後継ぎと目されていた義忠が暗殺されるが、その容疑が義綱の三男義明にかけられ、義綱・義明親子は義親の子為義により追討された。これは冤罪ともいわれ、『尊卑分脈（そんぴぶんみゃく）』では黒幕は義光としており、家人である鹿島冠者（常陸国鹿島を本貫地とする）を実行犯としたが、この鹿島冠者も口封じのために殺害された。

このように義家の没後の内紛で、源氏は勢力を失いつつあった。この源氏の零落とは対照的に、義親追討で武名を馳せた平正盛は、北面の武士や検非違使・追捕使として、白河上皇の信任を得て、平氏の勢力拡大の基礎を築く。その勢力は子の忠盛の時代に飛躍的に拡大され、孫である清盛の時代に隆盛を極めた。

義親の乱や一族の内紛により、中央における地位低下を招いた源氏一族は、頼信・頼義・義家が築いてきた東国各地における勢力圏の再整備を目的として、坂東においてさまざまな動きを図った。義

源義国の次男義康を祖とする源姓足利氏ゆかりの下野国一社八幡宮（足利市）。
義康は頼朝の父義朝と相婿関係だった

朝は、義家以来縁が深く後の頼朝の本拠地となる鎌倉に館を構えると、後三年の役で武名を馳せた鎌倉権五郎景政が開発した大庭御厨（おおばみくりや）[※2]のある鵠沼郷（くげぬま）（神奈川県藤沢市）を押し取ろうとする事件を起こす。この事件は義朝への乱行禁止の宣旨によりうやむやな状態で終息したが相模周辺の豪族に対して源氏の勢力を誇示したかたちとなった。さらに、上総・下総でも同様に御厨への介入を起こしており、一連の動きは坂東各地で源氏の棟梁として義朝の勢力を示し、東国各地の小豪族を配下におくことで、源氏の勢力拡大を図った。また、義朝は仁平三（一一五三）年に従五位下・下野守に補されており、一連の事件は相模・両総・武蔵国などの南関東における勢力誇示とともに、北関東への勢力拡大を図ることを目的とした動きと考えられる。

東国における地方豪族の対立・抗争を包括する源氏一族の内紛や中央における権門相互の対立、これらと結びつく都に拠点を置く武士が介在する政治抗争を契機に保元の乱が勃発し、この争乱に地方豪族（武士）が参戦することで戦いは拡大の一途をたどった。

治承・寿永の内乱と下野武士

保元・平治の乱の勝者である平氏は、藤原摂関家同様、天皇家と

※2 御厨とは、古代から中世にかけて、皇室や伊勢神宮などへの神饌（神に供える飲食物）の材料を献納するために設けられた所領。

平氏政権下の東国武士団
（野口実『源氏と坂東武士』掲載地図を基に作成）

の縁戚を深めていった。治承三（一一七九）年には、摂関家を凌ぐまでに成長した平家一門の勢力を抑止するため、さまざまな陰謀をめぐらせた後白河院は鳥羽殿に幽閉され、翌治承四年には、病弱の高倉天皇（後白河院と清盛の妻時子の妹滋子［建春門院］の皇子）が退位し、高倉帝と清盛の女徳子（建礼門院）の間に生まれた安徳天皇への譲位により、平氏一門の専制はここに極まった。

この流れの中で後白河院の第二皇子でありながら、不遇な立場にあった高倉宮以仁王（もちひとおう）は、源頼政と共に平家討伐の挙兵を図った。しかし、この計画は途中で発覚し、以仁王は追討される立場となった。治承四年五月二五日、園城寺に籠っていた以仁王は頼政と合流し、南都僧兵を頼り奈良を目指した。翌二六日、追従する検非違使の平景高率いる三百余騎の軍勢と宇治平等院付近の宇治川を挟んで戦闘がはじまった。頼政・仲綱親子の兵は僅か五〇余騎に過ぎなかったが、頼政の甥兼綱の「宛（あたか）も八幡太郎の如し」と平氏側からも称賛される働きなどで、拮抗する戦いとなった。この戦いで、奇しくも源姓と藤姓足利氏が両軍に分かれ従軍している。義国以来、足利荘を拠点とする源姓足利義康の子である義清・義房らは、足利荘の本所八条院に仕え、八条院暲子（しょうし）の猶子（ゆうし）であった以仁王側に参陣している。

※3　荘園の実行支配権を有した者。
※4　官職・不動産など、財産として譲渡・売買・質入などの対象となった職。

宇治川先陣之碑（京都府宇治市）

藤姓足利忠綱は所領問題が起きた際、本所[※3]平重盛の計らいで没収された所職[※4]がされたことを恩とし、平氏に忠節を尽くしての参陣だった。この両姓足利氏はかねてより、その所領を巡って対立関係にあった。安楽寿院領として成立した足利荘は、「下野国足利別業」と呼ばれ、そこを本貫地とした義国の子息義康は北面の武士として中央との結びつきを強め、藤姓足利氏よりも優位な立場にあった。しかし、保元の乱の功により昇殿を許された義康が保元二（一一五七）年に死去。さらに後継者の義清が義朝に従い参加した平治の乱で負けを喫し、源姓足利氏の優位的な立場は瓦解、藤姓足利氏との抗争が激化したところにこの宇治川の橋合戦として両氏族が対峙した。

この合戦で活躍したのが、藤姓足利一族で若干一七歳の忠綱であった。頼政軍が宇治橋の橋板を外して平家軍の進路を阻んだことから橋も渡れず、五月雨で増水した宇治川も渡れず、迂回策の軍議となった。その時忠綱は迂回を協議している平氏の諸将を尻目に自らが先頭となり、配下の上野・下野の武士たちが一斉に馬筏を組んで一気呵成に渡河したことから、頼政軍は総崩れとなった。頼政らは自害の後梟首にされ、その中には源姓足利義房も含まれていた。

橋合戦で功名を挙げた忠綱は、清盛から勧賞を受けた。その際、

懿子＝後白河
二条－六条
後白河＝滋子
後白河＝成子
成子－以仁・式子
滋子・時子
時子＝平清盛
滋子－高倉
時子－徳子
殖子＝高倉＝徳子
後鳥羽
安徳

天皇家と平清盛関係系図

忠綱に続いた上野・下野の武士たち

大胡・大室・深須・山上・那波太郎・佐貫廣綱四郎大夫、小野寺禅師太郎、辺屋この四郎、郎等には宇夫方次郎、切生の六郎、田中の宗太をはじめとして、三百余騎ぞつゞきける（『平家物語』）

父俊綱が切望していた上野一六郡の大介（おおすけ）※5と新田荘を本貫地として賜ることを願い出た。清盛は快諾し御教書が下された。これに対し、藤姓足利庶子一門は連署状を作成し、この御教書の無効を訴えた。連署状には、今回の軍功が忠綱一人の手柄でなく一門の協力により成し得たのであるから、その恩賞も一門に配分されてしかるべきで、忠綱だけに褒美を与えるならば、今後、有事の際には忠綱のみに軍勢催促をされよ、という内容だった。清盛はこれらの訴えにより、いったん忠綱に与えた御教書を取り上げた。

　このようなかたちで、勝者である藤姓足利氏も嫡流と庶流との対立を深めているが、頼朝挙兵直前の頃は東国や各地で氏族間の内紛が頻発し、その確執も深刻化していった。

源頼朝の挙兵

　源氏の没落と源義親の討伐以降、勢力を伸ばした伊勢平氏の隆盛とは裏腹に、東国武士たちの中には、この時流についていけない者がいたはずである。往々の東国武士たちは、平氏の権勢に近づくことも叶わず、寄進院領を管理する平氏系の荘官や目代あるいは下働きなどに甘んじ、庶子一門の内紛などに苦心していた。

※5　平安時代後期、諸国の国司が公文書を発給する際に自署に用いた私的な称号。

橋合戦時の忠綱の容姿

是れ末代無双の勇士也。三事人に越ゆるなり。所謂一には其力百人に対するなり。二にはその声十里に響くなり。三にはその歯一寸なり。杉葉の綾の直垂、赤皮威の鎧に高角の甲…（『吾妻鏡』）

橋合戦時の忠綱の容姿

足利は朽葉の綾の直垂に赤皮威の鎧きて、たか角うたる甲のをしめ、こがねつくりの太刀をはき、きりうの矢おひ、しげどう弓もて、連銭葦毛なる馬に、柏木に耳づくうたる黄覆輪の鞍おいてぞのたりける、あぶみふばりたちあがり、大音聲あげてなのりけるは、とをくは音にも聞き、ちかくは目にも見給え、昔朝敵将門をほろぼし、勲賞かうぶし俵藤太秀郷に十代、足利太郎俊綱が子、又太郎忠綱生年十七歳…（『平家物語』）

そのような中、反平氏の以仁王の令旨が治承四年四月一七日に東国の頼朝の元へと届く。これとは別に下総国下河辺荘を頼政の仲介で八条院領として寄進し、その縁で頼政に仕えていた下河辺荘を本貫とする下河辺庄司（行平）の元へも挙兵計画が伝えられた。行平は頼朝の元へと使者をたて、その計画を伝えるとともに、行平の父行義と兄弟である小山政光の元にも伝えた。八月二三日、石橋山合戦で頼朝軍は大庭景親軍に大敗を喫し、頼朝軍は安房へと渡り再起を期すこととなった。頼朝はここで東国各地の武士たちに参陣を命じる。初戦の敗北にもかかわらず、東国武士の中で源家代々の旧恩に報いようとする者たちは、源家嫡流の頼朝の元へ参陣。安房から上総・下総へと進み、この三国の軍を以て下野・上野・武蔵を制圧した。頼朝が武蔵入りした際、頼朝の幼少期に乳母を務めた小山政光の妻（後の寒河尼）が、三男の宗朝を連れて頼朝を訪ね、この宗朝の近習として奉公を願い出ている。頼朝はその願いを聞き受け、烏帽子親として宗朝を元服させている。この時宗朝は頼朝の一字を貰い受け朝光に改名、後に朝光は結城氏の祖となる（五八ページ参照）。この小山政光の妻の参陣は、下河辺氏からの挙兵の連絡を受けてから一カ月以上後のこととなるが、この間、小山氏は明確な動きをしていない。

下河辺荘と坂東の主な荘園・公領

頼朝から参陣の命を受けながら動きが取れなかったのである。まさにこの時、当主政光は、妻の寒河尼の兄弟宇都宮朝綱（ともつな）、姉妹の夫小山田有重らとともに京都大番役で在京していた。武蔵国の畠山重能（しげよし）やその弟小山田有重、有重と姻戚関係の宇都宮朝綱らは平氏に従っていた。宇都宮朝綱と平家有力家人の平貞能（たいらのさだよし）は当時から親密な関係にあり、平氏滅亡後は朝綱が貞能を庇護したと『吾妻鏡』に記されている。このような状況下のため、朝政は頼朝から参陣要請を受けながらも、兵を結集し頼朝軍に合流することができなかった。都の東国武士集団の中にも、平氏寄りの者と源氏恩顧の者が混在しており、頼朝挙兵直後、都の東国武士たちは反平家勢力として、拘束に近い状況下におかれていた。

頼朝の下に集まった軍勢は、駿河・甲斐方面へと進み、その兵力は五万騎に及んだ。甲斐では源氏一門の甲斐源氏が合流し、平維盛を大将とする追討軍と富士川において戦わずして勝利し、駿河・遠江の両国を源氏勢力下に置くことに成功した。この段階においても、源氏一門でありながら、常陸志田義広や佐竹氏、上野新田義重、下野足利俊綱らは頼朝方に帰属していない。さらに富士川合戦の後、頼朝は鎌倉にも戻らず、佐竹氏討伐のため常陸へと軍を進めた。

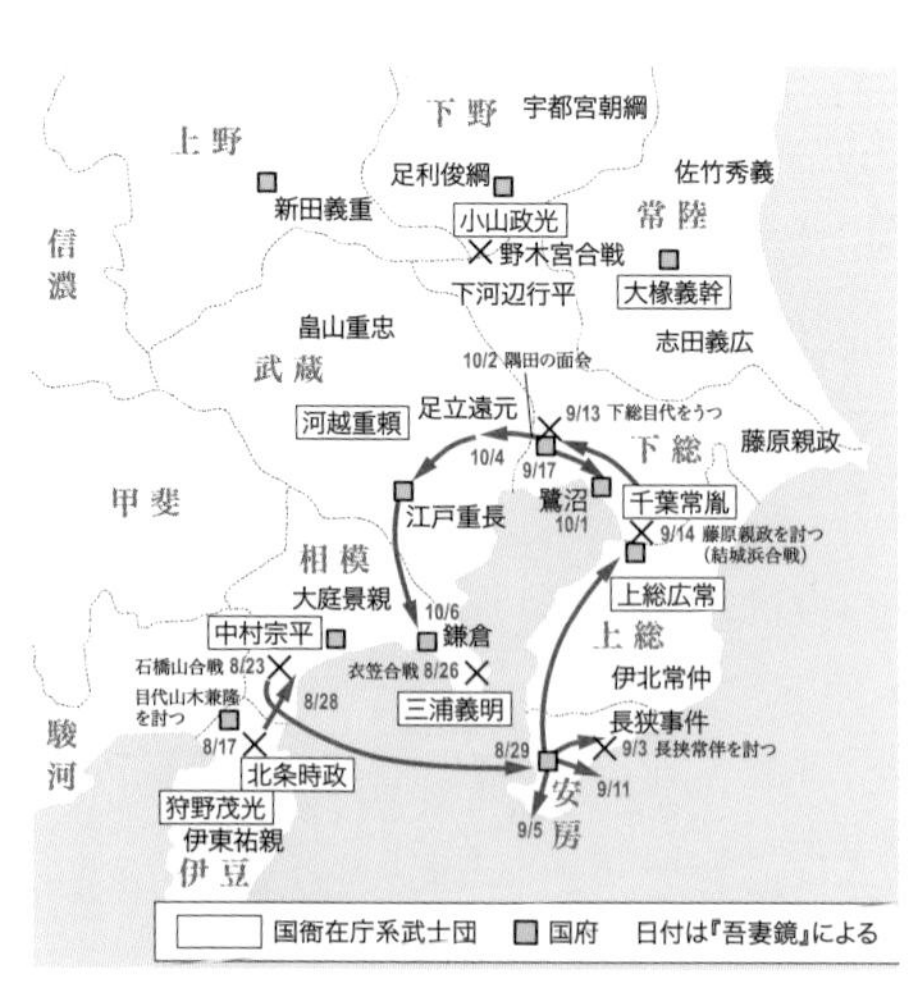

東国武士団の分布と挙兵後の源頼朝の進路
（野口実『源氏と坂東武士』掲載地図を基に作成）

平氏追討

治承五（一一八一）年閏二月、平清盛が急死すると平氏方の勢力に陰りが見え始める。清盛の急逝と頼朝方による対公卿への政権工作が功を奏し、「宛も将門の如し」と『玉葉』に記された頼朝のイメージは払拭されつつあった。

治承七・寿永二（一一八三）年春、木曽義仲は北陸道に進出し平維盛らを破る。七月には叡山、大和、丹波方面から平氏軍を追って京都に侵攻。宗盛以下の平氏一門は、安徳天皇を奉じて福原（兵庫県神戸市）に退却。京に居座る義仲軍の略奪などにより、京の治安は悪化の一途をたどった。後白河院は頼朝に上洛を促し、頼朝はこの催促に対してさまざまな駆け引きを行い、前左兵衛権佐頼朝は平治元（一一五九）年、父義朝に連座し解職されて以来、実に二四年ぶりに本位従五位下の官位に復した。

治承八・寿永三年、後白河院から敵対視された叔父行家をはじめ、配下の武将から離反された義仲に対して頼朝は追討を決意、源範頼、義経を将軍として東国武士団の数万騎が上洛。この中には小山朝政、宗政、小野寺通綱、源姓足利一門など下野に本拠を置く御家人も含まれていた。

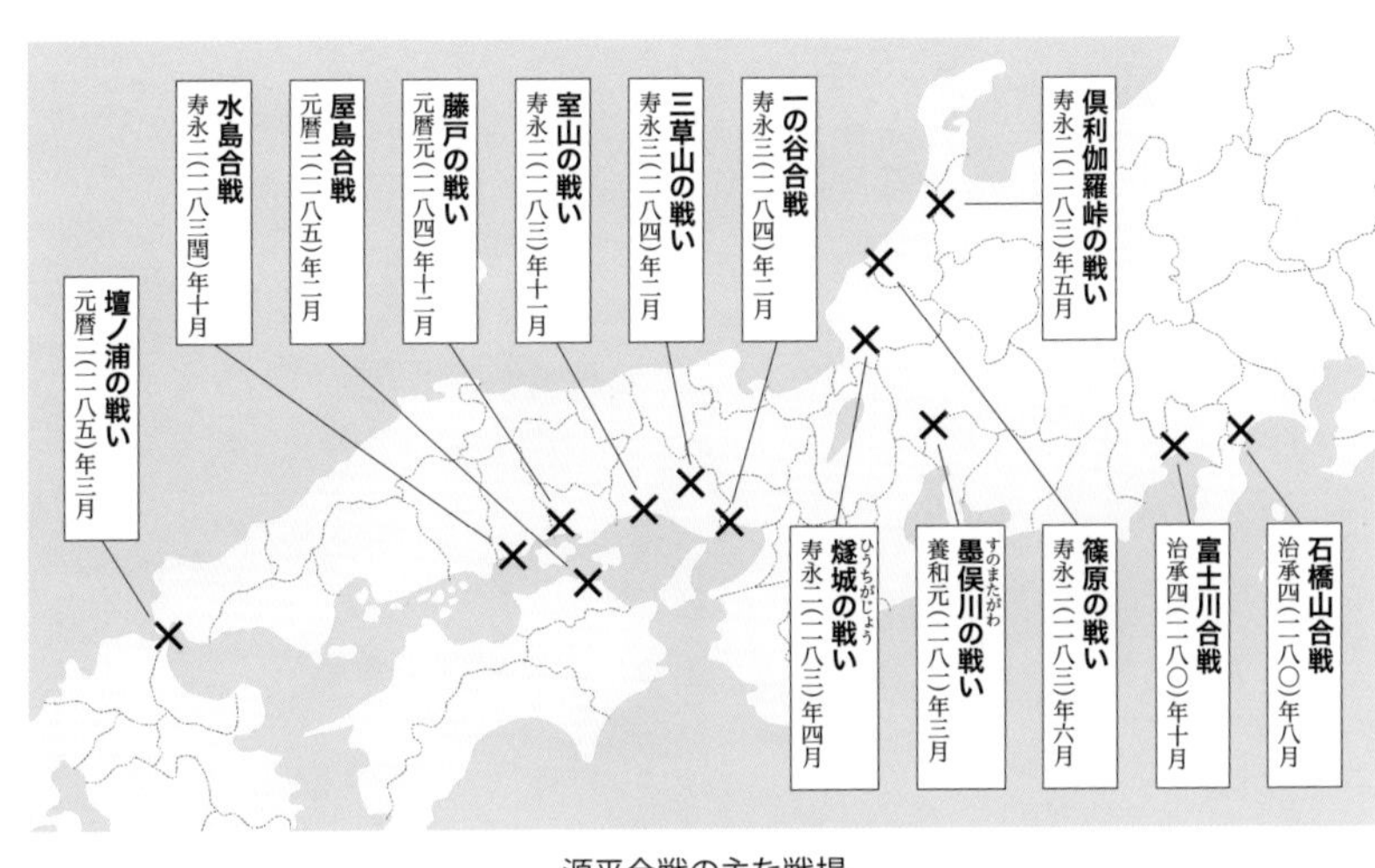

源平合戦の主な戦場

義仲を破った義経軍は、その後、平家追討を開始。摂津と播磨国の境に位置する一の谷の城郭（兵庫県神戸市兵庫区ほか）では、二月七日の木戸際で足利・三浦両氏の郎等と平家方の小競り合いから戦が始まる。平氏が立て籠る一の谷城館背後の崖（鵯越）を義経軍が逆落とししたことで平氏は総崩れとなり、沖の軍船で屋島（香川県高松市）へと退く。後に鎌倉へ向けて範頼・義経から一の谷合戦の報告が行われるが、その記述の中には武蔵・相模・下野等の軍士が大功を挙げたことが記されている。

元暦元・寿永三年八月、範頼を追討使として、追討軍第一陣一千余騎が出発。範頼配下の武将や軍勢の中には足利義兼、軍勢に長沼宗政、結城朝光、阿曽沼広綱、小野寺道綱など多くの下野の御家人が属していた。翌九月には、小山朝政らの第二陣が鎌倉から京に向かった。この西国から豊後・豊前進攻時に頼朝から何度も軍功を称される東国武士の中に朝政や宗政の名が含まれ、元暦二・寿永四年正月の頼朝から範頼への書状には、小山の者どもに愛惜を加えるよう命じており、下野の武士たちが遠国での戦いで、目覚ましい戦功をあげていたことがわかる。中でも、平家の本拠地屋島における那須与一宗隆の活躍は、下野武士の武名を一層高いものとした。

屋島合戦図屏風（栃木県立博物館蔵）。
那須与一宗隆が扇の的を射落す場面が描かれている

頼朝の指揮権確立

文治元（一一八五）年四月、平家追討を成し得た範頼・義経両軍配下の将たちの元へ頼朝の厳命を破った譴責の書状が届く。義経は許可なく左衛門少尉に任じられ検非違使に補され、多くの東国御家人も官位を受けていた。その中に小山朝政・八田知家も含まれていた。

頼朝からの絶縁状に等しい厳命は、御家人への強い統制と御家人にとって頼朝が絶対の支配者であることを再認識させた。しかし、義経はそれに従わず、頼朝の御家人統制の支障となったことで、その関係に亀裂が生じた。五月に義経は捕虜の平宗盛親子を護送して鎌倉を目指すが、相模酒匂（神奈川県小田原市）において鎌倉入りを許さないとの頼朝の命を伝えたのが結城朝光である。この時義経が記した弁明の嘆願書が「腰越状」であるが、頼朝はこの嘆願を黙殺し帰京を命じた。

義経は帰洛の途上、頼朝への叛意を固める。それを察知した頼朝は義経・行家の追討を開始。この出陣命令に即刻従ったのが、許可なく任官し頼朝から叱責を受けた小山朝政・結城朝光ら五八名で、翌日には鎌倉を出立。京に至ると左大臣藤原経宗に対し頼朝激怒の経緯を告げ、その上申を聞いた後白河院は弁明の使者を鎌倉に送る

小山の者へ愛惜を加えるよう指示

國の者など、おのつから落まうてくる事あらは、もてなして、よによに糸惜せさせ給ふへし、（中略）小山の者共、いつれをも殊に糸惜しくし給へし…（『吾妻鏡』元暦二年正月六日）

「腰越状」（『吾妻鏡』より一部抜粋）

左衛門少尉源義経、恐れ乍ら申上候意趣は、御代官の其一に撰ばれ、勅宣の御使として、朝敵を傾け、累代弓箭の芸を顕はし、会稽の恥辱を雪ぐ。抽賞を被る可きの処、思の外虎口の讒言に依りて、莫大の勲功を黙止せらる。義経犯す無くして咎を蒙る。功有りて誤無しと雖も、御勘気を蒙るの間、空しく紅涙に沈む…

茲に因りて、諸神諸社牛王宝印の裏を以て、全く野心を挿まざるの旨、日本国中大少の神祇冥道を請じ驚かし奉り、数通の起請文を書き進らすと雖も、猶以て御宥免無し。其れ我国は神国なり、神は非礼を禀く可からず。憑む所は他に非ず、偏に貴殿広大の御慈悲を仰ぐ。便宜を伺いて高聞に達せしめ、秘計を廻らされて、誤無きの旨を優ぜられ、芳免に預からば、積善の余慶を家門に及ぼし、永く栄花を子孫に伝へん…

が頼朝はこれを承服せず、院に対する駆け引きが繰り返され、結果として頼朝はさまざまな権限を院に認めさせることとなった。

このような駆け引きが都と鎌倉で行われている中、義経は僅かな数で吉野から叡山（えいざん）、北陸を経て奥州平泉（岩手県平泉町）へと逃れていった。この逃避行の末、秀衡流に連なり亘理経清を祖とする藤原秀衡の下に辿り着いたのは文治三年二月の事で、義経を受け入れ庇護し頼朝対立の姿勢を示した秀衡は同年十月に病没する。頼朝はこれを機に、後を継いだ泰衡へ朝廷を通じて義経捕縛の圧力をかける。泰衡は鎌倉と朝廷の圧力に負け、義経を自死に追い込む。これにより奥州藤原氏討伐の口実を失うが、頼朝は討伐をあきらめず、討伐軍は東海道・北陸道軍と大手軍の三軍編成とし、文治五年七月一九日、大手軍の御家人一千騎と頼朝は鎌倉から出陣。この大手軍として頼朝に従った軍勢の中に足利義兼、小山朝政・宗政・朝光、阿曽沼広綱、小野寺道綱、宇都宮朝綱・業綱、佐野基綱など多くの下野の武士たちがいた。

第三節 藤原秀郷の子孫たち

天慶三（九四〇）年の平将門の乱から約二四〇年後に起きた源平合戦を記した『平家物語』の冒頭「祇園精舎」は、「盛者必衰の理」として、秦の趙高、漢の王莽（おうもう）、唐の安禄山とともに将門、藤原純友、源義親、藤原信西（ふじわらのしんぜい）と平清盛の名が並んでいる。また、平将門の乱から約四〇〇年後の室町時代には、将門を追討した藤原秀郷に関する『俵藤太物語』が記される。さらに江戸時代には、『俵藤太物語絵巻』や『秀郷草紙』が描かれる。江戸時代後期には、将門や秀郷に関する多くの錦絵が制作され、これらの錦絵の中で両人が超人的な能力を持つ姿として描かれている。中世以降、秀郷を祖とする秀郷流の氏族が全国に広がり、さまざまな歴史的場面でその名を残している。小山・長沼・結城の各氏をはじめ、藤姓足利、那須、奥州藤原、山内須藤、紀伊佐藤の各氏から、戦国期の近江蒲生氏、九州の大友、龍造寺の各氏や「忠臣蔵」で著名な大石内蔵助も小山一族から派生した秀郷流であり、本朝の武家を代表する一族である。

三井寺物語絵巻 下巻（江戸時代：唐澤山神社蔵、栃木県立博物館提供）。
赤い陣旗を掲げる平将門軍（左）の様子が描かれている

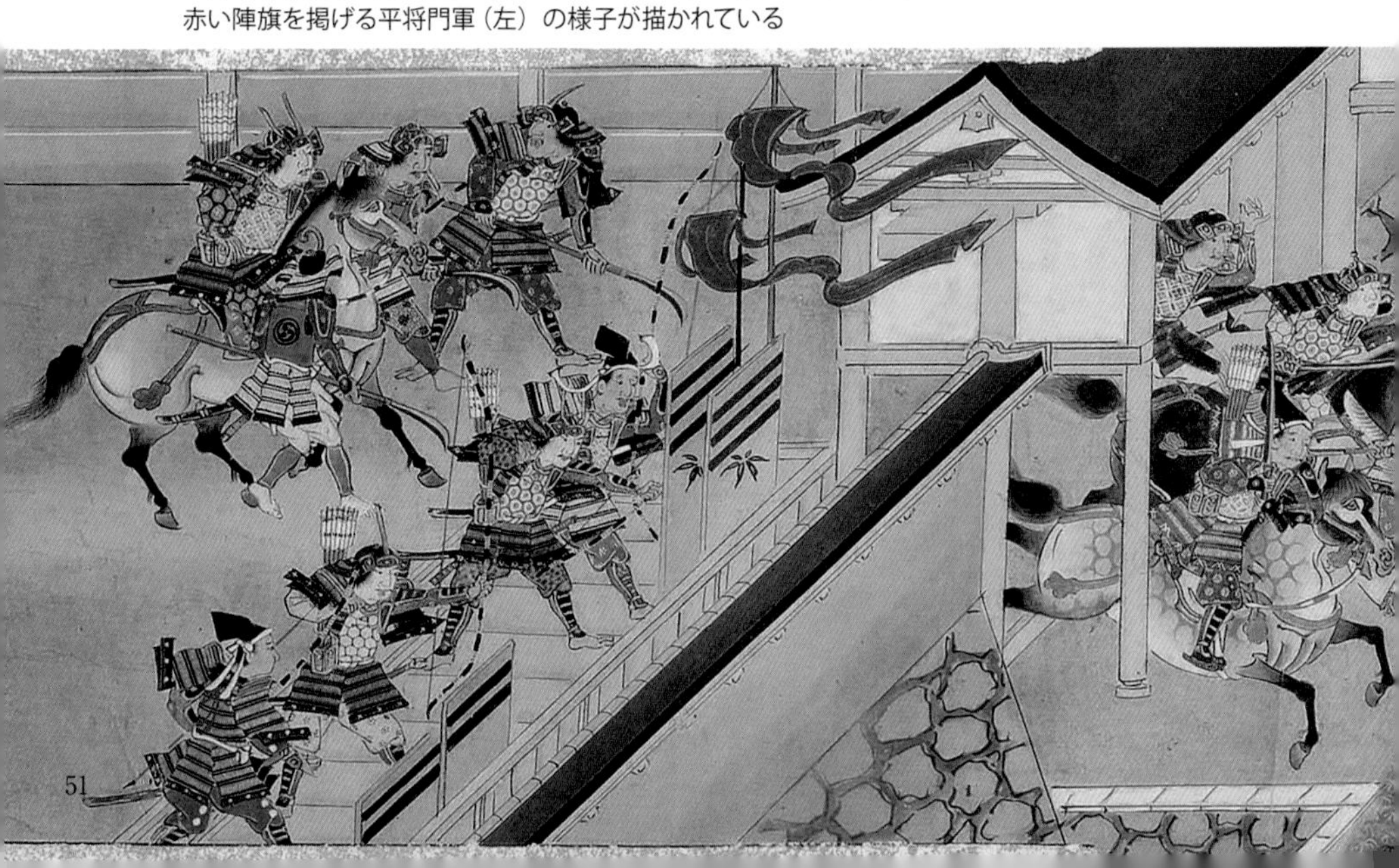

野木宮合戦

秀郷流として北関東に分立した藤原氏※1が居並ぶ中で、小山氏嫡流が名実ともにその地位を獲得する大きな契機となったのが、源（志田・志太・信太）三郎先生義広（義範・義憲）と小山一族との戦いである野木宮合戦である。

野木宮合戦は『吾妻鏡』では養和元（一一八一）年閏二月の事件としているが、編さん時の誤記で実際は寿永二（一一八三）年とする研究がある。養和元年説を採る場合、義広・行家と木曽義仲の反頼朝勢力の在り方が一つの鍵となると考えられる。

寿永二年説の場合、反頼朝勢力が燻（くすぶ）る中、その後も常陸国を中心に勢力を維持していた義広は、寿永二（一一八三）年二月に起きた鹿島社所領の領有問題で頼朝との関係を悪化させる。同じ頃、平氏（通盛・維盛・忠度ら）が鎌倉を襲撃するとの「風聞」により鎌倉の御家人らは駿河国以西の要害の守備を固めるため出撃。二三日、手薄になった鎌倉を攻略せんと志田義広は常陸を出陣。途中に呼応し、合流する者もあり三万餘騎の軍になったと記されている。この中には下野足利荘（足利市）の数千町を領有する足利俊綱・忠綱親子も含まれていた。俊綱は小山氏と同じ秀郷を祖とする藤姓足利氏であっ

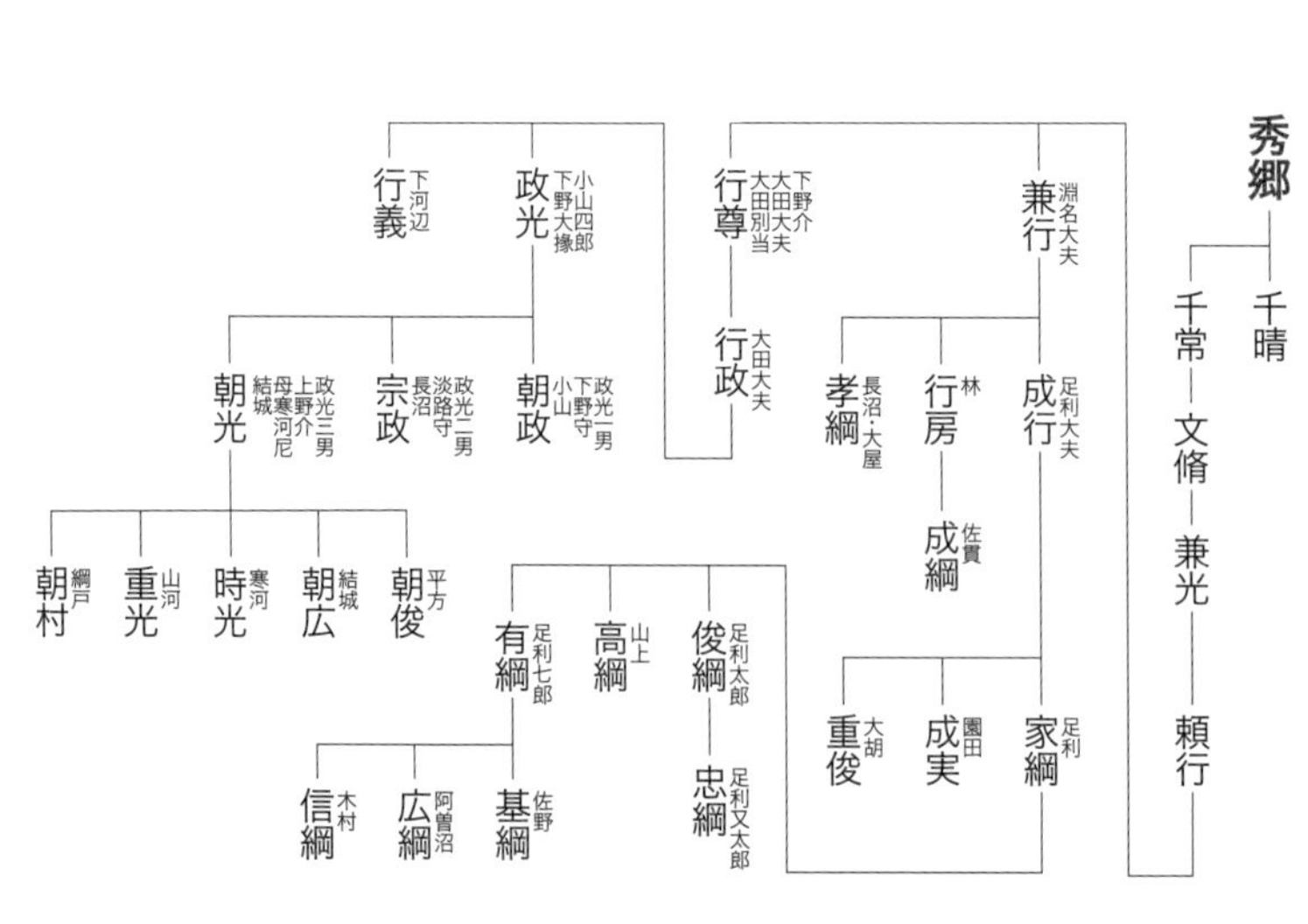

秀郷流藤原氏系図（松本一夫『下野小山氏』掲載図を基に作成）

たが、「小山と足利は一流の好と言へども、一国之両虎によりこの処の権威を争う」と『吾妻鏡』に記されるほど、その勢力争いは激化した。忠綱は治承四（一一八〇）年五月に宇治川を挟んで源頼政軍と平重衡（たいらのしげひら）・維盛軍が対峙した橋合戦において、平家方として先陣を務め、頼政を自害に追い込むような勲功を挙げている。この平家方に加わった理由として、以仁王の令旨が小山氏には届いたにもかかわらず、足利氏には何も無かったことから、これに憤慨したことを発端とすると『吾妻鏡』には記されている。

『吾妻鏡』の記載が誤っていたとしても、二月（閏二月）に起きた合戦であり、新暦では約一カ月後の三月中頃となることから、水田には田植えのために水が入れられ、河川は増水期に入る頃と考えられる。この段階では江戸期の河岸に類する整備が進んでいないが、奥大道に隣接し、思川・渡良瀬川の水上交通の要所として古河や関宿と並んで野木周辺（後に乙女）は重要な地点でもあった。朝政はうまく地形を利用し、布陣を整えることで三万余騎の大軍を打ち破った。義広は足利俊綱・忠綱親子と小山氏の「一国之両虎」と称される関係を知っていて両氏を味方に引き入れるつもりであったのだろうか。『吾妻鏡』における野木宮合戦の記事の最後には、「かの朝政は、

※1　藤原兼行（淵名大夫）、藤原行尊（ふじわらのゆきたか）（大田大夫）、足利成行（足利大夫）、佐貫行房、大河戸行光、園田成実、大胡重俊、下河辺行義。

歌川貞秀による錦絵「宇治橋の合戦」から、先陣を切って一気呵成に宇治川を渡る足利忠綱（中央：東京都立中央図書館特別文庫室蔵）

曩祖（のうそ）秀郷朝臣、天慶年中に朝敵平将門を追討して、両国守を兼任し、従下四位に叙せしめしよりこのかた、勲功のあとを伝へ久しく当国を護り門葉の棟梁たるなり」と記されており、小山一族が秀郷以来の武門の家との評価が明示されている。小山氏にとってこの野木宮合戦が坂東における秀郷系の嫡流としての地位を確固たるものにしたのである。これに反して、藤姓足利氏の嫡流はこの戦いの後途絶えることとなる。

秀郷流小山氏の台頭と奥州合戦

文治五（一一八九）年七月二十五日、『吾妻鏡』に源頼朝が奥州藤原氏征討の際、下野古多橋（こたばし）駅（宇都宮市）の宴席において、熊谷次郎直実（なおざね）の子直家を本朝無双の勇者と称える場面がある。この頼朝の発言に対して、小山政光（まさみつ）が頗る笑って「君のために命を捨つるの条、勇士の志すところなり。いかでか直家に限らんや。ただし、かくのごとき輩は顧眄（こべん）※2の郎党なきによって、直に勲功を励み、その号を揚げんか。政光がごときは、ただ郎従等を遣わして忠を抽んずるばかりなり。所詮今度においては、自ら合戦を遂げ、無双の御旨を蒙るべきの由、子息朝政・宗政・朝光ならびに猶子頼綱等に下知せん」と、

古多橋駅付近（推定）現況（宇都宮市）。田川右岸にあり、近くには義経家来の亀井六郎にまつわる伝説が残る「亀井の水」がある

頼朝を含め、鎌倉武士団の重要構成員の面々が居並ぶ中で啖呵を切り、一族並びに居並ぶ武士団の士気を鼓舞している。

そもそも、奥州藤原氏を相手取った奥州合戦は、弟義経の奥州逃亡から始まっている。確かに頼朝にとっては、平氏討滅後に邪魔な勢力となる奥州勢力を粛清する必要があった。後に「国家安康」を口実として始まった徳川家康による豊臣家殲滅作戦と同様である。そのような戦いに臨む東国武士団に向けて、あの将門を誅伐した「累葉※3武勇の家系」の小山一族の惣領（一族の長）である政光によるこの発言は、この後の戦いにとって非常に重要な意味があったのではなかろうか。この前文には頼朝がこの合戦に勝利したあかつきには、宇都宮明神（二荒山神社）に捕虜一人を神職として奉納すると奏上し、さらに征討のシンボルとして「御上箭」を奉納している。

七月一九日に先陣を務める畠山重忠と平賀義信・安田義定・和田義盛・三浦義澄・梶原景時ら一千騎と総大将の頼朝は鎌倉から奥大道を北上、「東海道軍」（大将千葉常胤・八田知家が率いる下総・常陸両国の武士団）、「北陸道軍」（大将比企能員・宇佐見実政が率いる上野・武蔵方面の武士団）らもそれぞれ武威を示しながら北へと進軍した。

本隊である頼朝軍はこの六日間で大船－丸子－岩淵－岩槻（岩付）

※2　振り返って見ること。
※3　子孫・一族。

宇都宮二荒山神社祭礼図絵（宇都宮二荒山神社蔵：栃木県立博物館提供）。
左側は神社へ神職として奉納される捕虜（樋爪季衡）

－高野渡－古河－小山－児山－横田を経由し宇都宮に到着したと考えられる（六ページ地図参照）。この経由地付近には大宮氷川神社など複数の神社が所在していたが、敢えて下野宇都宮で戦勝祈願をしたのである。先の古多橋駅における小山政光の発言と宇都宮における戦勝祈願は、この下野の地がおよそ二五〇年前、中央政権までも震撼させた平将門の乱を終息させた乱鎮圧勲功第一者で、東国の武門を代表する藤原秀郷以来の由来を重視したものと思われる。鎌倉初期においても、武士たちは「武門の家」として秀郷系の氏族を重視したのである。そのような立場を背景に、小山政光が「累葉武勇の家系」でない熊谷一門を相手に先の言葉を発したのである。さらに「御上箭」を宇都宮明神へ奉納しているのは、秀郷軍が発した「神鏑」に将門が当り絶命した故事由来のことと考えられる。『将門記』の表現では、京都の祈りが具現化され「神鏑」となって将門を射殺したことになっているが、頼朝を惣領としこの後、東国に独立した政権を築く東国武士団にとっては、平将門の乱を終息させたのが京都政権によるものでは都合が悪いことから、東国の者がすべて行ったことの表象としたのである。

ところで、平泉を攻略するのに、なぜこのような軍勢を各街道に

俵藤太物語奈良絵本 上巻（江戸時代、栃木県立博物館蔵）。
大ムカデを退治した秀郷は龍宮に連れていかれ、龍王からお礼として
太刀・鎧・釣鐘を与えられる場面が描かれている

割り当てて進軍する必要があったのだろうか。この頃は頼朝政権が完全なものとなっていない時期であり、東国の有力氏族たちを勢力下に従えてはいるが、いまだ東国各所には平氏や木曽義仲寄りの反頼朝勢力や立場を決めかねている諸氏が各所に残っており、新たな東国武将政権のプロパガンダとしての進軍が第一義的であったのであろう。『続日本紀』（しょくにほんぎ）和銅二（七〇九）年三月五日条の東国の兵を徴発し、鎮東将軍、征越後蝦夷将軍を任命し東山道と北陸道を経由して蝦夷や越後方面の反勢力を制圧したという記事が、蝦夷征討に関する記事の初出となるが、このような故事に習っているのではないだろうか。頼朝の初期政権下において、秀郷流小山氏は「累代武門の家」として東国の武士を代表するシンボリックな氏族であった。この「秀郷流武門の家」最後の人物が、秀郷が活躍した頃からおよそ四四〇年後の小山義政で、この時に至っても「小山下野守義政ハ、秀郷ノ後胤トシテ、天下無雙ノ大名也」（『頼印大僧正行状絵詞』）と評されていた。

鉄十五枚厳星兜鉢
（「甲冑金具 号避来矢」より：唐澤山神社蔵：栃木県立博物館提供）。
秀郷の子孫が着用したとされる平安時代の兜

結城家の家祖 結城朝光

　治承四（一一八〇）年、石橋山合戦の敗戦後に安房へと逃れ再起を図り、南関東の武士を勢力下に組み込んだ三万騎の頼朝軍が、武蔵国隅田宿（東京都墨田区）に布陣した十月二日、頼朝の乳母で小山政光の妻（後の寒河尼）が一四歳の三男宗朝を連れて参陣し、頼朝に拝謁している。この時、母は宗朝を頼朝の近習として奉公させることを懇願し、その場で頼朝自らが烏帽子親として宗朝を元服させている。これが後の朝光である（四五ページ参照）。烏帽子親子の関係は実の親子にも準ずる関係で、朝光は頼朝という最大の勢力傘下に属することとなった。

　政光の子は、嫡流の朝政と長沼氏として分立する次男宗政とこの三男朝光である。政光は建久（一一九〇～九九）年中に家督を朝政に譲り、正治元（一一九九）年頃には卒去したと考えられ、この後、小山氏は三流に分かれるが、惣領家と庶子の二家は服従関係にはならず、各家それぞれが独立した御家人として幕府に仕えた。分立当初は小山五郎（宗政）、小山七郎（朝光）を名乗っていたが、建久六（一一九五）年三月に、平重衡による南都焼き討ちで焼失した東大寺再建落慶供養の際、頼朝をはじめとする鎌倉方へ無礼な態度をとった東大寺衆徒に対して、見事な口上により、その場を静謐せしめているが、その際に、結城七郎と名乗っている。

　結城氏は秀郷流として、代々下野守護職を「自然恩沢」の職として相続した小山氏の庶子ではあるが、朝光は結城郡の所領・所職は亡き父政光からの伝領でなく頼朝恩給の所領として小山氏からの分立を強調している。

　正治元（一二〇〇）年、頼朝の死によって後ろ盾を失った朝光は、梶原景時の讒言により謀反の嫌疑をかけられるが、朝光を守るべく御家人六五人による景時弾劾の連署状が頼家に提出され危機を脱している。これは御家人内で朝光が厚い信任を得ていたことを示しているが、この時、兄弟間の確執のためか、兄の宗政は連署に加わることを拒んでいる。

　文治二（一二三五）年には、幕府の最高議決機関である評定衆に任命されるが、わずか二カ月で「子孫に名誉を残すため、評定衆となった」と皮肉を述べ辞任する。恐らくは政権草創期の頼朝と御家人の「御恩と奉公」によるつながりと異なった北条氏を頂点とした法曹官僚による執権政治形態に従えなかったためと考えられる。この後、結城家の家督は嫡子朝広に譲られ、朝光は東国の政権運営から離れた。

和田氏や三浦氏など東国政権草創期の名族が北条氏によって次々と排斥される中、一族を存続させた齢八〇歳を超えた功臣は「関東遺老」と称された。

結城氏はこの後、室町時代には「関東八屋形」に列し（八五ページ参照）、永享の乱後に幕府と結城合戦（八七ページ参照）を繰り広げるなど、勃興を繰り返しながら戦国末期に徳川家康の次男秀康を養子に迎える秀郷流の名家となっていく。

歌川芳虎「文治五年源頼朝郷奥州征伐圖」（部分）。画面中央、馬に跨り大槍を振るって敵を仕留める小山（結城）七郎朝光が描かれている（東京都立中央図書館特別文庫室蔵）

第四節 鎌倉政権の樹立

治承・寿永の乱により、朝廷から東国の運営に関する許認可を得たことで、鎌倉を拠点とした武士による政治的集団の運営を阻害する外圧は消え去った。しかし、武士たちにとって初めての公武関係であり、朝廷・権門との関係について苦慮は続いた。そのような外圧が薄らいだ政権の草創期、東国政権を運営内部に確執が生まれ抗争へと発展した。この内紛の火種は北条氏による政権掌握のための策謀によるものが多く、正治元（一一九九）年正月の頼朝の死去によるポスト頼朝期の幕府運営に端を発した。

草創期幕府の内紛

梶原景時は石橋山合戦以降の重臣であったが、数々の讒言疑惑と小山朝光への新たな讒言疑惑により、三浦義村以下御家人六六人の弾劾連判状により追討、滅亡へと追い込まれた。建仁三（一二〇三）年、頼朝の異母弟（義朝七男）の阿野全成が頼家派と対立。謀反の疑いで捕縛され、宇都宮（塩谷）朝業に預けられ、八田知家により下野国

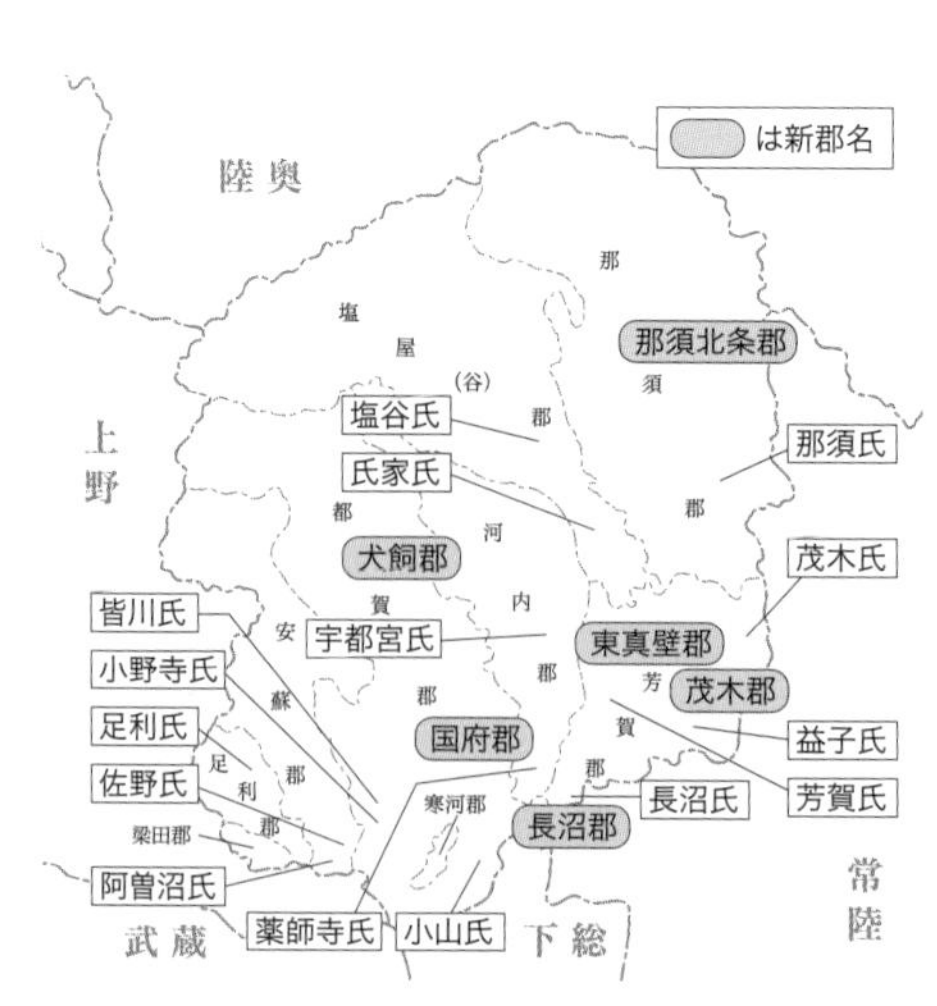

初期鎌倉政権における下野国の武士団

内で殺害された。また、この直後には頼家派の中核である比企能員が、実朝派の北条氏と対立の末謀反を起こす。この謀反鎮圧軍として戦ったのが小山朝政・宗政・朝光等を含む旧来からの御家人たちであった。その後も畠山重忠一門、和田義盛一門などの有力御家人が滅亡し、政所別当の北条時政も失脚。結果、政所と侍所の別当を兼ね執権（元来は政所別当の別称）と称された北条義時と政子が三代将軍実朝の後見人として実権を握ることとなった。

承久の乱

建保七（一二一九）年正月、三代将軍源実朝は足利義氏、阿曽沼広綱、小野寺秀通、塩谷朝業等を供奉し、鶴岡八幡宮に拝賀のため出御。神拝を終えたところで、源頼家の子公暁（くぎょう）が実朝を斬りつけ、実朝は落命。公暁も惨殺され、頼朝直系は途絶えた。

この場面は公暁の言葉とともに『愚管抄（ぐかんしょう）』に記されている。また「公卿ドモアザヤカニ皆聞キケリ」との記述も加えられていることから、東国の武士たちはもとより、都で政権に携わる人びとにもショッキングな出来事であったと思われる。中世は夢や事象により災いを予兆したとされる時代で、この暗殺を予見させる事件が続い

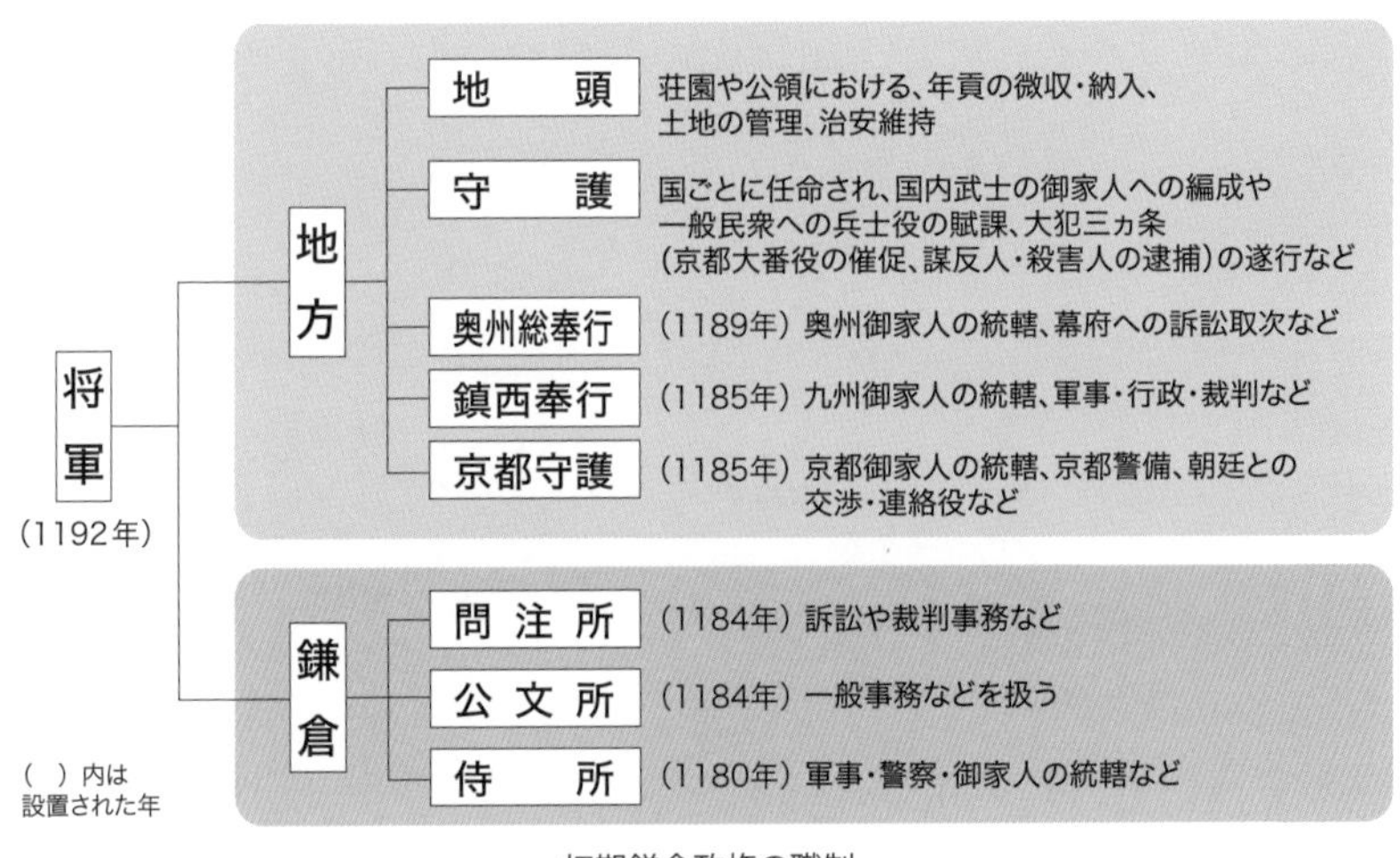

初期鎌倉政権の職制

たことが『吾妻鏡』には残されている。たとえば、二日前の二五日には源頼茂の夢が陰陽師により占われ「不快」とされている。また事件当日、出発直前に鳩がしきりに鳴き、実朝が牛車から降りる際には剣を折っている。この将軍暗殺は御家人らに大きな波紋をよび、この混乱は朝廷・権門まで及ぶこととなった。

　政子は御家人らの混乱を鎮静させるため、後鳥羽上皇の親王を将軍として下向することを要望するが拒絶され、かわりに頼朝の血縁となる九条道家の子息の頼経がわずか二歳で将軍となるべく関東に下向、嘉禄二（一二二六）年に将軍に就任した。この七年余りの間に「尼将軍」政子とともに執権義時による執権体制が確立した。

　実朝暗殺後の親王将軍下向要請への朝廷側の対応、その後の摂家将軍の就任、さらに後鳥羽上皇による摂津長江（未詳）・倉（椋）橋（大阪府豊中市）両荘の地頭職の罷免要求などが鎌倉方と朝廷側との摩擦の火種となっていた。そこに内裏の守護を代々務め、鎌倉方の政所別当も務めていた右馬権頭源頼茂が将軍後継問題で謀叛を起こし、大内裏の一部を焼く争乱となった。

　この騒乱の鎮圧に在京武士が動員されたが、鎌倉の命を受けず、後鳥羽上皇の院宣により軍事行動が遂行された。このことが朝廷側

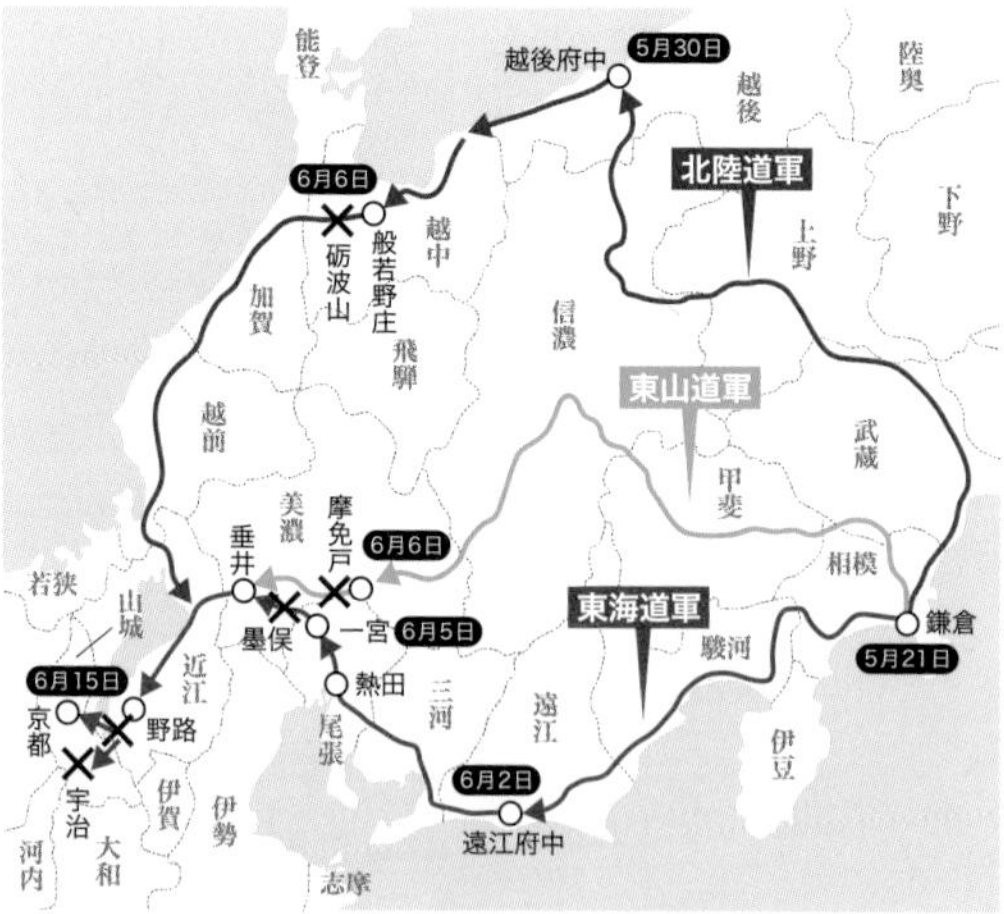

鎌倉方の進軍図（『歴史REAL 承久の乱』掲載地図を基に作成）

に朝廷政治の復権の可能性を誤解させた。さらに後鳥羽上皇は、この頼茂追討を命じることとなった経緯や、公暁による実朝暗殺や北条時政・牧の方夫妻による平賀朝雅（ともまさ）の将軍擁立未遂事件、阿野時元による実朝後継を狙った謀叛など、一連の鎌倉政権内の権力闘争が鎌倉政権内で消化されず、朝廷側に持ち込まれたことを不服とし、鎌倉政権を朝廷の制御下に置くため、問題の元凶である執権北条義時の追討画策が、承久の乱勃発の火種と考えられている。

承久三（一二二一）年五月、義時追討の院宣が下る。鎌倉方は院宣が到達する前に情報を察知し使者を捕縛。鎌倉政権中枢を担う御家人たちによる情報操作が行われた。その後鳥羽上皇が味方に引き入れようとし院宣を送った重臣八人の中に小山朝政・宇都宮頼綱・長沼宗政・足利義氏の下野の武士たちがいた。この下野の武士を含む重臣たちを前に、尼将軍政子による涙ながらの演説が行われ、再度鎌倉への忠誠が確認された。

鎌倉方は都からの情報の拡散による東国武士の反乱を恐れ、軍勢の終結を待たずに、承久三年五月二二日早朝、小雨降る中、北条泰時が京に向けて進行を開始する。従ったのは北条一族とそれに従う武士わずか一八騎のみであった。北条義時・大江広元・三善康信・

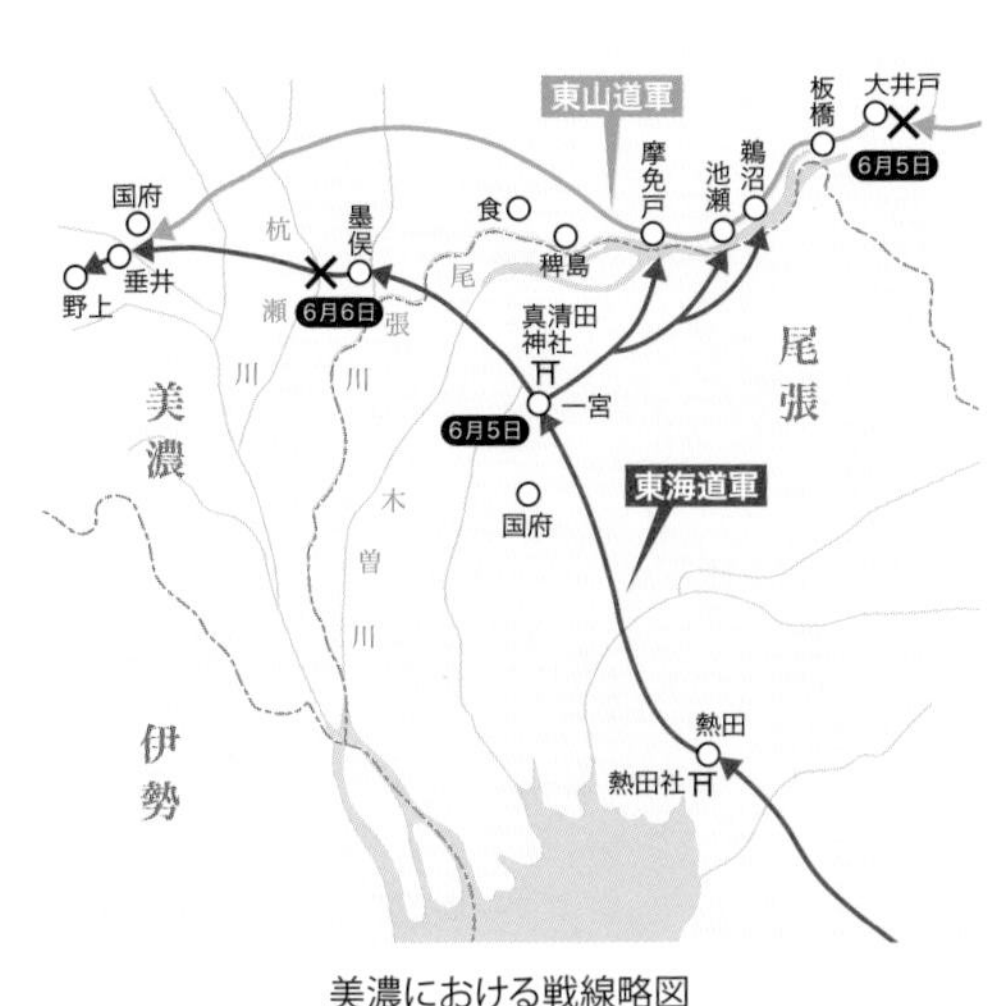

美濃における戦線略図
（関幸彦『承久の乱と後鳥羽院』掲載地図を基に作成）

八田知家らの重臣のほか、院宣の宛先となっていた小山朝政、宇都宮頼綱ら宿老は立場を明らかにするため鎌倉に留まり、軍勢の徴発などをおこなった。

同日、これに遅れて北条時房、足利義氏、三浦義村・泰村らが出撃。この後、軍勢の集結により、東海・東山・北陸三道に分かれ上洛する総数一九万の軍勢が三軍に編成された。東海道軍は一〇万騎で、大将軍に北条泰時・時房と共に足利義氏・三浦義村・千葉胤綱。東山道軍は五万騎で、大将軍には武田信光・小山朝長・結城朝光。北陸道軍は四万騎で、大将軍には北条朝時・結城朝広・佐々木信実が任じられ、総数一九万騎の軍勢が上洛していった。

進軍する東海・東山道両軍は尾張一宮（愛知県一宮市）で合流し、美濃大井戸（岐阜県美濃加茂市）、墨俣（岐阜県大垣市）で合戦となるが、京方わずか二日で敢え無く退却。さらに京へと軍勢を押し進める鎌倉方と京の東口となる近江瀬田（滋賀県大津市）において、この地を死守する京方と激戦を繰り広げる。瀬田橋を護る京方の山田重忠、比叡山僧兵の抵抗により苦戦を強いられた。『吾妻鏡』には、頼綱の次男である宇都宮頼業の矢合戦での活躍が記されている。さらなる激戦が宇治川を挟んで繰り広げられ、鎌倉方が勝利、鎌倉方の軍

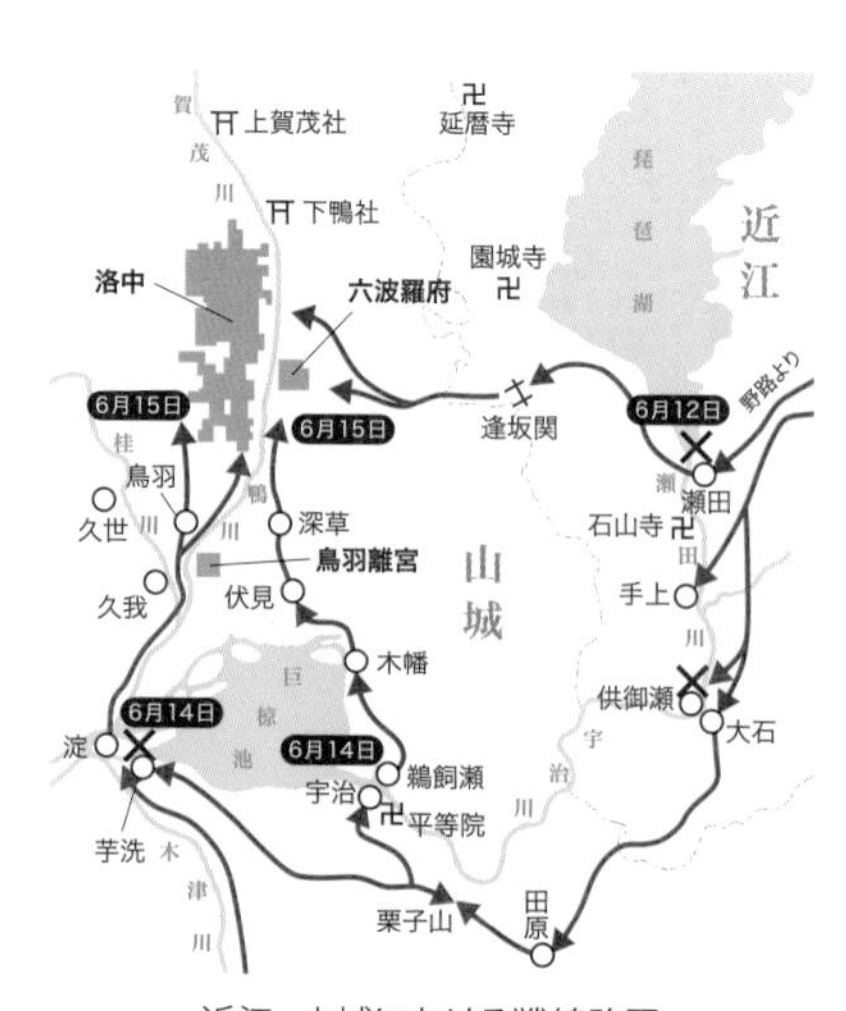

近江・山城における戦線略図
（関幸彦『承久の乱と後鳥羽院』掲載地図を基に作成）

勢が入京し、承久の乱は終息した。

『吾妻鏡』には、このような東国武士団の獅子奮迅の様子が描かれている。しかし、これを編さんしたのは鎌倉幕府である。その意図は何だったのか？ 小雨の早朝に騎馬で駆け出す北条一族とそれに従うわずか一八騎が、数日後には総数一九万騎の軍勢に膨れ上がった、と記されている。当時の人口や御家人の数から推定しても、この一九万騎は動員不可能な数（『吾妻鏡』が見栄を張った虚数）であることは明白である。このほか、『吾妻鏡』には北条政権を盤石とするため、後々の御家人たちに語り継ぐべき名場面が描かれている。

たとえば五月一九日、この一九万騎の軍勢結集の背景として、北条義時追討の宣旨を前に御家人を集め、御簾（みす）の中から安達景盛を通して、頼朝の御恩を「山よりも高く、海よりも深い」と強調し語りかける政子、これを聞き涙ながらに忠誠を誓い、結束と奮起する有力御家人の姿が描き出されている。この場面以降、後鳥羽上皇挙兵（朝廷側派兵）の目的が「義時追討」から「倒幕」へとすり替えられる。朝廷側の目的が御家人制の解体と矛先をすり替えられた東国武士は、やっと掴んだ守護の地位と自らの領地を護るため「一所懸命」の働きをする。「東国のつわもの」たちの精神的支柱である頼朝の

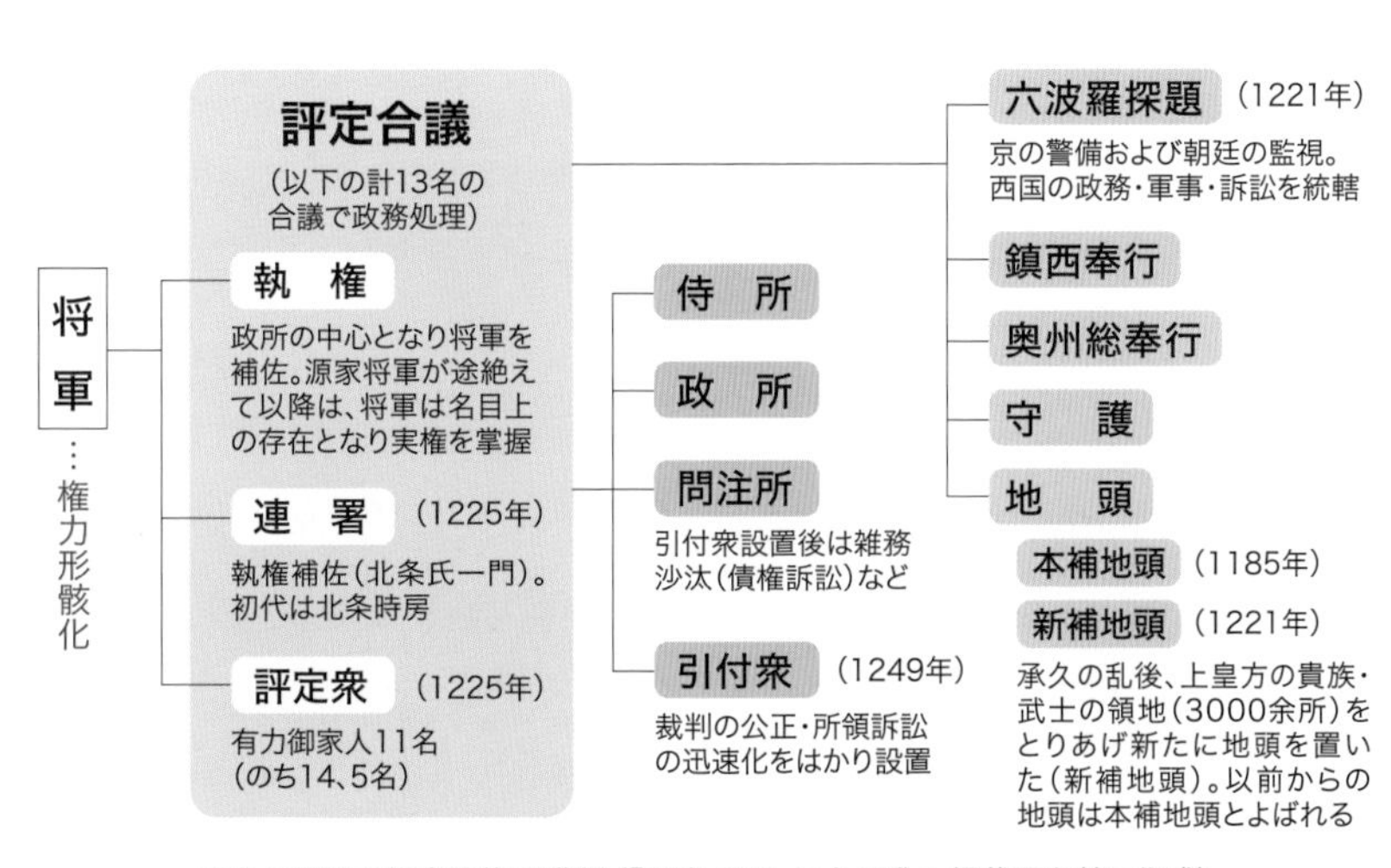

承久の乱後の鎌倉政権の職制（『歴史 REAL 承久の乱』掲載図を基に作成）

影を政子と義時が利用し、北条政権を盤石なものへと作り上げていく契機となったのがこの承久の乱である。

　戦後、上皇方の公卿たちが六波羅に移され、武田、北条、千葉、小山、結城などの有力御家人に預けられた後に鎌倉へと護送されている。また、京方に西面の武士として加わった御家人らは斬首された。これにより古来、将門もその職務に従事し、武士の起源の要因の一つであった朝廷を守護する直轄の武士制度は排除され、代わって京都や西国を管轄するために六波羅探題が新たに置かれた。

　この介入とともに、鎌倉方は後鳥羽上皇の隠岐への配流、後高倉院と後堀川天皇の即位など、宮中の人事を王家・摂関家・公卿へ図らず独自に決めている。長い歴史の中で、武士政権が皇位継承・宮中の人事に介入し、上皇方が保有していた莫大な所領も没収することは前代未聞の出来事だった。この時から慶応三（一八六七）年の大政奉還までの約六五〇年間、武家と公家による依存と協調による政治が行われることとなった。

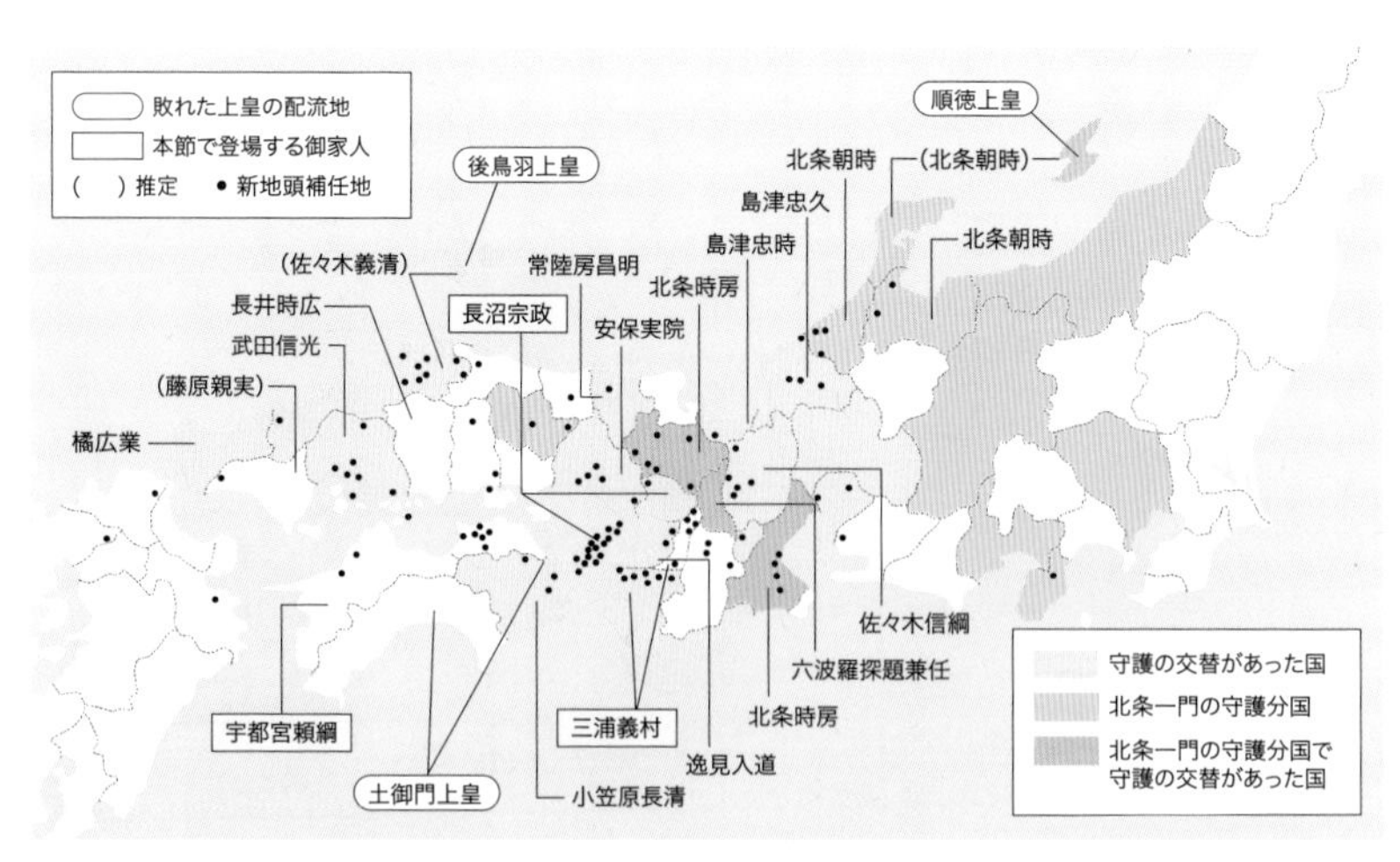

承久の乱後の新守護・地頭の配置（『朝日百科 日本の歴史』などを基に作成）

III 中世から近世へ

月岡芳年「足利尊氏新田義三」『大日本名将鑑』
（明治11［1878］年、東京都立中央図書館特別文庫室蔵）

中世とは、おおむね平安時代末期から戦国時代までを含めた時代区分になります。律令制にもとづく古代社会がさまざまな要因から停滞するなかで、あらたな土地制度である荘園・公領が全国に広がり（荘園公領制）、租税制度も大きく改変されました。具体的には、それまでの人ごとの賦課を中心としたものから、土地（耕地）を対象とする年貢と人間を対象とした公事へと移行していきます。

また、土地や租税制度にとどまらず、政権運営のあり方自体も中世を迎えて大幅に変わっていきました。たとえば、国家元首である天皇家では、譲位した上皇（出家した場合は法皇）がその後も天皇家の家長として実権を握り続け、国家統治にあたるようになります（院政）。この結果、それまで天皇家の外戚として天皇を補佐する摂政・関白の地位に就き、長年にわたって政権を主導してきた藤原氏による摂関政治は形骸化してしまいます。

かわって注目されるのが武士の台頭で、弓馬の道に優れるかれらは、職業戦士として国家の軍事・警察部門を担当し、蝦夷の暮らす東北地方支配や政治的な対立にともなう内乱に際して重要な役割を演じました。とくに院政期の内乱にあたって、皇族を祖先とする清和源氏や桓武平氏が全国各地に割拠する武士の総元締め（棟梁）とし

俵藤太物語絵巻 上巻（部分、江戸時代：栃木県立博物館蔵）。
藤原秀郷による大ムカデ退治の場面

て内乱の帰趨に大きな影響を与え、最終的には武士を中心とする政権（武家政権）の誕生を促しました。

そのきざしは、すでに平清盛による京都六波羅政権にみられましたが、治承・寿永の乱（一一八〇〜一一八五年）で平氏を滅ぼした源頼朝は、京都から遠く離れた鎌倉の地に幕府を開きました（鎌倉幕府）。鎌倉幕府の首長である将軍位は、のちに源氏から藤原氏、そして皇族へと移りますが、その間に幕府は後鳥羽上皇の倒幕の企て（承久の乱、一二二一年）を圧倒し、その政治的な影響力は朝廷にまで及ぶようになりました。

したがって、鎌倉幕府滅亡後の約六〇年にわたった南北朝の内乱、そして室町幕府の衰退にともない百年以上も続いた戦国時代の争乱は、一面で武士が政権運営の主導権を握ったことにともなう必然的な結果だったといえるかもしれません。そして、そのような中世後期の政治的な混乱のなかで、やがて織田信長・豊臣秀吉・徳川家康らによって天下は統一され、あらたな武家政権である江戸幕府が成立し、時代は近世へと移り変わっていきました。

源氏の氏神である鶴岡八幡宮（神奈川県鎌倉市）

1 南北朝時代

第一節 那須高館合戦と諸氏の分裂

戦士である武士が鎌倉殿（かまくらどの）※1源頼朝のもとに結集し、武家政権としてはじめて本格的な歩みをはじめた鎌倉幕府は、成立後百年以上を経てさまざまな矛盾に直面していた。たとえば、治安を乱す悪党※2たちが列島の各地にはびこり、東北地方では蝦夷（えぞ）※3が蜂起。そして幕府内でも、執権（しっけん）として将軍を補佐する北条氏がその家督を継承する得宗（とくそう）※4家を中心に独裁化を強め、一般御家人の信望を失いつつあった。

そこに朝廷の皇位継承問題が絡み、ついには後醍醐天皇の倒幕運動へと発展する。後醍醐の賭けは、下野を本拠地とする有力御家人足利尊氏らの挙兵によって実を結び、鎌倉幕府は元弘三（一三三三）

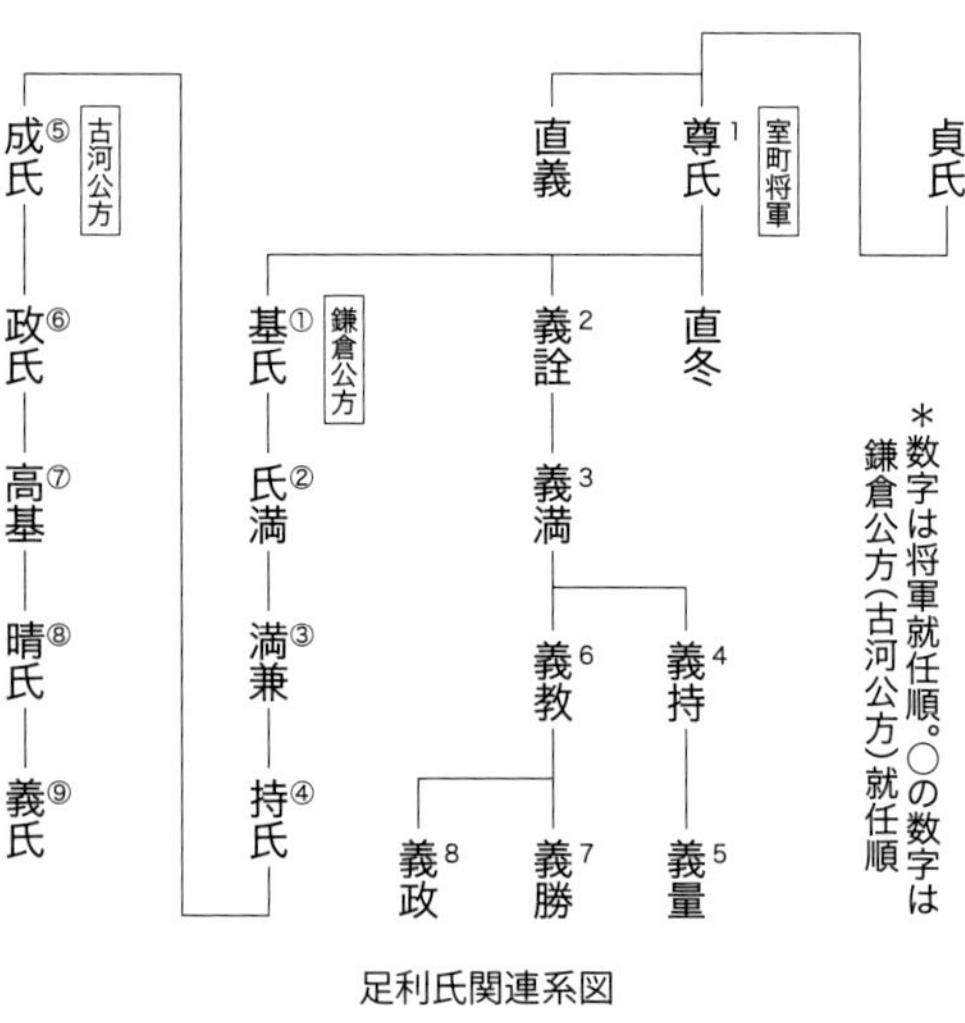

足利氏関連系図

※1　鎌倉幕府の首長。

※2　中世に政権・領主等に反抗し、社会秩序を乱した者、または集団。

※3　古代律令国家が東北地方の住民を「えみし」と称したのに対し、平安中期以降、東北から北海道にかけての住民は「えぞ」と呼ばれるようになった。

※4　北条義時の法名徳宗に由来し、鎌倉幕府執権北条氏の家督をさす。

年に滅亡した。ところが、後醍醐の建武政権はまもなく尊氏らの離反で瓦解し、尊氏は新たに京都に室町幕府を開いて後醍醐方に対抗した。この戦乱は、尊氏が擁する皇統（天皇家の血筋）持明院統（北朝）方と後醍醐が属した大覚寺統（南朝）方に分かれ、約六〇年にわたり全国各地で戦乱が続いたことから南北朝の内乱と呼ばれている。

那須資忠の活躍

下野北部に広がる那須野が原一帯を支配した那須氏は、朝廷の貴族藤原氏の子孫を自認し、平将門の乱を鎮圧した藤原秀郷の末裔とも伝えられる（続群書類従所収「山内首藤系図」）。那須一族のなかでは、源平合戦で活躍し、讃岐屋島合戦で扇の的を射落としたとされる那須与一宗隆の存在が有名である（『平家物語』）。

鎌倉幕府内部の序列では、鎌倉に常住し、幕政への参加が許されていた足利・小山・宇都宮・長沼氏などの有力御家人とは異なり、那須氏は下野在国を基本としていた。鎌倉時代末期の当主は資家で、その子資忠は尊氏が建武政権を離反して一時九州に逃れた建武三（一三三六）年の時点では、尊氏方として居城の高館（大田原市）に立てこもったことが知られる（『源威集』）。

足利尊氏像（部分、個人蔵：栃木県立博物館提供）

その後、九州からの帰洛を果たした尊氏は、後醍醐にかわって持明院統の光明天皇を擁立し、京都に幕府を開いた。一方、後醍醐は大和吉野地方（奈良県南部）に移って抵抗を続け、戦乱は容易には収まらなかった。翌四年にも那須野が原周辺では両派の戦闘が繰り返され、資忠の居城が南朝方に攻め落とされたため、資忠は近隣の「下館」に逃れている（「相馬文書」）。当地では依然として一進一退の激戦が続いていたことがわかる（那須高館合戦）。

那須野が原は関東と東北の境界に位置し、当時南朝方が優勢だった東北地方から関東に進軍する際の軍事的な要衝となっていた。関東と東北を結んだメインルートは、那須野が原を通過する奥大道であり、那須氏の居城高館をはじめ、那須一族の伊王野（いおうの）・芦野・福原・稲沢氏らの居館・居城もやはり奥大道の沿道に位置していた。したがって、北朝方の資忠や那須一族がそれぞれの居館・居城に立てこもって抵抗した場合は、北畠顕家率いる東北の南朝方にとって関東への入口を封鎖されたに等しく、現実に関東地方に南下するためには那須一族の諸城を各個に撃破する必要があった。

高館城跡（大田原市）

諸氏の分裂抗争

南北朝の内乱での那須氏以外の下野諸氏の動向は、たとえば小山氏は建武二（一三三五）年に惣領の秀朝が武蔵府中（東京都府中市）で戦死後、遺児朝氏（のち朝郷）・氏政兄弟間の対立が表面化する。この対立は、やがて「兄弟合戦」と呼ばれるような事態にまで発展した（「結城文書」）。ちょうど南朝方の重鎮北畠親房（顕家の父）が東国に下向して活発に活動していた時期であり、政治的な立場をめぐる一族・家臣間の対立が武力衝突にまで至ったことがうかがえる。

同様に宇都宮氏では、南朝方となった惣領の公綱に対し、嫡子氏綱は重臣の芳賀高名入道禅可に擁されて北朝方となった。この父子間の対立は、まだ氏綱が元服前だったことからみて、実際には当主公綱と重臣芳賀氏との君臣間の対立だったことがわかる。

また長沼氏は、当初尊氏に従った惣領秀行が尊氏の九州下向後に南朝方に復し、北畠親房の東国下向にも随った。しかし、その後の戦況は劣勢が続いたため、やむなく秀行は「一族・家人中」の意向に従って、ふたたび北朝方に立場を変えている（「結城古文書写」）。もし秀行がなおも南朝方にこだわれば、小山・宇都宮氏と同様に一族・家臣との分裂抗争に発展したものと思われる。

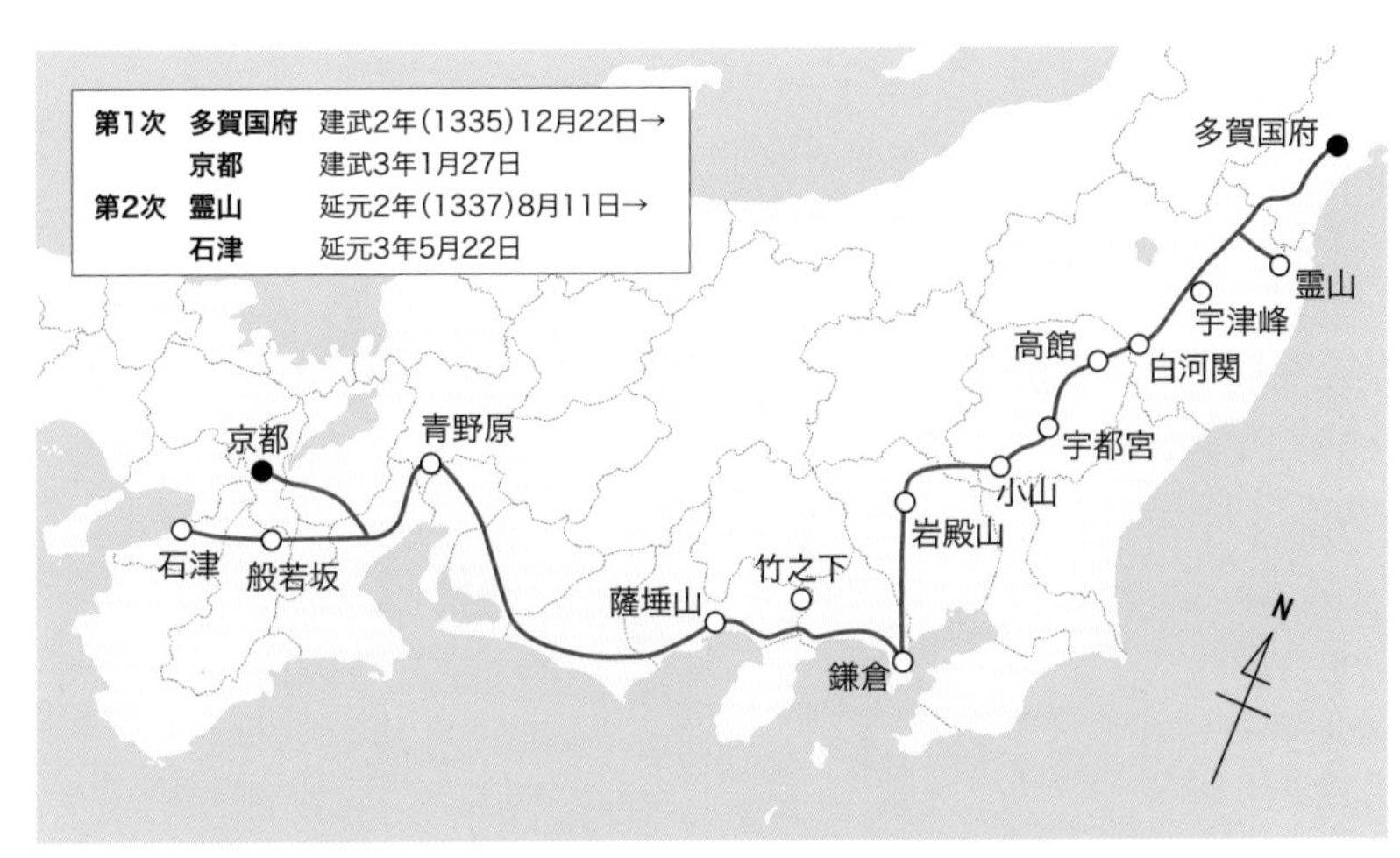

北畠顕家の遠征経路（佐藤和彦編『図説太平記の時代』掲載地図を基に作成）

第二節 駿河薩埵山合戦と宇都宮氏綱

一四世紀の南北朝の内乱では、早い時期に楠木正成（くすのきまさしげ）・北畠顕家・新田義貞といった南朝方の中心人物があいついで戦死したため、室町幕府の軍事的優位が確定した。ところが、貞和五（一三四九）年八月ごろから幕府内での党争が表面化し、ついには将軍足利尊氏と弟直義（ただよし）との対立にまで発展する。これにともなって幕府は分裂し（観応の擾乱（じょうらん））、それまで劣勢だった南朝方も息を吹き返して三つ巴の抗争がしばらくのあいだ続いた。

尊氏・直義間の対立では、京都から鎌倉に移った直義を追って尊氏も東国に下り、観応二（一三五一）年十二月の駿河薩埵山（さったやま）（静岡県静岡市清水区）の合戦において直義勢を破った。降伏した直義はまもなく急死し、その後は尊氏の庶子（しょし）※で直義の養子となっていた直冬（ただふゆ）が南朝方に与して尊氏への抵抗を続けたが、それもまもなく終息に向かった。この間、鎌倉では尊氏の次男基氏（もとうじ）が鎌倉公方（くぼう）として関東支配にあたり、父尊氏や二代将軍となった兄義詮（よしあきら）を支えた。

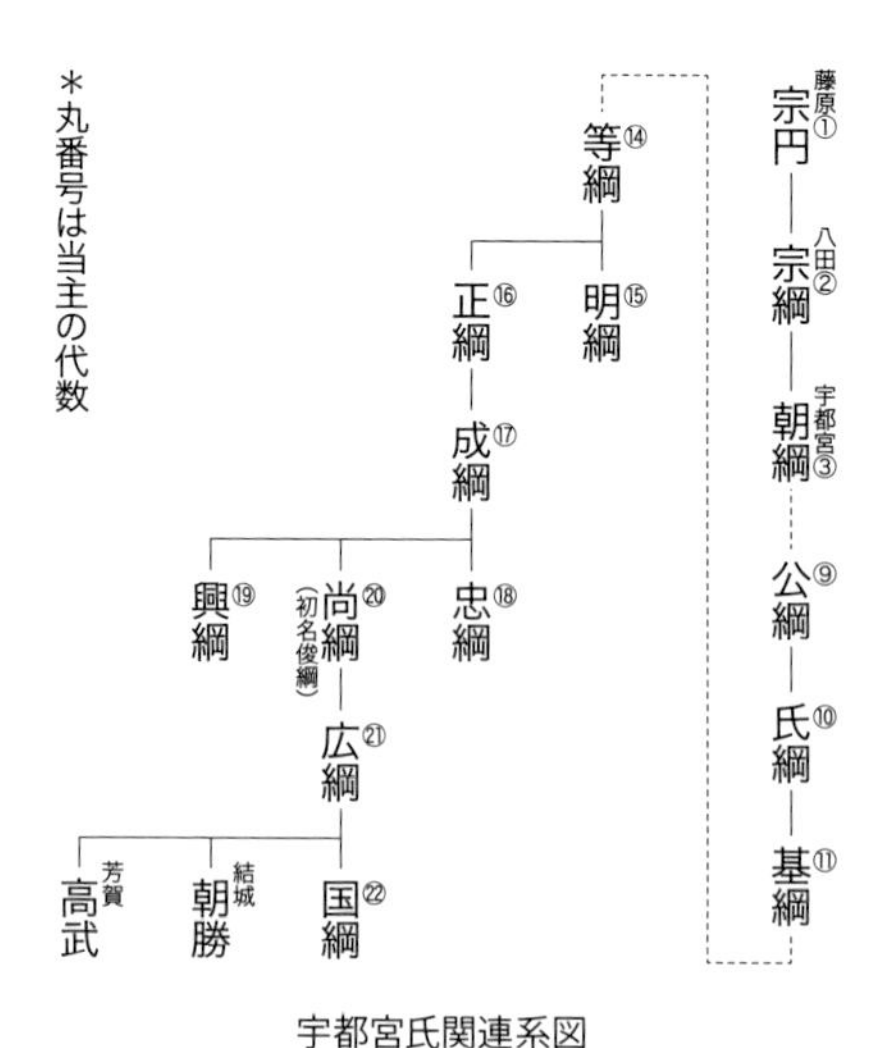

宇都宮氏関連系図

※家督を継承する嫡子以外をさし、直冬は尊氏の妾腹の子として生まれた。

薩埵山合戦の帰趨

軍事的に優勢だった室町幕府を分裂させた観応の擾乱は、おおむねつぎのような経過をたどっている。まず貞和五年八月に尊氏の執事高師直（こうのもろなお）と足利直義の対立が表面化し、師直は直義を隠退に追い込み、かわりに尊氏の長男義詮を鎌倉から上洛させて政務にあたらせた。ところが、直義は観応元（一三五〇）年十月に大和（奈良県）で挙兵し、以後畿内周辺で両派の戦いが続いた。翌二年二月には尊氏・師直が摂津打出浜（兵庫県芦屋市ほか）の戦いに敗れて直義と講和し、師直ら高一族は直義派によって殺害された。その後まもなく尊氏・直義兄弟も不和となり、直義は鎌倉に逃れた。一方、尊氏も直義を追って鎌倉をめざし、両勢は同年十二月に駿河薩埵山で激突した。

南北朝の内乱を描いた軍記物語『太平記』によると、尊氏が下野から「宇都宮が馳せ参るを待」つために薩埵山に陣取ったのは十一月晦日で、その軍勢はわずか三千騎ほどだったという。これに対し、直義率いる軍勢は総勢五〇万騎を超え、薩埵山を包囲した。薩埵山は、「三方は険阻にて、谷深く切れ、一方は海にて、岸高く峙（そばだ）てり。敵たとひ何百万騎ありとも、近づき難し」という軍事的な要害だが、それでも多勢に無勢、尊氏は危機的な状況に追い込まれていた。

薩埵峠（静岡県静岡市清水区）

尊氏にとって頼みの綱である宇都宮氏綱は、重臣芳賀・益子氏（紀清両党）をはじめとする一族・家臣を率いて十二月一五日に宇都宮城を出陣した。翌日は下野天命（佐野市）を過ぎ、同一九日には利根川を渡って、直義方の軍勢を打ち破りながら薩埵山へと急いだ。やがて三万余騎にまでふくれあがった氏綱勢は足柄峠を越えて、十二月二七日に駿河竹之下（静岡県小山町）に着陣した。また、氏綱とは別に小山氏政も七百余騎の軍勢と同二七日に相模国府津（神奈川県小田原市）に到着し、かれらの後攻めによって直義軍は敗退・四散した。

鎌倉府の確立と下野武将

薩埵山合戦後まもない観応三（一三五二）年閏二月一五日、今度は南朝方新田義貞の遺児義興・義宗兄弟が上野（群馬県）等で挙兵し、尊氏のいる鎌倉に攻め寄せた。一方の尊氏は、鎌倉を出陣して同二〇日に武蔵金井原（東京都小金井・府中市一帯）で新田義興勢を破り、その後軍勢を再編成して今度は敵方の主力である後醍醐の皇子宗良親王・新田義宗勢を武蔵小手指原（埼玉県所沢市ほか）で撃退した（武蔵野合戦、下図参照）。新田氏らに虚をつかれた尊氏だが、小手指原合戦までには宇都宮氏綱・小山氏政・長沼秀行らの下野諸将も尊氏へ

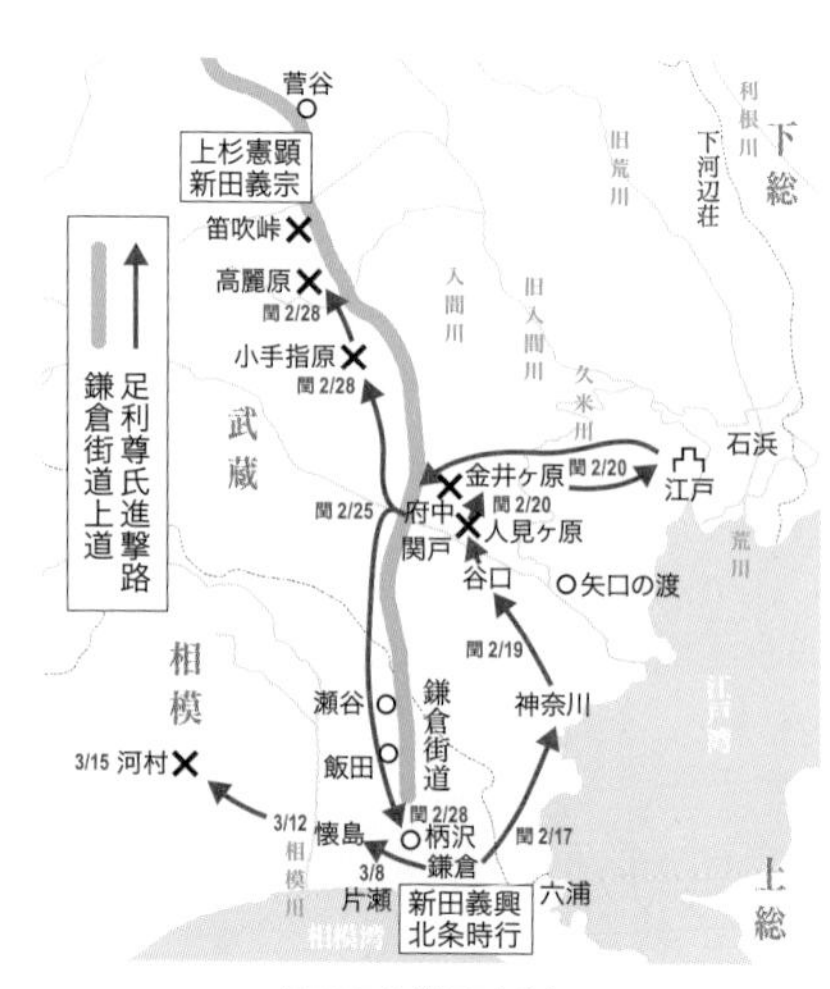

武蔵野合戦関係地図
（海津一朗氏原図に加筆・修正）

の合流を果たしており、かれらの活躍もあって尊氏はふたたび勝利を手中にすることができた。

一年半以上にわたって鎌倉に滞在し、東国の政治的安定化に努めてきた尊氏は、文和二（一三五三）年七月末に鎌倉を離れて上洛する。依然として混乱が続く畿内の情勢をうけての決断だった。尊氏にかわって東国一〇カ国の支配にあたったのは尊氏の次男基氏であり、一族の畠山国清が関東管領（かんれい）として基氏を補佐した。鎌倉で東国支配にあたる基氏の立場を鎌倉公方、また基氏を首長とする政権を鎌倉府と称するのが一般的だが、その鎌倉府による支配体制は尊氏の上洛以降、本格化していった。

そして、鎌倉府のもとで宇都宮氏綱は越後（新潟県）・上野両国の軍政を主導する守護に抜擢（ばってき）され、また小山氏政も下野守護職を安堵された。旧直義派や南朝方の活動が続く地域の支配を鎌倉府から委ねられたのは、宇都宮氏や小山氏などの下野武将であり、宇都宮氏の重臣芳賀氏は実際に越後・上野に赴き、守護代としてその実務にあたった。南北朝の内乱の転換点ともいえる観応の擾乱、とくに薩埵山合戦時の下野武将の活躍はめざましいものがあった。

鎌倉公方館跡（神奈川県鎌倉市）

第二節　宇都宮氏綱・小山義政の反乱

南北朝の内乱を描いた『太平記』は、貞治六（一三六七）年十二月に足利氏の一族細川頼之（よりゆき）が西国から上洛し、まだ一〇歳の三代将軍義満を補佐する管領職に就任することによって、「中夏無為（ちゅうかぶい）の代（よ）※」を迎えたと記す。その後、明徳三（一三九二）年にはそれまで長年にわたって分裂していた南北両朝がついに合体し、義満のもとで室町幕府は最盛期を迎える。

義満の三代将軍就任の約半年前には、鎌倉公方基氏が二八歳の若さで病没し、鎌倉府でも公方の代がわりがおこなわれた。二代鎌倉公方となった基氏の子金王丸（こんのうまる）はその後元服し、いとこで将軍の義満の「満」を拝領して氏満と名乗った。氏満の代に鎌倉府は、政権運営をめぐって宇都宮氏綱や小山義政らの反乱に直面し、それらの鎮圧をつうじて東国における鎌倉府の支配体制は強化されていった。

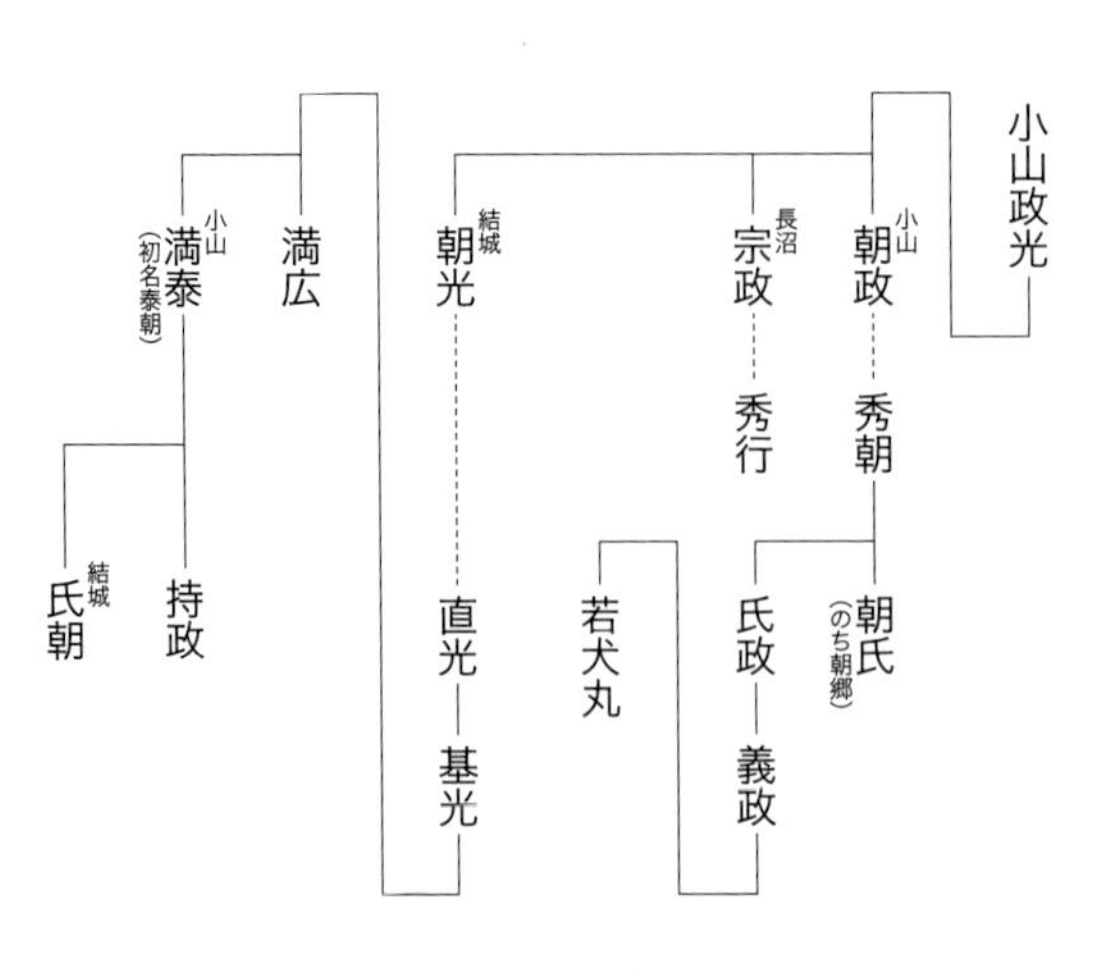

小山氏関連系図

※　日本国内がひとりでに治まり、徳治がおこなわれる世。

上杉氏の鎌倉府復帰と宇都宮氏の反乱

上杉氏は鎌倉時代に足利氏の外戚となり、上杉頼重の娘清子は足利貞氏の妻となって尊氏（初名高氏）・直義兄弟を産んでいる。清子の兄憲房は、南北朝の内乱初期の建武三（一三三六）年に戦死し、その子憲顕（のりあき）は上野・越後守護をつとめる一方で、鎌倉に置かれた義詮、つづいて基氏を関東管領として補佐した。

室町幕府を分裂させた観応の擾乱では、憲顕は直義派として活躍し、薩埵山合戦に敗れたのちは信濃（長野県）等に逃れて抵抗を続けた。その後、延文三（一三五八）年に尊氏が五四歳で没し、また康安元（一三六一）年には関東管領畠山国清が公方基氏と対立して没落したため、憲顕復権に向けての障害はほぼ解消された。

まず憲顕は貞治元（一三六二）年に越後守護に復し、この結果、越後守護代の地位を憲顕によって剥奪された氏綱重臣の芳賀氏との抗争へと発展した。翌二年には憲顕の関東管領再任をめぐって、基氏と芳賀氏が武蔵岩殿山（いわどのやま）（埼玉県東松山市）一帯で戦い、激戦の末に芳賀氏は敗北した。この責任をとって氏綱は攻め寄せた基氏が滞在する小山へと出向き、降参を認められたうえで上野守護職も没収された。結局、氏綱が保持していた勢力は基氏により大幅に削減された。

足利基氏陣所跡（埼玉県東松山市）

小山義政・若犬丸父子の反乱

薩埵山合戦で抜群の活躍をみせた小山氏政は文和四（一三五五）年、宇都宮氏綱は応安三（一三七〇）年に没し、それぞれの家督は嫡子の義政と基綱に受け継がれた。上杉憲顕の復権に不満をもつ宇都宮氏は、すでに貞治二（一三六三）年と応安元（一三六八）年に鎌倉府に反旗をひるがえして敗北しており、依然として下野守護の地位にあった小山氏とは好対照となっていた。ところが、康暦二（一三八〇）年五月に小山義政率いる軍勢が宇都宮城に迫り、これを迎え撃つべく出陣した宇都宮基綱勢と茂原（宇都宮市）で戦って、基綱を戦死させた（茂原合戦）。この戦いでの戦死者は小山勢だけでも二百人を超え、宇都宮勢も当主基綱のほか八〇余人が戦死したという（『迎陽記』）。

どうやら両者は所領支配等をめぐって以前から対立関係にあり、義政は鎌倉公方氏満の制止を無視して合戦に及んだらしい。このため、氏満は鎌倉府分国中に義政の追討令を発し、みずからも出陣した。すでに義政は茂原合戦で甚大な損害をこうむっており、氏満率いる大軍に抗しきれずに同年九月には降参を申し出ている。

ところが、降参後も義政は反抗的な態度を改めず、翌永徳元（一三八一）年二月に氏満はふたたび義政追討に踏み切った。今回は

小山義政の乱関係地図（永徳元 [1381] 年、松本一夫『小山氏の盛衰』掲載地図を基に作成）

義政も覚悟のうえでの抗戦であり、鷲城（小山市）を中心に領内の防御態勢を固め、氏満の軍勢を迎え撃った。小山周辺の合戦は六月ごろから本格化し、とくに鷲城をめぐっては十二月に及んでもなお激戦が続いていた。ようやく降参を決意した義政は、鷲城を出て北隣の祇園城（小山市）へと移り、鷲城以下の諸城を開城した。その際、義政は出家剃髪して永賢と号し、子の若犬丸（わかいぬまる）に家督を譲った。

けれども永徳二年三月、義政は祇園城に火を放ち、要害の地である粕尾（鹿沼市）に城郭を構えて立てこもった。氏満との三度目の戦いは、四月上旬にはじまり、四月一二日夜に城は落城。暗闇に紛れて城を脱した義政は、追っ手から逃げきれずに翌一三日巳刻（午前九〜一一時）ごろに粕尾山中（鹿沼市）で自害した。

一方、無事に城から脱出した若犬丸は、しばらく各地に潜伏したのち、至徳三（一三八六）年五月にかつての居城祇園城を占拠し、氏満の祇園城攻めが本格化する七月まで抵抗を続けた。その後、行方をくらました若犬丸は、常陸小田城（茨城県つくば市）、そして奥州と頻繁に居所を変えながら鎌倉府の探索を逃れ、応永三（一三九六）年二月にはふたたび祇園城に立てこもっている。まもなく祇園城を離れた若犬丸は翌四年一月、ついに奥州会津で自害した。

祇園城跡（小山市）

下野武士の東奔西走
—京都東寺合戦での那須資藤の活躍—

全国を激しい戦乱に巻き込んだ南北朝の内乱では、各地の武士たちがみずからの存亡をかけて本領周辺はもちろん、はるばる京都、鎌倉等まで出陣し、合戦を繰り返した。合戦が終わって、運良く無事に故郷に帰れたものがいる一方で、故郷を遠く離れた場所で戦死してしまった武士たちもいた。

高館城主那須資忠の子資藤（すけふじ）は、観応の擾乱にともなって鎌倉に下っていた足利尊氏の再上洛に付き従い、文和二（一三五三）年九月に入京を果たした。当時、観応の擾乱の影響で南朝方が再起し、文和二年、続いて同四年にも南朝方が京都を占領するなど、南朝方の攻勢が強まりつつあった。

文和三年十二月に北朝の後光厳（ごこうごん）上皇とともに京都を離れて近江に逃れた尊氏は、翌年二月に反撃に転じ、翌三月まで京都洛中一帯では両軍の激戦が繰り広げられた。その際の南朝方の本営が東寺（京都市南区）にあったため、この一連の戦いは「東寺合戦」「京軍（きょういくさ）」などと呼ばれている（『太平記』ほか）。

三月一二日の七条西洞院（にしのとういん）での合戦で資藤は、当初、予備軍として七条河原に待機していたが、尊氏に呼び出されて直接つぎのように命じられた。「おまえを頼りにしているので、今まで温存していた。いよいよ七条合戦も勝負所だという。まもなく日が暮れるので、急行して忠節を励め」。南北朝時代に東国武将が記した軍記『源威集（げんいしゅう）』にみえる記述である。

尊氏の命により資藤は、「叔父那須掃部助忠資（かもんのすけただすけ）、一族には伊王野・芦野・福原・稲沢打ち列なって、二百余騎」を従えて敵勢に突撃し、縦横の奮戦をみせた（『源威集』）。この一件は『太平記』にも記され（巻三二）、「敵皆勇み進める陣の真中へ懸け入って、（那須）兄弟三人、一族郎従三十六騎、一足も引かず、討死しけるこそあはれなれ」とある。激戦のすえに、資藤は名誉の戦死をとげたのである。

資藤の変わり果てた姿をみた尊氏は目に涙を浮かべながら、かつて建武三（一三三六）年に九州に下向した際、「東国に一人の味方もなかりしに、この資藤が父資忠一人が高館に籠もって忠を致せし事」まで周囲に語ったという

（『源威集』）。約二〇年前の資忠の忠節を、今も尊氏は忘れていなかったのである。資藤の子資世や、その子孫である資之・持資はこののち鎌倉府に重用され、やがて烏山城を本拠に那須荘一帯を支配する戦国大名下那須氏へと成長する。

一方、資忠の嫡孫とみられる資朝は、資藤子孫台頭の影響もあって一族内での発言力を弱めたが、それでも黒羽城（大田原市）を本拠に本家としての声望は維持した。室町時代を迎えて幕府と鎌倉府との対立が深刻化するなかで、資朝の子孫（上那須氏）は幕府との関係を深め、鎌倉府と結ぶ下那須氏に対抗した。上・下那須氏の対立はその後も続いたが、鎌倉府の後身古河府の分裂騒動（永正の乱）によって資永が没落し、上那須氏は滅亡した

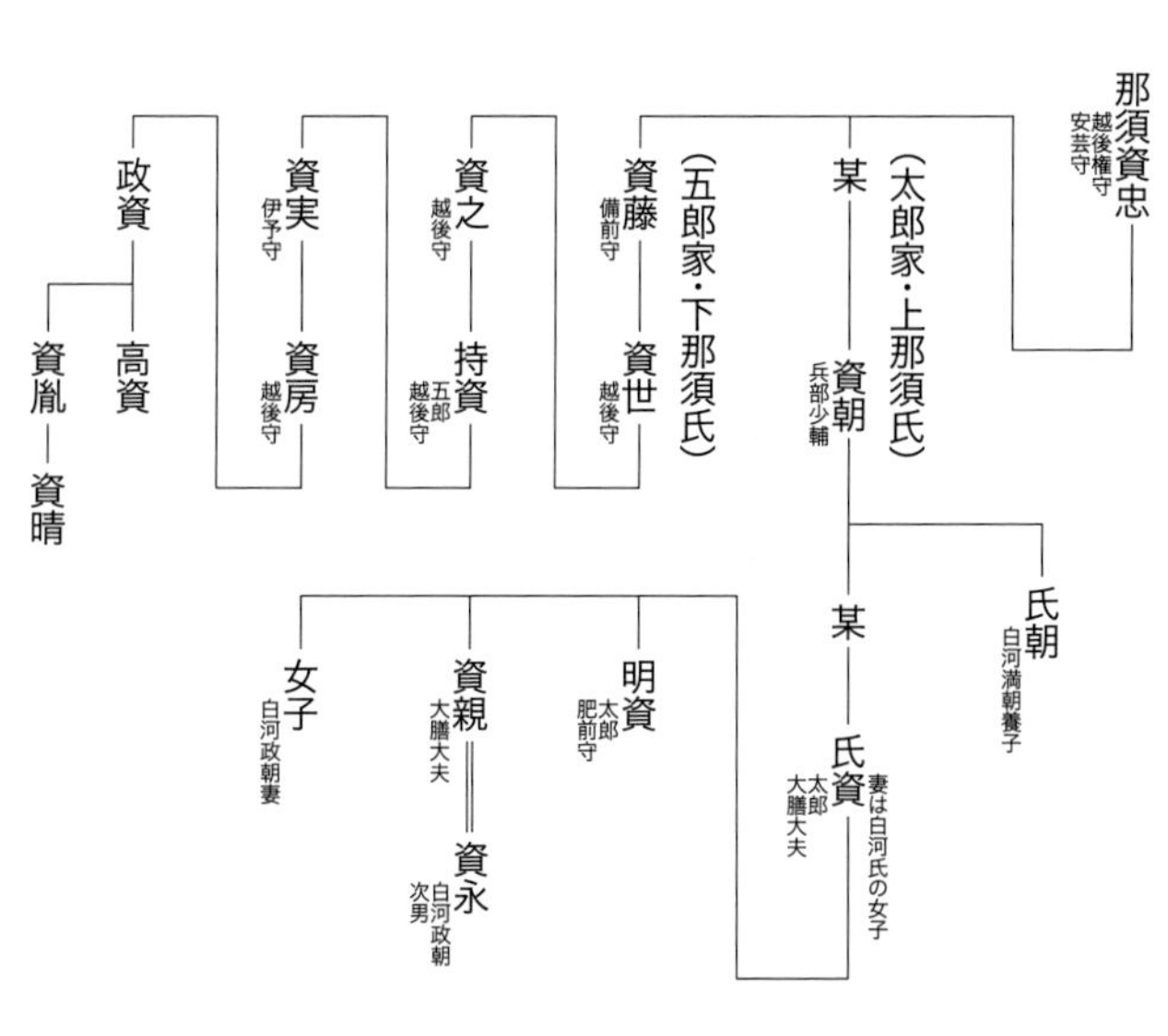

那須氏推定略系図

2 室町時代

第一節 永享の乱と結城合戦

下野をはじめとする関東一〇カ国を支配した鎌倉府は、管轄外の奥州を巧みに利用した小山若犬丸の策動をきっかけに、東北の奥羽両国も管轄下に収めた。これにともない、東北地方の有力武士がはるばる鎌倉府まで出仕し、一定期間滞在した（在鎌倉）。この結果、鎌倉と奥州を結ぶ幹線交通路・奥大道はさらに活況を呈したと考えられる。

ところが、四代鎌倉公方足利持氏治世下の応永二三（一四一六）年十月に、前関東管領上杉禅秀の反乱が勃発し、一時持氏は鎌倉を脱出して駿河の今川氏を頼った。禅秀の乱自体は室町幕府の支援に

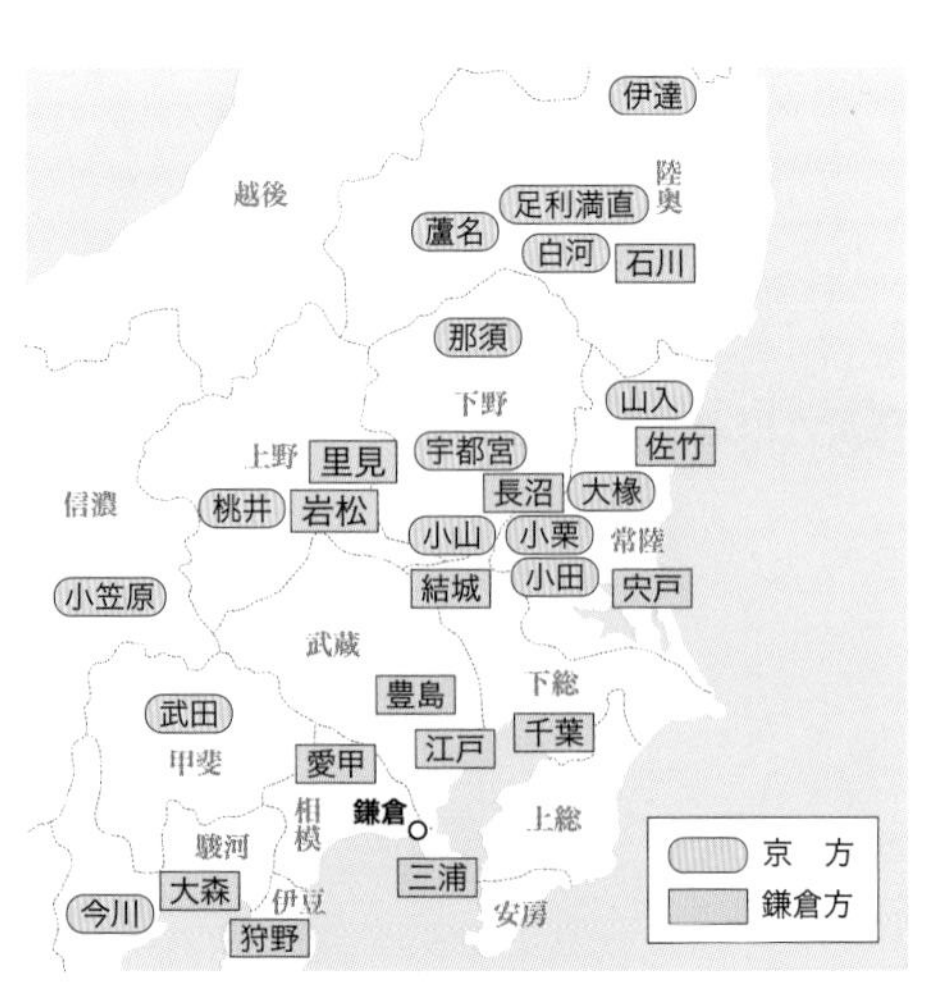

上杉禅秀の乱後の東国武士
（『熊谷市史』通史編上巻掲載地図を基に作成）

よって翌年一月には鎮圧されたが、禅秀与党はなお関東・東北の各地に健在で、持氏との対立関係は容易には解消されなかった。鎌倉府支配の進展・強化のなかで、これに不満をもつ武士団が少なくなかったことがうかがえる。

そして、権力の集中をはかる六代将軍足利義教が、持氏を干渉するためにこの対立に積極的に介入するに及んで、ついには幕府と鎌倉府との武力衝突にまで発展し、持氏は永享一一（一四三九）年に自害に追い込まれた（永享の乱）。その翌年には持氏の遺児安王丸らが下総結城城（茨城県結城市）に立てこもる（結城合戦）など、政治的な混乱はなおも続いた。

上杉禅秀の乱とその余波

小山若犬丸の自害後、もともと小山氏の一族であり、義政の姉を妻とする結城基光の次男泰朝が小山氏の跡目を継ぎ、小山氏は再興された。その後まもなく、小山氏をはじめ、同じく下野の宇都宮・那須・長沼氏、下総の結城・千葉氏、常陸の佐竹・小田氏の各氏は、鎌倉府から屋形号と朱の采配を許された（『佐竹家譜』ほか）。屋形とは「公家以外の、重だった主君の或る位」を意味し（『邦訳日葡辞書』）、

禅秀の乱中に禅秀方によって社殿が造替された朝香神社の現況
（茨城県高萩市）

以上の各氏は三代鎌倉公方満兼から東国屈指の有力大名としての地位を公認されたことになる（関東八屋形）。

満兼が応永一六（一四〇九）年に病没したあとは、その子持氏が幼くして家督を継ぎ、持氏を補佐する関東管領には上杉一族の禅秀があらたに就任して政権を主導した。ところが、持氏の成長とともに政権運営をめぐって両者の対立が表面化し、ついには禅秀とその与党の反乱（上杉禅秀の乱）にまで発展してしまう。

その際、下野では小山満泰・那須資之や宇都宮一族の左衛門佐らが禅秀方となり、隣国常陸では小田治朝や佐竹一族の山入与義、そして下総でも千葉兼胤が同じく禅秀に与した。つまり、結城・長沼の両氏を除いた関東八屋形の当主、もしくはその有力一族が当初は禅秀方だったことになり、禅秀の政権運営がかれらからも一定の支持をえていたことがうかがえる。したがって、禅秀一派の反乱はまもなく鎮圧されたものの、その余波は東国の各地に及んでいる。

結果的に禅秀の乱をきっかけに、東国武士は親鎌倉府派と反鎌倉府派に分裂し、持氏から征討の対象とされた反鎌倉府派はその支援を幕府に求めた。結局、鎌倉府は禅秀の乱以降、幕府との関係をますます悪化させていった。

上杉禅秀の乱での敵味方供養塔
（神奈川県藤沢市遊行寺）

永享の乱と結城合戦

対立を深めつつあった鎌倉府と幕府の間で両府の関係改善に努めたのが、関東管領上杉憲実（のりざね）※である。ところが、正長元（一四二八）年三月に足利義教が六代将軍に就任して以降、義教の強気の性格もあって両府関係は悪化の一途をたどっていく。これにともない、義教に対抗心を燃やす持氏と両府間の平和を願って諫言（かんげん）を繰り返す憲実との関係も険悪となり、永享九（一四三七）年ごろにはすでに両者は決裂まじかの状況にまで立ち至っていた。

そして、翌永享一〇年六月の持氏嫡子義久の元服をめぐって両者の対立は決定的となり、同年八月に憲実は鎌倉を離れて領国の上野へと向かった。その際に憲実一行には上杉氏の一族・家臣のほか、下野の小山持政・那須氏資（うじすけ）らも加わっており、実態としては鎌倉府の分裂を意味した。将軍義教はこの機を逃さずに武力介入し、箱根山をはじめとする各地で両勢の激戦が繰り広げられ、敗れた持氏は降伏した。永享一一年二月、持氏・義久父子は憲実の助命嘆願にもかかわらず、義教の命によってついに自害に追い込まれた（永享の乱）。

一方、持氏の遺児安王丸・春王丸（しゅんおうまる）兄弟は一時、日光山に潜伏したあと、親鎌倉府派の大名結城氏朝に擁立されて、永享一二年三月に

※（一四一〇〜六六）越後守護上杉房方の子。永享の乱後隠退して諸国を行脚し、長門大寧寺（山口県長門市）で没する。足利学校を再興。

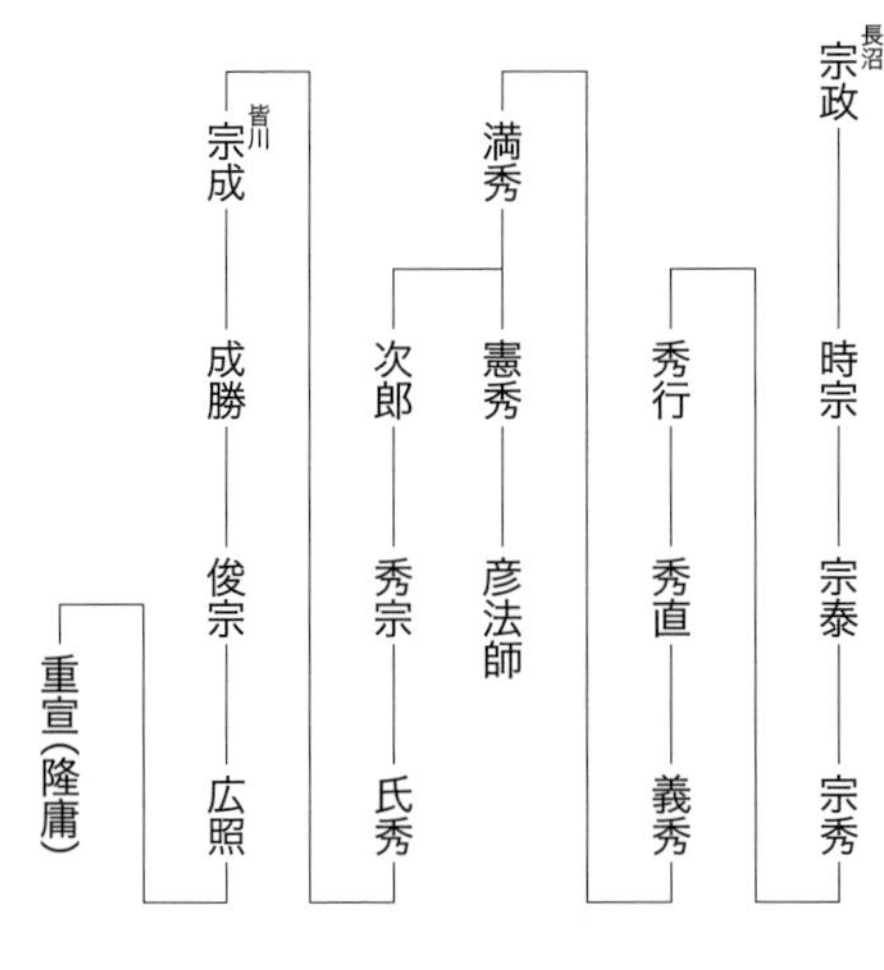

長沼・皆川氏関連系図

結城城に立てこもり、翌年四月に落城するまで一年以上にわたって籠城戦を展開した（結城合戦）。もちろん、当初から籠城戦を意図していたわけではなく、安王丸らの挙兵時には下総古河をはじめ、下野足利などの周辺各地で与党が蜂起し、氏朝らはまずは北関東の要衝・小山の占領を最優先課題としていた。

しかし、主力部隊である結城・岩松・桃井（もものい）氏らの軍勢が、永享十二年四月に小山氏の居城祇園城に攻め寄せたところ、あえなく撃退されてしまい、その結果、それまで与同していた近隣の長沼氏にも離反されて、結城城への籠城を余儀なくされたのだった。

第二節 享徳の乱と下野

永享の乱で鎌倉公方持氏が自害してまもない嘉吉（かきつ）元（一四四一）年、今度は将軍義教が重臣赤松満祐（みつすけ）に暗殺された（嘉吉の乱）。以後、政局が不安定となるなか、幕府の意向で持氏遺児の万寿王丸（まんじゅおうまる）（のちの

成氏が文安四（一四四七）年に鎌倉公方に就任、鎌倉府は再興された。ただし、五代公方成氏のもとでも持氏以来の対立関係は解消されず、享徳三（一四五四）年十二月に成氏は関東管領上杉憲忠主従を殺害し、上杉氏とその与党との全面対決へと踏み切った（享徳の乱）。享徳の乱は上杉氏を支援する幕府を巻き込んで長期化し、文明一四（一四八二）年に八代将軍義政と成氏が和睦するまで二八年間続いた。この間に幕府でも将軍義政の後継者をめぐって応仁元（一四六七）年に内乱がおこり（応仁の乱）、内乱の長期化とともに幕府の権威は失墜する。東の享徳の乱と西の応仁の乱の結果、日本全国は戦乱が常態化した戦国乱世の時代を迎えることになった。

下克上の時代

享徳三年末にはじまった享徳の乱は、翌康正元（一四五五）年には関東の各地で両勢の合戦が展開され、その過程で成氏は鎌倉にかわって下総古河をあらたな本拠とした（古河公方）。一方、上杉方は利根川を隔てた武蔵五十子（埼玉県本庄市）を本陣とし、成氏方に対抗した。大勢としては、古河近隣を領する小山・結城氏らを中心に東関東を勢力圏とする成氏方と、山内・扇谷両上杉氏を中心にそ

結城城に立てこもる結城氏朝勢（『結城戦場物語絵巻』、栃木県立博物館蔵）

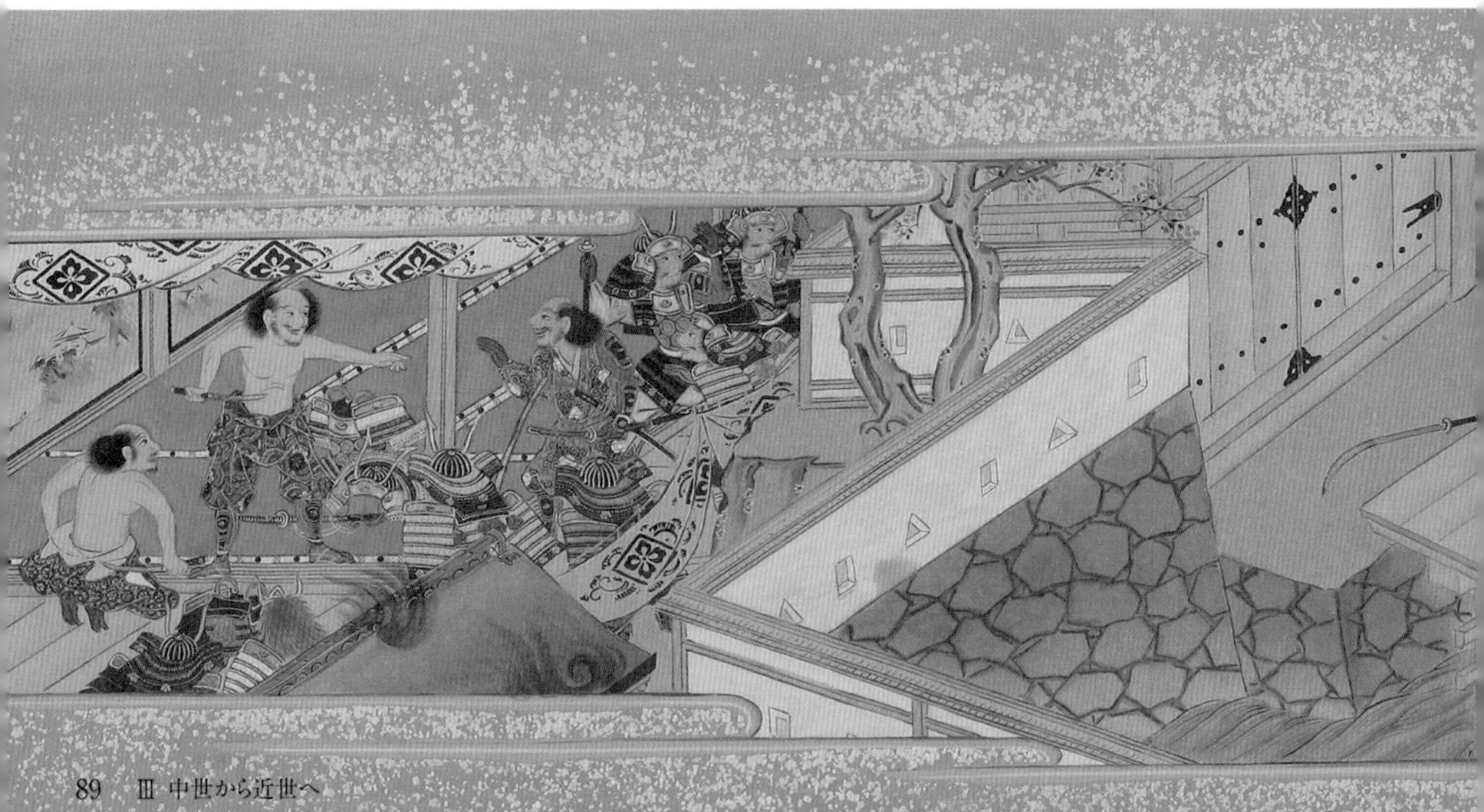

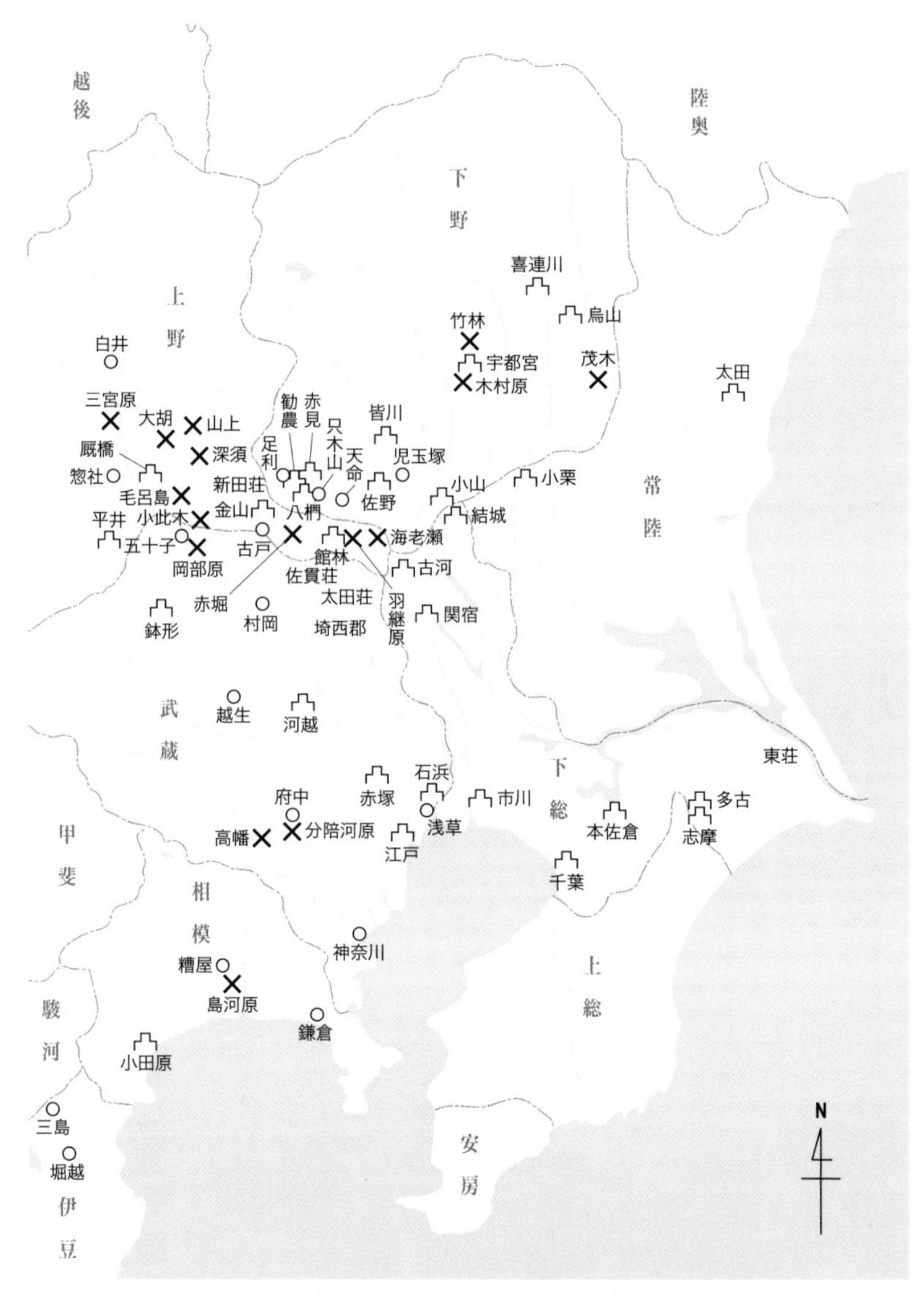

享徳の乱関係地図（山田邦明『享徳の乱と太田道灌』掲載地図を基に作成）

の重臣長尾・太田両氏らを従えて西関東を勢力圏とする上杉方が、おおむね利根川を挟んで一進一退の抗争を展開していった。

その際に下野周辺では、小山・結城氏らが成氏の有力与党として縦横の活躍をみせたほか、那須一族では烏山城（那須烏山市）を本拠に那須荘南部一帯（下那須地方）を領した下那須持資（もちすけ）がやはり成氏方として急速に台頭している。

深刻だったのは宇都宮氏や茂木（もてぎ）氏で、宇都宮等綱（ともつな）は当初は成氏に従ったが、康正元年に幕府の命に応じて宇都宮城に立てこもり、成氏方の攻撃をうけた。劣勢となった宇都宮氏は、等綱の嫡子明綱（あきつな）が重臣芳賀氏とともに降参し、等綱は出家し宇都宮城を没落した。

常陸小田一族で茂木荘（茂木町）を領した茂木満知（みつとも）は、康正元年末ごろ茂木城に立てこもって成氏に敵対し、一年近くにわたり籠城戦を続けている。ただし、満知の子持知は早くに茂木城を離れて成氏に従っており、両氏とも享徳の乱にともなって父子間の分裂が表面化したことがわかる。当然ながら、父子の背後には一族・家臣の存在があり、かれらの動向が一族・家臣の意向に大きく左右されていたことがうかがえる。まさに下克上の時代の到来といえよう。

宇都宮城跡（宇都宮市）

家中の成立と山城の登場

南北朝・室町時代をつうじて、宇都宮・小山・那須氏らの下野武士団をはじめ、各地の武士団では一族間の分裂状況が顕在化していった。ところが、一五世紀後半の享徳の乱をきっかけに、それとは真逆ともいえるような状況があきらかとなる。

たとえば、宇都宮等綱の子で、明綱の弟正綱のばあいは、明綱の早世後に宇都宮氏の家督を継ぎ、それまでは独立性が高かった塩谷（しおのや）・笠間氏などの一族の臣従化を進めている。臣従した一族は当主正綱の重臣として処遇されたほか、その証しとして宇都宮氏代々の通字である「綱」の一字を自身の実名に与えられた。いわば、当主を家長とする擬制的な家結合に組み込まれたわけで、以上のような一族・家臣団結合は家中（かちゅう）（洞中（うつろちゅう）とも）と称され、戦国時代の大名・国衆（くにしゅう）（大名に次ぐ地域領主）各氏に共通する。享徳の乱に巻き込まれ、自家が存続の危機に直面するなかで、各地の武士団がまさに生き残りをかけて講じた危機の産物のひとつが家中の成立だった。

そして、もうひとつの産物が山城の築城である。たとえば、平将門の乱を鎮圧した藤原秀郷の子孫で佐野荘（佐野市）を本拠とした佐野氏は南北朝時代以降、鎌倉公方足利氏の直臣（じきしん）的な存在だったが、

唐沢山城跡本丸石垣（佐野市）

一五世紀後半の享徳の乱以降は古河公方足利氏の衰退とともに独自性を強めていった。注目されるのは、佐野氏が享徳の乱の最中に現在の唐沢山を中心とする大規模な山城を築き、そこを居城としたことである。

当時は佐野城と呼ばれていた唐沢山城は、標高二四二メートルの唐沢山山頂を本丸とし、周辺一帯を城郭化しており、すぐ南には下野南部における交通の要地で、かつ東国を代表する鋳物生産地でもあった天命宿（佐野市）がある。つまり、佐野氏にとって唐沢山城は軍事的な拠点であるのと同時に、流通・経済面でも重要な役割を担っていた。戦国時代に佐野氏が下野有数の国衆へと成長するうえで、欠かすことのできない条件がまさに唐沢山城の存在だったといえる。そして、その点は、下那須氏の本拠烏山城、足利長尾氏の本拠足利城、長沼氏の一族皆川氏の本拠皆川城などといった下野各地の山城とも共通していた。

烏山城跡（那須烏山市）

起死回生の大勝利
—宇都宮竹林合戦—

文明一四（一四八二）年に室町幕府八代将軍の義政と初代古河公方の成氏が和睦し、二八年間に及んだ享徳の乱はついに終わった。ところが、一六世紀初頭の永正三（一五〇六）年に今度は古河公方家の二代政氏とその子高基間の対立が表面化する。高基は永正三年四月に父政氏の居城古河城を離れて妻の実家である宇都宮氏のもとに移った。これにともない、「古河政氏公父子合戦」といわれる武力衝突にまで発展し（『東州雑記』）、関東管領たる上杉顕定が両者の調停に乗り出している（第一次永正の乱）。この結果、翌四年八月以降に高基は政氏に和睦を求め、古河城に戻った。永正六年にも両者の対立が再度表面化するが、さほどの大事にまでは至らなかった模様である（第二次永正の乱）。

しかし、翌七年六月二〇日に顕定が遠征先の越後上田荘長森原（新潟県南魚沼市）で戦死し、翌七月になると高基が重臣簗田高助の居城関宿城（千葉県野田市）に移って、政氏に三度目の反旗をひるがえした（第三次永正の乱）。このとき顕定の養子となっていた上杉顕実は、父政氏とその与党である下野小山氏・常陸佐竹氏・南奥州岩城氏と結んで高基に対抗した。一方、山内上杉一族には顕定の先代房顕の甥憲房もいて、顕定の急死によって憲房も有力な家督候補者に浮上した。そこで高基は憲房をはじめ、宇都宮氏や常陸小田氏・下総結城氏らの支援をえて抗争を展開していった。

永正九年六月に顕実の居城武蔵鉢形城（埼玉県寄居町）が陥落し、顕実は没落した。これにより憲房が山内上杉氏の家督と関東管領職を手中にし、第三次永正の乱は高基方が有利となった。政氏は古河から小山城に移り、かわって高基が古河城にはいった。劣勢の挽回をはかる政氏は、古河攻めのために佐竹・岩城両氏に援軍を求め、下野北部で合流を果たした両勢はまず宇都宮へと侵攻した。

佐竹・岩城氏らの大軍「一万騎」が宇都宮城下の北端竹林（宇都宮市）まで攻め寄せるという窮地に陥った宇都宮忠綱だが、永正一一年八月一六日に義兄弟結城政朝とともに奮戦し、両勢を撃退したばかりか、「敵二千余人」を討ち取る大勝利を収めた（『結城家之記』、『今宮祭祀録』）。結城氏だけで「討ち取る頸(くび)の注文五百余人」に達したとされ、「敵二千余人」を討ったというのもまんざら誇張とは思えない。忠綱の重臣永山忠好が伊勢神宮にあてた翌月一六日の書状で「中途において一戦をとげ、大利(たいり)（大勝利）をえられ」と記しているように（「佐八文書」）、竹林合戦は宇都宮氏のみならず、三代公方高基にとっても、まさに起死回生の大勝利だった。

ところが、大永三（一五二三）年八月に今度は結城政朝が宇都宮に攻め寄せ、忠綱は猿山（宇都宮市）で迎え撃ったが（猿山合戦）、敗北。鹿沼城の壬生綱房のもとに逃れた。合戦の背景には、永正の乱中に忠綱に討たれた芳賀高勝の弟高経の策動があった。勝った高経は復権を果たし、負けた忠綱は復権できぬまま同七年に没している。

結城政朝像（茨城県結城市孝顕寺蔵、栃木県立博物館提供）

3 戦国～織豊時代

第一節 上杉謙信の越山と下野の戦国時代

一五世紀後半の享徳の乱以降、鎌倉公方足利氏を頂点とした従来の政治秩序は崩壊し、あらたに下総古河に本拠を移した古河公方足利氏と武蔵鉢形（埼玉県寄居町）を拠点とする関東管領山内上杉氏、同河越（埼玉県川越市）を拠点とする扇谷上杉氏等を中心に関東の政治情勢は複雑に推移していった。

一六世紀を迎えると、永正（一五〇四～二一）・天文年間（一五三二～五五）ごろに古河公方足利氏と山内・扇谷両上杉氏を巻き込んだ抗争が激化し、相模小田原（神奈川県小田原市）を本拠とする北条氏が関東西部をほぼ掌握した。また関東東部では、常陸佐竹氏や安房

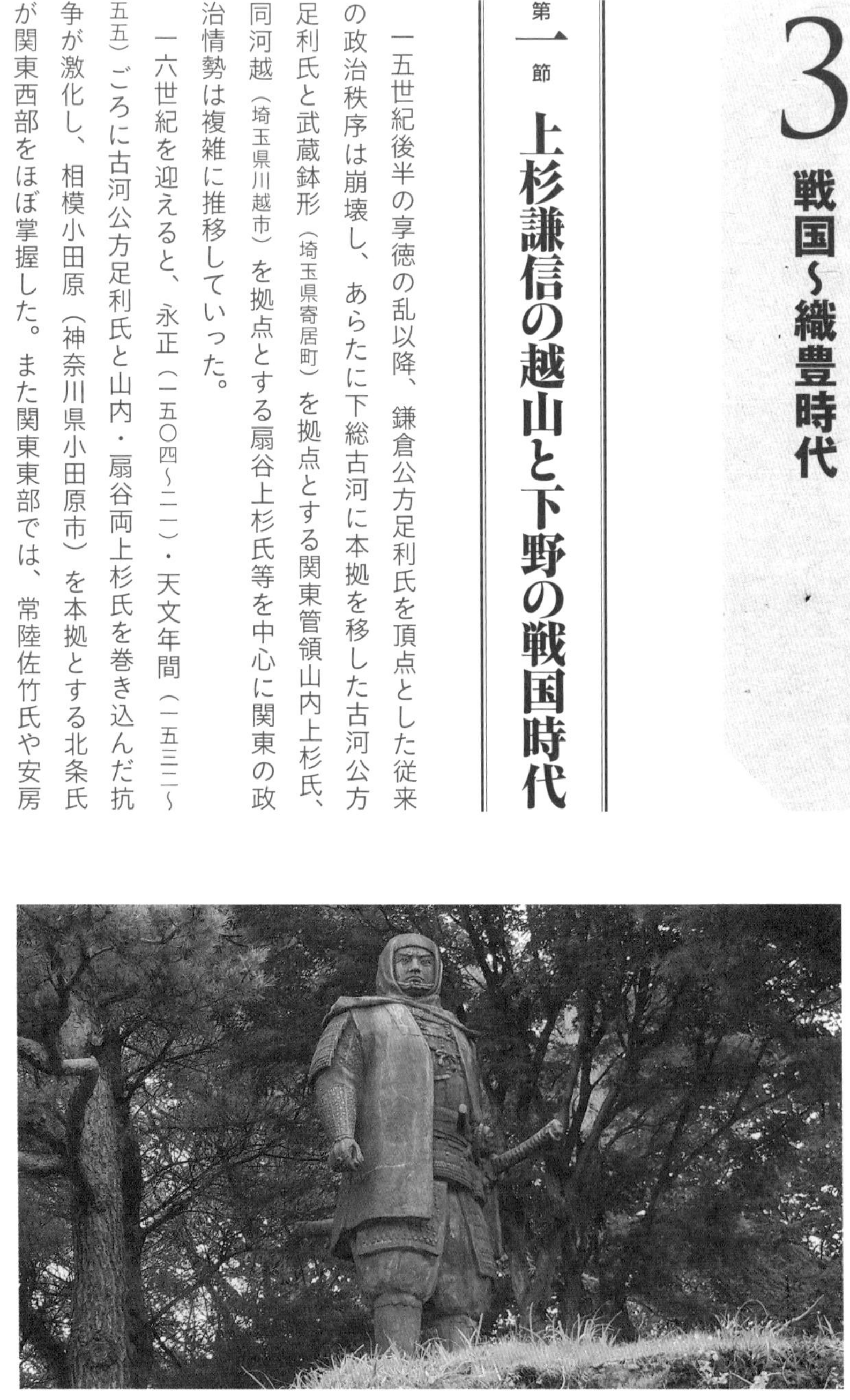

上杉謙信像（新潟県上越市春日山城跡）

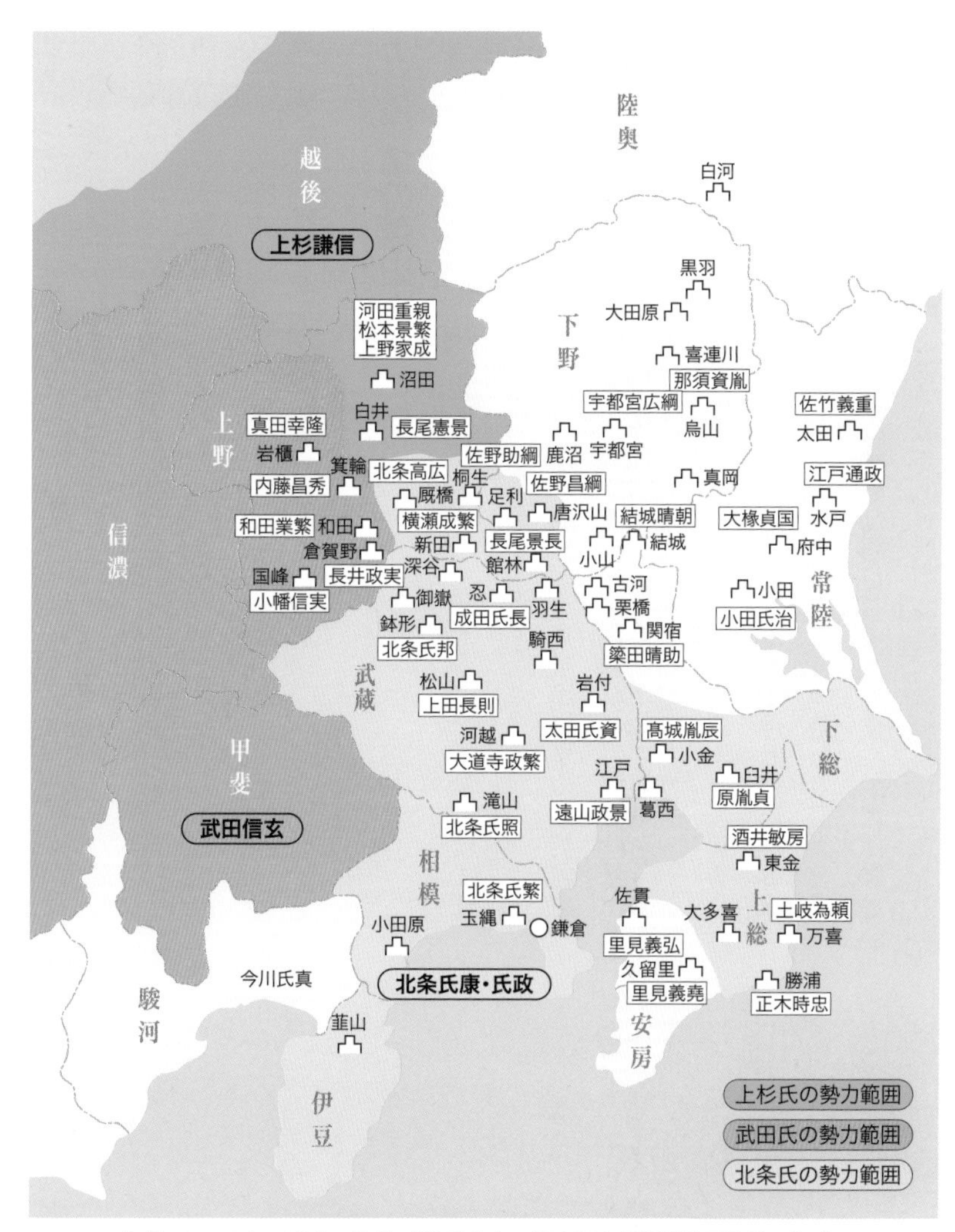

永禄 9(1566) 年の関東の情勢 (『熊谷市史』通史編上巻掲載地図を基に作成)

里見氏らが一族や近隣領主との抗争のすえに台頭を果たした。

　宇都宮氏をはじめとする下野の諸氏は、それぞれ家中抗争や近隣領主との対立のなかで興亡を繰り広げたが、その間に長沼氏や上那須氏が滅び去ったほかは曲がりなりにも生き残りを果たした。そして一六世紀後半になると、あらたに越後の戦国大名上杉謙信が関東に出現し、事態はより混迷の度を深めていった。

上杉謙信の越山

天文二一（一五五二）年、当時上野平井（群馬県藤岡市）を拠点としていた関東管領上杉憲政は、北条氏康の侵攻を防ぎきれずに没落し、越後に逃れた。そのころ越後では、越後守護代長尾為景の次男景虎が守護上杉氏にかわって国内を実質的に支配しており、憲政は景虎の居城春日山城の近隣府内（ともに新潟県上越市）に滞在した。

　これにともない、景虎の関東出陣を求める要望が高まり、いよいよ景虎は永禄三（一五六〇）年八月に憲政とともに出陣し、三国峠を越えて上野に入国した（越山）。以後、景虎は破竹の勢いで南下を続け、翌四年三月下旬には小田原城を包囲した。まもなく景虎は鎌倉に移って、憲政から関東管領職と上杉氏の名跡、ならびに「政」の

平井城跡（群馬県藤岡市）

一字を譲られ、上杉政虎と名乗った※。

謙信の越山によって下野の大名・国衆の多くは謙信に従ったが、越後を本拠とする謙信は同年六月に越後に戻り、九月には信濃川中島周辺（長野県長野市）で武田信玄と戦っている（第四次川中島合戦）。すでに謙信は天文二二年以来、信濃支配をめぐって信玄と攻防を繰り返しており、ほかにも越中（富山県）に軍事介入するなど、関東支配に専念できるような余裕はなかった。

その後も謙信は、天正六（一五七八）年三月一三日に四九歳で春日山城で没するまで、何度も越山をおこなったものの、川中島合戦の場合と同様に現地支配の面では次第に後退を余儀なくされ、関東での実質的な支配領域はやがて上野と下野南部に縮小していった。当初は謙信の越山に期待を寄せた下野大名・国衆だったが、結局謙信はかれらの救世主とはなりえず、政治情勢はより流動化していった。

混迷する下野大名・国衆

永禄四年一一月、前年に続いて二度目の越山をおこなった謙信は、翌年二月に上野館林城（群馬県館林市）を落城させ、館林領を自身に従う下野足利城主長尾政長（初名当長（まさなが）、のち景長）に与えた。越後長尾

※政虎はその後も輝虎、そして法名謙信に改名するため、以後は謙信に統一する。

春日山城跡（新潟県上越市）

氏出身の謙信にとって政長は同族であり、これにより政長は一挙に勢力を拡大している。同じころに政長は、隣接する金山城（群馬県太田市）主由良成繁の三男熊寿丸（のちの長尾顕長）をみずからの養子とし、由良氏との連携関係を強化することで所領支配を固めた。

一方、足利領東隣の佐野領では、佐野昌綱が越山当初は謙信に従ったものの、その後は北条氏に従ったため、数度にわたって謙信の攻囲をうけている。永禄九年には謙信に属し、謙信は関東支配のための拠点として佐野のほか、倉内（群馬県沼田市）・厩橋（同県前橋市）の三カ所をとくに重要視していた。このため向背常ならぬ昌綱のかわりに、昌綱の子で証人となっていた虎房丸（のちの宗綱）を謙信の養子として佐野氏に戻し、謙信家臣の吉江・萩原・色部・五十公野氏らにこれを補佐させたが、昌綱主従の反発もあってのちにこの体制を断念している。

同様に、小山祇園城主小山高朝・秀綱父子も当初は謙信に従ったものの、謙信の帰国後は北条氏に従い、以後は謙信の越山のたびに旗幟を変えている。謙信にとって、関東での唯一の実質的な支配領域だった上野に隣接する足利・佐野・小山等の諸地域は、越山のたびに否応なくその軍事作戦の直接的な対象地となり、上杉・北条両

金山城跡（群馬県太田市）

勢力のいわば境目に位置していた。したがって、それらの地域を領する長尾・佐野・小山氏らは、謙信越山以降の複雑な政治情勢下においてますます混迷の度を深めていくこととなった。

なかでも深刻だったのが、皆川城（栃木市）主皆川俊宗である。享徳の乱中に没落した長沼氏にかわって、その一族秀宗・氏秀父子が皆川荘に入部し、やがて皆川荘一帯を支配する国衆へと成長。すでに永禄三年の時点では宇都宮広綱の重臣となっていた俊宗は、上杉・北条両氏の軍事的圧力が強まる状況下においてその対応に苦慮した。元亀三（一五七二）年一月に宇都宮城に出仕した俊宗は手勢で城を占拠し、病中の広綱を擁して宇都宮氏の実権を握った（皆川俊宗の乱）。前年から俊宗は那須資胤（すけたね）と通好（つうこう）していた形跡があり、どうやら元亀二年九月に成立した資胤と南奥州の蘆名・白河結城氏の同盟に広綱をくわえる目論見だったらしい。ところが、広綱と同盟関係にあった佐竹義重の反撃でこの企ては失敗に終わり、かえって翌天正元年には佐竹氏らの軍勢によって皆川城を除く支城のことごとくを攻め落とされる窮地に追い込まれた。結局、俊宗は同年九月ごろに失意のうちに没したという。

皆川城跡（栃木市）

血で血を洗う抗争
―喜連川早乙女坂合戦の後日談―

天文一八（一五四九）年、宇都宮城主の尚綱（俊綱から改名）は、当時対立関係にあった烏山城主那須高資が自領の喜連川（さくら市）に進軍したとの急報をうけて、喜連川に向け出陣した。喜連川直前の早乙女坂で那須勢と合戦となり、尚綱は二百余人の戦死者を出す大敗北を喫した（早乙女坂合戦）。宇都宮勢が総崩れとなるなかで総大将尚綱も討ち死にをとげ、その影響で尚綱嫡子の伊勢寿丸（のちの広綱）は宇都宮城を没落し、家老芳賀高定（もと益子宗定）の居城真岡城（真岡市）に逃れた。

かわって宇都宮城には、天文一〇年に尚綱によって殺害された芳賀高経の遺児高照が入城した。高照は父高経の没後、陸奥白河（福島県白河市）に亡命していたが、那須高資の招きに応じて早乙女坂合戦に参陣し、合戦勝利後に高資の後援をうけて宇都宮復帰を果たした。この時点で宇都宮家中は、真岡城に拠る尚綱遺児の伊勢寿丸・芳賀高定派と、宇都宮城に拠る芳賀高照とその与党の二派に分裂したのである。

氏家今宮明神の祭礼記録『今宮祭祀録』によると、こののち宇都宮家中では「九か年に及び在々所々において、さまざまな戦い申すに及ばず」といわれるように、九年間にわたり周辺各地で両派の戦いが繰り返された。大勢としては、徐々に伊勢寿丸方が優勢となったらしく、まず天文二〇年に那須高資が重臣千本資俊の館で謀殺された。正月二一日夜のこととされ、高資のもとに新年の出仕をした資俊への返礼として、資俊の館を訪れた高資を宴席の場で討ち果たしたものだろう。背後には伊勢寿丸方の働きかけがあったらしく、高資殺害の報に接した「当方の侍、歓喜申すばかりなく候」と、『今宮祭祀録』には記録されている。ちょうど尚綱没後三周忌にあたり、この点からも黒幕が伊勢寿丸方だったことが判明する。

高資の死去で後ろ盾を失った芳賀高照を後見するため、あらたに宇都宮一族の壬生綱雄が宇都宮城に移った。小田原城主北条氏康の意向と伝えられる。すでに氏康が政治的な影響力を下野にも及ぼしつつあったことがうかがえる。伊勢寿丸方は甘言を用いて綱雄・高照の離間をはかり、やがて高照は宇都宮城を離れて真岡に出仕した。伊勢寿丸への帰参を願った高照だが、尚綱の七回忌にあたる天文二四（弘治元／一五五五）年に伊勢寿丸方によって殺害された。そして、弘治三（一五五七）年十二月二三日、伊勢寿丸がついに宇都宮城に復帰し、宇都宮家中の分裂はようやくひとまずの終息を迎えた。

帰城した伊勢寿丸はまもなく元服し、妻には佐竹義昭の娘（のちの南呂院）をめとった。以後、義昭・義重父子との連携を強めて北条氏らに対抗したほか、永禄五（一五六二）年には壬生綱雄を討って家中支配を固めた。しかし、晩年は病気がちとなり、重臣皆川俊宗の専横を招いた。

那須氏に分捕られた宇都宮氏軍旗（栃木県立博物館蔵）

第二節　小田原合戦と戦国の終焉

天正年間（一五七三〜九二）を迎えると、小田原北条氏による関東統一が目前に迫り、下野の大名・国衆は各個に北条氏への臣従を余儀なくされていった。そのころ畿内近国では、尾張（愛知県西部）出身の織田信長が急速に勢力を拡大しつつあり、天正一〇（一五八二）年三月には甲斐（山梨県）・信濃・駿河・上野等を領国としていた武田勝頼を滅ぼして、いよいよ関東・東北にもその支配を広げた。

ところが、同年六月二日に信長・信忠父子が明智光秀によって討たれ（本能寺の変）、これを好機として北条氏政・氏直父子はふたたび関東統一に乗り出した。しかしながら、今度は信長の後継者となった羽柴（豊臣）秀吉が台頭し、天正一八（一五九〇）年には北条氏を小田原城に滅ぼして天下統一を実現した（小田原合戦）。その後、秀吉は宇都宮、ついで陸奥会津に滞在して北条氏滅亡後の戦後処理にあたり（宇都宮・会津仕置（しおき））、下野では北条氏に従った小山・壬生氏らの滅亡や宇都宮に参向せずに秀吉への臣礼を怠った那須氏の改易（かいえき）等が

小田原合戦時の秀吉陣所・石垣山一夜城跡（神奈川県小田原市）

確定した。これをもって下野の戦国時代はついに終焉を迎えた。

味方中と沼尻合戦

天正三（一五七六）年一二月、下野侵攻の尖兵役をつとめる北条氏政の弟氏照によって小山祇園城が陥落し、城主秀綱は佐竹義重のもとに逃れた。この影響で北条氏の直接的な脅威にさらされることとなった下総結城氏では、小山秀綱実弟の当主晴朝が天正五年末に宇都宮広綱次男を養子に迎え、朝勝と名乗らせた。これを契機に宇都宮・那須・結城氏ら下野・下総・常陸の大名・国衆は、佐竹氏を中心に結束を固め（味方中・東方衆）、北条氏に対抗した。生き残りをかけて連合したかれらは自派を味方中と称したほか、北条氏を南衆と呼び、北条氏からは東方衆などと呼ばれた。そして、翌天正六年五月の北条氏政の結城攻めにあたっては、佐竹氏らの味方中が結城氏の後詰めとして常陸小川（茨城県筑西市）に布陣し、北条勢が退くまで在陣を続けた（小川合戦）。

この味方中の危機が一時的に解消されたのは、武田勝頼が滅亡し、織田信長の支配が直接関東・東北地方にまで及ぶようになった天正一〇年三月のことである。これにともない、信長重臣の滝川一益が

小川の原遠景（茨城県筑西市）

代官として関東に下向し、上野厩橋城（群馬県前橋市）に在城して関東・東北支配にあたった。しかし、わずか三カ月後の六月二日に信長は急死し、これを機に挙兵した北条勢に一益が敗れ去ったことによって（神流川合戦）、関東の織田領国は消滅した。

以降、味方中は北条方の長尾・由良氏への攻勢を強めて勢力の挽回に努め、天正一一年十一月に両氏が味方中に加わった。翌天正一二年四月に今度は北条氏が反撃に転じて長尾氏の足利城を攻め、つづいて藤岡（栃木市）に陣を移して佐野・皆川領への侵攻をうかがった。これに対し、味方中も軍勢を南下させて沼尻（栃木市）に陣所を構え、両軍は七月に和睦するまで対陣を続けている（沼尻合戦）。ちょうどそのころ、畿内近国でも信長の後継者をめぐって羽柴秀吉と信長次男の信雄・徳川家康とのあいだで小牧・長久手の戦いが展開されており、味方中は秀吉、北条氏は家康と連携するなかで沼尻合戦はおこなわれた。

秀吉の惣無事と小田原合戦

沼尻合戦後も北条氏の攻勢は続き、天正一二年末までに長尾・由良氏はふたたび北条氏に従い、両氏の居城館林・金山両城は北条氏

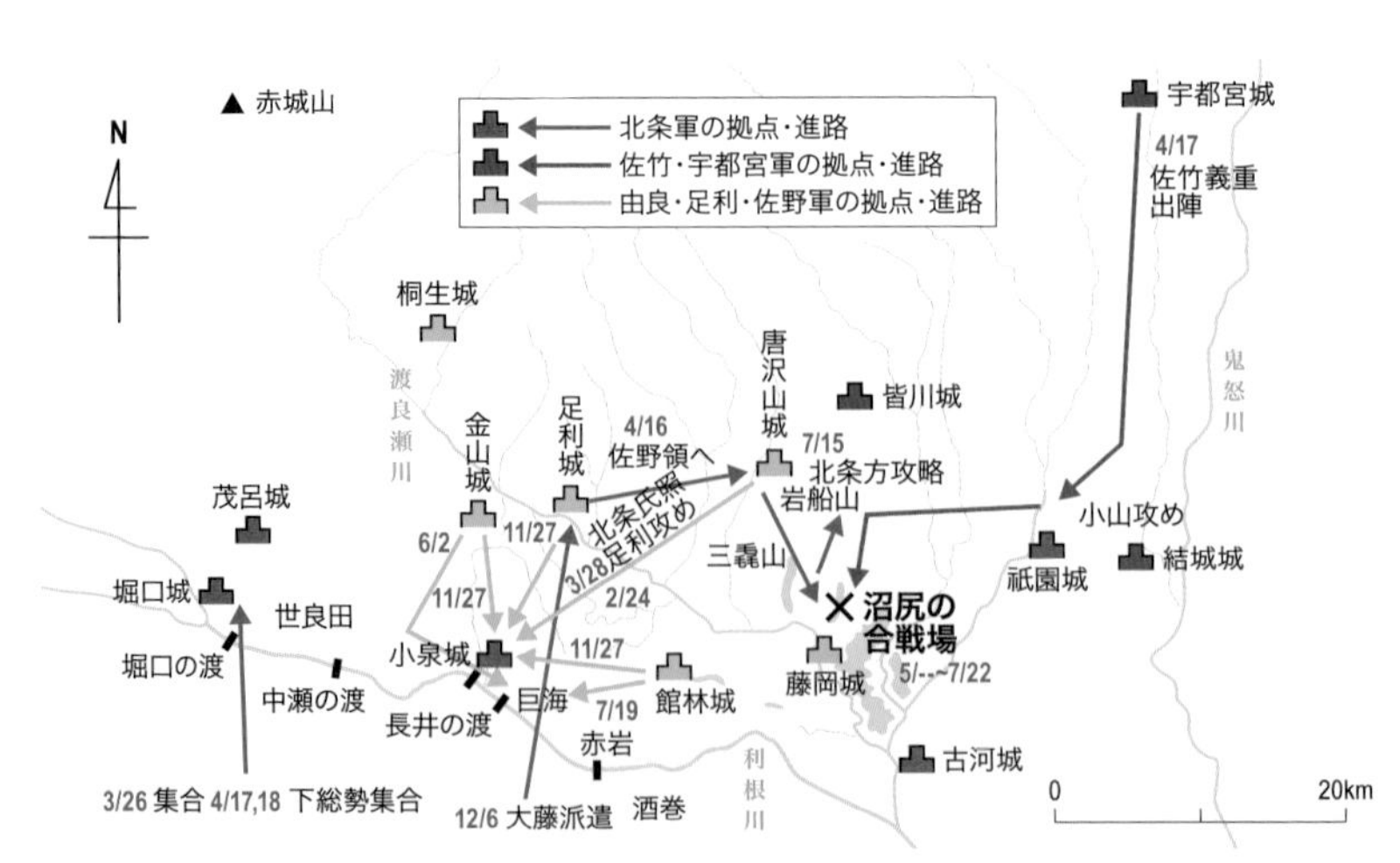

沼尻合戦関係地図（天正11[1583]年11月27日～天正12[1584]年7月22日：齋藤慎一『戦国時代の終焉』掲載地図を基に作成）

に接収された。このような状況をうけて、宇都宮氏では天正一三年八月に本拠を宇都宮の西北多気山に移し、防衛体制を強化している。ところが、同年十二月に北条氏直は防備が手薄になった宇都宮城下へと侵入し、同一五日に宇都宮明神の社殿をはじめ、城下のことごとくを焼き払った。鎌倉と並ぶ関東有数の中世都市として繁栄を誇った宇都宮は、氏直らの放火によって灰燼に帰したのである。

一方、信長後継者としての立場を固めた秀吉は、天下統一を進めるかたわら、みずからの地位を飛躍的に高めていった。天正一三年には内大臣、ついで関白となり、翌一四年には太政大臣となって豊臣の姓を与えられている。これらを背景に秀吉は国内での私的な戦闘行為を禁じ、平和の実現（惣無事）を九州や関東・東北地方の大名・国衆に命じた。また、これに従わない場合は実際に武力を発動して天正一五年には九州島津氏を征討し、天正一八年には前年の名胡桃城（群馬県みなかみ町）攻略を理由に北条氏を攻めた。

天正一八年三月一日に二〇万を超える大軍を率いて出陣した秀吉は、四月に箱根を越えて小田原城を包囲し、さっそく同月八日夜には籠城していた皆川広照が家臣百余名とともに秀吉軍に投降している。関東各地の北条方の支城もあいついで落城し、当主氏直は七月

小田原城跡（神奈川県小田原市）

五日に降参を申し出て翌日小田原城は開城された。氏政・氏照兄弟は切腹、氏直は高野山（和歌山県高野町）に追放され、北条氏はついに滅亡した。

第三節 朝鮮出兵と関ヶ原合戦

天正一三（一五八五）年に天皇を補佐し、政務に携わる関白の地位に就いた秀吉は、以後折りにふれて中国王朝の明（みん）征服を周囲に表明するようになった。そして、そのための第一歩として、まず朝鮮の服属をめざした秀吉は、天正一九年に肥前名護屋（なごや）城（佐賀県唐津市）を築いて朝鮮渡海のための前進基地とし、翌年四月から一五万余りの大軍を朝鮮に派兵した（文禄の役）。当初は快進撃をみせた日本軍だったが、朝鮮水軍の活躍や明軍の救援によって戦況は次第に劣勢となり、その後日明間では講和交渉がはじめられた。

しかしながら、交渉はまもなく決裂し、慶長二（一五九七）年に秀

高野山奥の院の北条氏墓所（和歌山県高野町）

吉はふたたび一四万余りの軍勢を朝鮮に派遣した（慶長の役）。翌年八月には秀吉が没し、遺児秀頼にかわって政権運営を託された徳川家康らの五大老や石田三成らの五奉行によって朝鮮からの撤兵が実施に移された。朝鮮から帰国した加藤清正・浅野幸長（よしなが）・福島正則（まさのり）・黒田長政らは、慶長の役での三成の対応に反感をもっており、慶長四（一五九九）年閏三月に三成の襲撃を企てた。これを機に三成は失脚し、家康が政権の主導権を握った。以上のような豊臣政権の分裂騒動が、ついには慶長五（一六〇〇）年九月の関ヶ原合戦へと発展する。

朝鮮出兵と宇都宮氏の改易

秀吉は、天正一八年七月二六日から八月四日までの八泊九日、そして会津から戻った八月一四日から一五日までの一泊二日を宇都宮で過ごした。のべ一一日間にわたった宇都宮滞在中に秀吉は、参向した関東の大名・国衆には本領を安堵し、東北の大名・国衆には本領安堵を約束するとともに、今後の所領支配に関する基本方針を命令している。また、服属を認めなかった大名・国衆からはその所領を没収した（宇都宮仕置）。この結果、宇都宮氏や佐野氏をはじめ、常陸佐竹氏、下総結城氏らの存続が認められたほか、北条方となっ

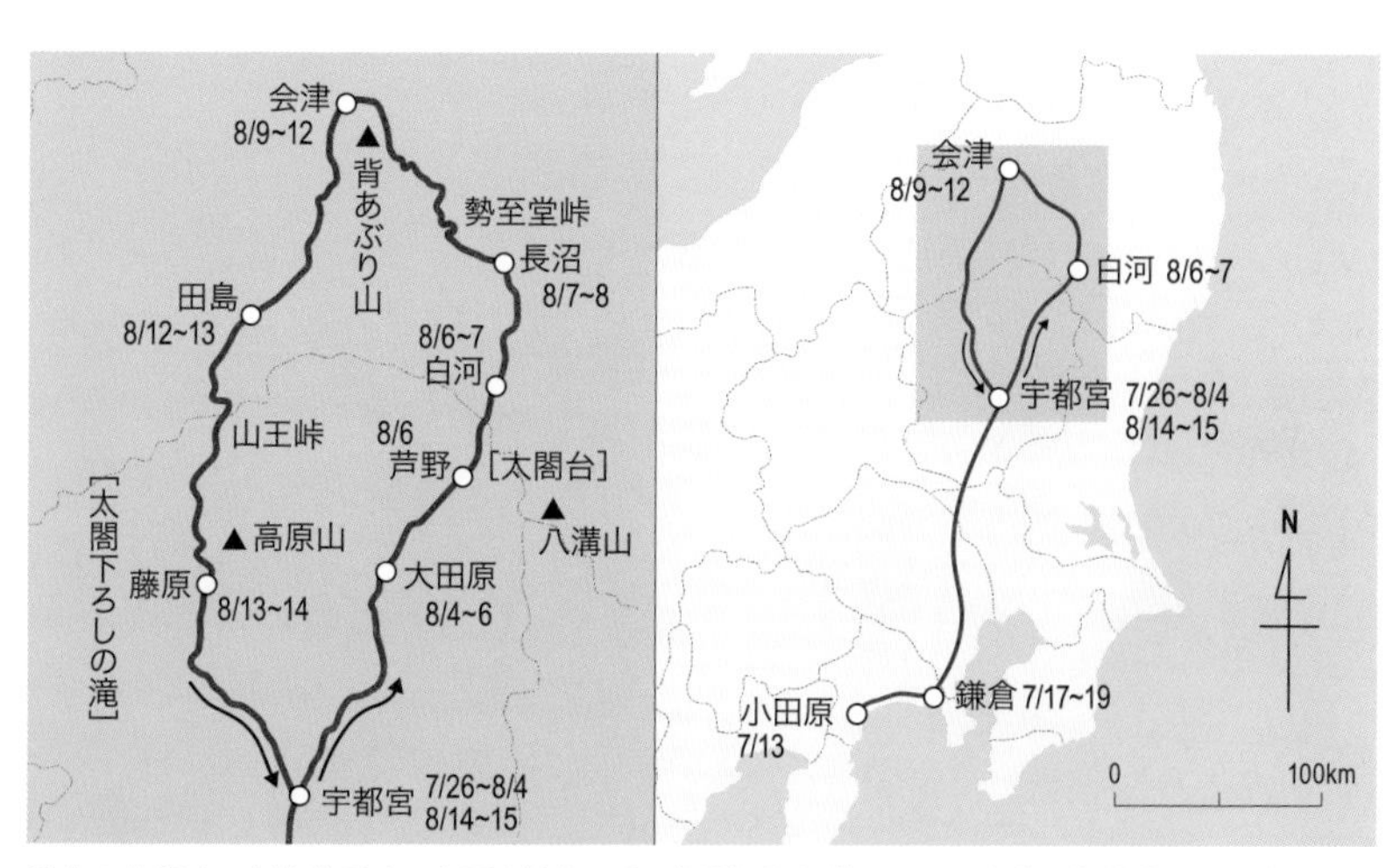

秀吉の宇都宮・会津仕置ルート図（橋本・千田編『知られざる下野の中世』掲載地図を一部改変）

た小山・壬生・那須氏らは滅亡した（那須氏はまもなく復活）。
その後、いよいよ朝鮮出兵（「から（唐）入り」）が本格化するが、たとえば宇都宮氏では「屋形様御兄弟・御自身（国綱）」のほかに、「今泉殿・籠谷伊勢守殿」をはじめとする「上下給人（家臣）皆々」や「足軽・夫丸（人夫）」までが、はるばる肥前名護屋城へと赴いた（『今宮祭祀録』）。そして、九州・四国・中国地方の諸将が続々と渡海するなか、文禄二（一五九三）年三月に宇都宮勢約三〇〇人も釜山浦に渡り、日本軍が在城する倭城の築城にあたった。当主の国綱はこれらの軍役を果たしたのちも、あらたに秀吉の居城伏見城（京都府京都市）の築城等を命じられており、過重な負担が続いていたことがうかがえる。

そこで豊臣政権では、年貢等の収奪強化による諸大名の財政安定化を目的に太閤検地を実施し、宇都宮領内では文禄四年冬に検地がおこなわれた。この結果、宇都宮氏の所領高はそれまでの五万石から最終的には一八万石にまで増加している。ただし、旧所領高の三倍以上となれば、旧所領高はあまりに過少すぎたともいえ、ほかの不手際も重なって宇都宮氏は慶長二年に改易に処された。国綱は、改易後も宇都宮氏の再興をめざして旧臣とともに朝鮮に再渡海したものの、翌年八月に秀吉が病没し、国綱らの出陣は徒労に終わった。

名護屋城跡（佐賀県唐津市）

家康の小山評定と関ヶ原合戦

秀吉の死去によって豊臣政権内の対立が表面化し、石田三成が失脚したほか、ついには五大老のひとり上杉景勝（かげかつ）征討へと発展する。上杉謙信の養子として、謙信死後に家督を継いだ景勝は、会津九二万石を領していた蒲生氏郷（うじさと）の子秀行が宇都宮氏の旧領に転封されたのにともない、慶長三年一月に会津に移って佐渡・出羽庄内を含む一二〇万石を領した。ところが、景勝による領内諸城の修築などが家康の疑心を招き、景勝が釈明のための上洛も拒否したことから、家康は慶長五年六月に五万余の大軍を率いて大坂城を出陣し、会津へと向かった。会津攻めに際しては宇都宮城が本営となる予定で、七月中旬ごろには諸将が続々と宇都宮周辺に集まりつつあったほか、家康本人も同月二一日に江戸を出発している。

一方、同じころに大坂城では、居城の佐和山城（滋賀県彦根市）に蟄居（ちっきょ）していた三成をはじめ、大老毛利輝元・宇喜多秀家らが中心となって反家康派を糾合し、家康との敵対を公然としている。宇都宮への下向途中にこの事態を知った家康は、急遽（きゅうきょ）小山で諸将と対応策を協議し、会津攻めを中断して西上のうえ三成らと戦うことに決した（いわゆる小山評定）。さっそく諸将は西上をはじめ、家康も宇都宮

会津若松城跡（福島県会津若松市）

に在陣後、八月五日に江戸に戻り、九月一日には江戸を発して大坂へと向かった。また、家康の子秀忠は宇都宮城で今後の上杉氏対策を講じたあと、八月二四日に宇都宮を出陣して信州真田（長野県上田市）に向け進軍した。宇都宮城で留守を守ったのは秀忠の兄で秀吉の養子となり、結城氏の家督を継いでいた結城秀康で、これを小笠原秀政・鳥居忠政らの家康家臣が補佐した。

結局、西上した徳川家康率いる軍勢とこれを迎え撃つ石田三成らの軍勢は、九月一五日に美濃関ヶ原（岐阜県関ヶ原町）で激突し、激戦のすえに家康軍が勝利した（関ヶ原合戦）。信州真田を経て家康軍に合流する予定だった秀忠軍は、敵対する真田昌幸の征討に時間を要したばかりでなく、予想以上の急展開で関ヶ原合戦がおこなわれ、かつその帰趨もたった一日で決したため、合戦に間に合うことができなかった。

関ヶ原合戦後、結城秀康は旧知行高の約一〇万石から、あらたに越前北ノ庄（福井県福井市）六七万石へと大幅な加増をうけた。同じく宇都宮城主の秀行も、四二万石の加増をうけて会津城主に復することができた。宇都宮において家康・秀忠軍の背後を上杉軍から守った両者の功績を、家康が高く評価していたことがうかがえる。

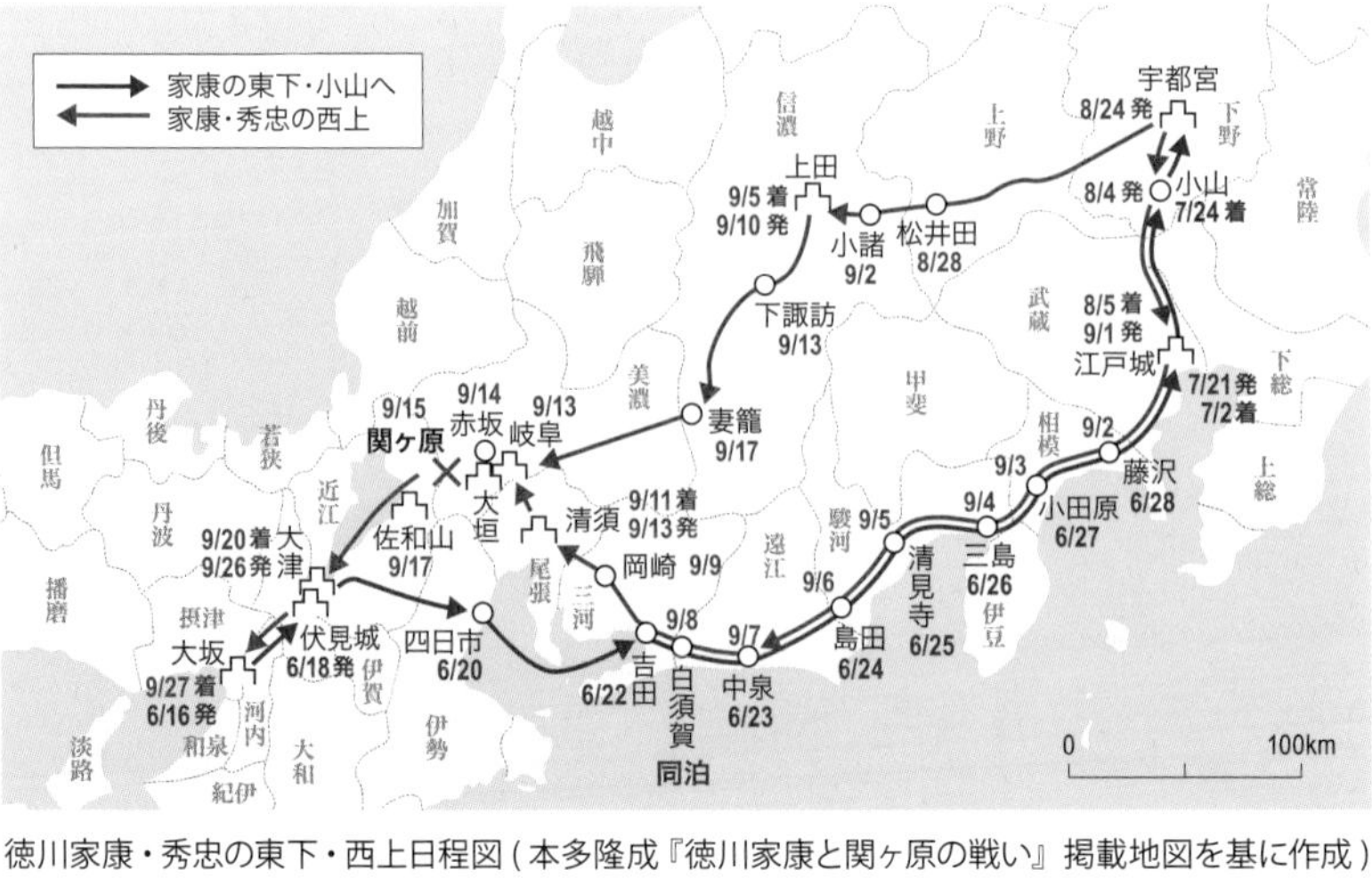

徳川家康・秀忠の東下・西上日程図（本多隆成『徳川家康と関ヶ原の戦い』掲載地図を基に作成）

IV 近世

国府浜国太郎「東照宮・陽明門」（明治33［1900］年、小杉放菴記念日光美術館蔵）

慶長五（一六〇〇）年の関ヶ原合戦に勝利し、天下の実権を握った徳川家康は、同八年征夷大将軍に任じられ、江戸に幕府を開きました。二六五年続く江戸時代のはじまりです。

元和元（一六一五）年の大坂夏の陣を最後に、政権をかけた武士の争いは終結。同年の武家諸法度の発布で、戦乱の拠点となる諸大名の城郭は新規の築造は禁じられ、修築にも幕府の許可を要しました。「元和偃武（えんぶ）」により、武力による政権争いは終わり、戦乱のない泰平の世へと代わった時代。それが江戸時代です。

江戸時代の下野を語る上でキーワードとなるのが、日光東照宮の造営です。江戸幕府の初代将軍徳川家康を祀る社の造営により、日光は徳川将軍家や江戸幕府にとっての聖地となりました。徳川将軍家の日光東照社参詣、すなわち日光社参は、江戸と日光を直結する日光道中の整備を促しました。

日光道中とともに下野をもう一本の五街道が通ります。江戸と陸奥（みちのく）を結ぶ奥州道中です。この二本の街道をはじめ、下野の街道は南北のルートが重視されていました。同じことは水運にも言えます。下野の川は鬼怒川をはじめ、南流するものが多く、遡航（そこう）の最終地点には河岸が開設され、江戸へ回漕（かいそう）する奥州南部内陸部の年貢米の積

み出し港となっており、水運でも奥州への玄関口となっていました。
五街道のうちの二本の街道が通るということは、街道上の宿で人馬の需要が多かったことを物語っています。宿を補助する助郷（すけごう）では、街道より遠い村まで人馬の供出が割り当てられました。下野国内の村々の負担は大きく、村々が疲弊していった最大の要因でした。

日光東照宮の造営は、大名の配置にも影響を与えました。日光社参の途上の城々は将軍家の宿城となり、将軍側近の譜代大名が配置されました。その後も幕府の要職にある中小の譜代大名が封じられたことから、頻繁に転出入が見られました。

一方、東照宮など日光山の領知は、日光神領として下野の北西部に広く設定されました。そして下野の北・東部には、那須一族の大名や旗本（那須衆）領が存在していました。その南方の平野部は、下野に居所を置く大名や他国大名の飛び地などの大名領と旗本領、幕府直轄領などが錯綜した状況にありました。

江戸時代は泰平の世とはいえ、御家騒動や百姓一揆、村方騒動など争いごとも数多く存在しました。とくに戊辰戦争（一三八〜一四三ページ参照）とともに発生した世直し一揆は、下野各地で発生。江戸時代の終わりを告げる出来事となりました。

常陸野州道中細見記（安政5［1858］年、栃木県立博物館蔵）。
幕末期の常陸・下野国内の街道や名所などを描いた錦絵

第一節 日光東照宮と下野の交通

江戸時代の下野を考える上で重要なのが日光東照宮である。半ば強引とも言えるやり方で豊臣家を滅亡させ、泰平の世への地ならしをした江戸幕府の開祖徳川家康の遺言により、元和三（一六一七）年「関八州の鎮護」となることを願って建立された東照社がはじまりである。家康を祀った東照社の建つ日光は、徳川将軍家にとって聖地であった。そして江戸時代前期を中心に、将軍家による日光社参（東照社参詣）が実施された。日光東照社の造営工事と、造営完成後に行われた二代将軍秀忠の社参によって、江戸と日光の間は往来する人と物資の量が急増した。

このような背景のもとで整備が進められたのが日光道中だった。東照社造営に携わる人と造営工事の物資は、当時江戸湾に流入していた利根川を遡り（さかのぼ）思川へ入った。乙女（小山市）で陸揚げされた人や物資は、そこから陸路を日光へと運ばれた。この流れが、のちに街道と水運の整備へとつながっていった。

世良田東照宮（拝殿：群馬県太田市）。
東照社奥社拝殿として元和造替時に建立され、寛永の大造替の際に移築された

下野の街道

慶安四（一六五一）年の下野国内の水陸の交通路を調査した史料に『下野一国』がある。この中で街道は、大道筋（五本）・中道筋（一〇本）・細道筋（一七本）に分けられて記述されている。この中で、大道筋としてあげられた五本の主要な街道のうちの三本は、日光道中・壬生通（日光道中壬生通）・例幣使道という日光を目指す街道で、残る二本は奥州道中と奥州中街道であった（八ページ地図参照）。

日光道中は、江戸から小山、宇都宮、今市宿を経て日光に至る街道として整備され、壬生通は日光道中に準じる街道だった。当初は壬生通の道筋が日光への道として利用されたが、行列を仕立てた大人数での通行が頻繁となり、壬生通よりも二里ほど遠いが、急坂や大きな河川を渡る必要のない宇都宮を通る道筋が日光への本街道として整備・利用されていった。例幣使道は、東照宮の祭礼に朝廷から派遣された例幣使が通行した街道だった。明和元（一七六四）年以降、江戸幕府道中奉行の管理となり、扱いは五街道に準じた。

奥州へ向かう街道は古代より、時の政権の中枢と奥州を結ぶ道筋として重要視されていた。慶長五年の会津攻めの際に整備が始まり、同七年には宇都宮宿に地子(じし)免許※が下されるなど、江戸時代以前か

※近世の都市で、町家屋敷にかかる租税負担免除のこと。その代わり、必要な伝馬役負担の義務を負うことを原則とした。

壬生通（左）と例幣使道（右）に分岐する追分現況（鹿沼市）

ら日光道中に先だって整備が進められた。日光道中の開設後、江戸から日光までが日光道中となり、奥州道中は宇都宮以北とされ、関東と奥州を結ぶ基幹道路として、奥州諸藩の参勤交代や年貢米の輸送路として利用された。奥州中街道は大道筋では唯一、道中奉行の管轄外の脇街道だったが、栃木宿から壬生宿を経て宇都宮へ至るため、例幣使街道・壬生通・日光道中を結んで奥州街道を横につなぐ街道だった。このほか、街道と街道あるいは街道と河岸との間は多数の脇道で結ばれていた。

下野の水運

下野の水運は渡良瀬川・鬼怒川・那珂川の三つの水系に分かれて発達し、それぞれ江戸とつながっていた（八ページ地図参照）。

渡良瀬川は、下野の中央部から南・西部にわたる広範な地域を後背地として発展した。また、支流の思川・巴波川（うずまがわ）・秋山川にも河岸が開設され、下野中南部の商品流通に重要な役割をになった利根川水系の水運だった。鬼怒川は下流で利根川に合流した後、中利根川を遡行して関宿から江戸川に入り、江戸へ流れた。鬼怒川の河岸、とりわけ阿久津河岸（さくら市）は、奥州道中や原方街道などの結節

日光道中細見記（江戸時代、栃木県立博物館蔵）。
栗橋の関所上空から利根川に向かって鳥瞰図風に描いている

点に開設されており、奥州諸藩の廻米輸送路と結び付いていた。那珂川は下野の北から東部を流れ、常陸で太平洋に直接注ぐ川である。他の水系に比べて後背地は狭く、江戸と直結していないという不利な面もあったが、他の水系よりも上流まで河岸が開設された。

　これら三水系に河岸がいつ開設されたのかは明確ではないが、慶長五年の会津攻めや元和二（一六一六）年の日光東照社の造営等での人馬・資材の運搬が河岸開設の契機となったと考えられる。その後、年貢米の江戸回漕などの領主荷輸送を目的として、街道や河岸は整備された。江戸時代中期以降、たとえば会津地方の蝋・炭・紙・木材・塗物等、那須地方の煙草など商品流通増大などに対応して、新たなルートが開発された。とくに大量輸送が可能な船の遡航地点は上流へと移り、旧来の御用河岸は商品流通を背景とした新設河岸に次第に押され、新旧の河岸問屋間での争論も増えていった。

　このように、下野の街道や水運は江戸と日光・奥州という南北に結ぶルートが発達していた。その一方で、東西を結ぶルートは数が少なかった。これは東北新幹線や東北自動車道で、東京や福島・仙台に行く方が水戸や前橋といった東西方向に行くよりも速い、という現代の交通事情と通じるものがある。

思川の重要な河岸だった乙女河岸を復元した模型（小山市立博物館提供）

徳川将軍家の日光社参と下野

元和三(一六一七)年四月一二日、大風雨の中を江戸城から北方に向けて二代将軍秀忠の行列が出立した。目的地は日光山。このほど竣工となった東照社の正遷宮のさまざまな儀式に参列するためであった。この元和三年の日光社参をはじめとして、将軍家(将軍在位時および世子・大御所時代も含む)の日光社参は一九回(一説には一七回)を数えるが、そのうち一六回は、四代将軍家綱までに実施された。五代将軍綱吉以降は、計画されても諸事情により実現には至らず大名を代参させた。次の社参は、実に六六年後、享保一三(一七二八)年の八代将軍吉宗の時で、四八年後の安永五(一七七六)年に一〇代将軍家治、六七年後の天保一四(一八四三)年に一二代将軍家慶が実施している。

将軍は家康の忌日である四月一七日の祭礼に東照宮を参詣するため、同月一三日頃に江戸をたち、岩淵(東京都北区)から御成道で川口・岩槻を経て幸手に至り、そこから日光道中を通り一六日には日光に到着。ここで二、三泊して参詣後、一九日には日光をたち二二日頃には帰城した。道中、日光山に設けられた御殿のほか、岩槻・古河・宇都宮城の三城を宿営地(宿城)とするのが通例であった。なお、四代家綱までの一六回の日光社参のうち、八回は往復ともに通例のコース、七回は壬生城に宿泊している(往路一回、帰路六回)。もう一回は、往復とも通常

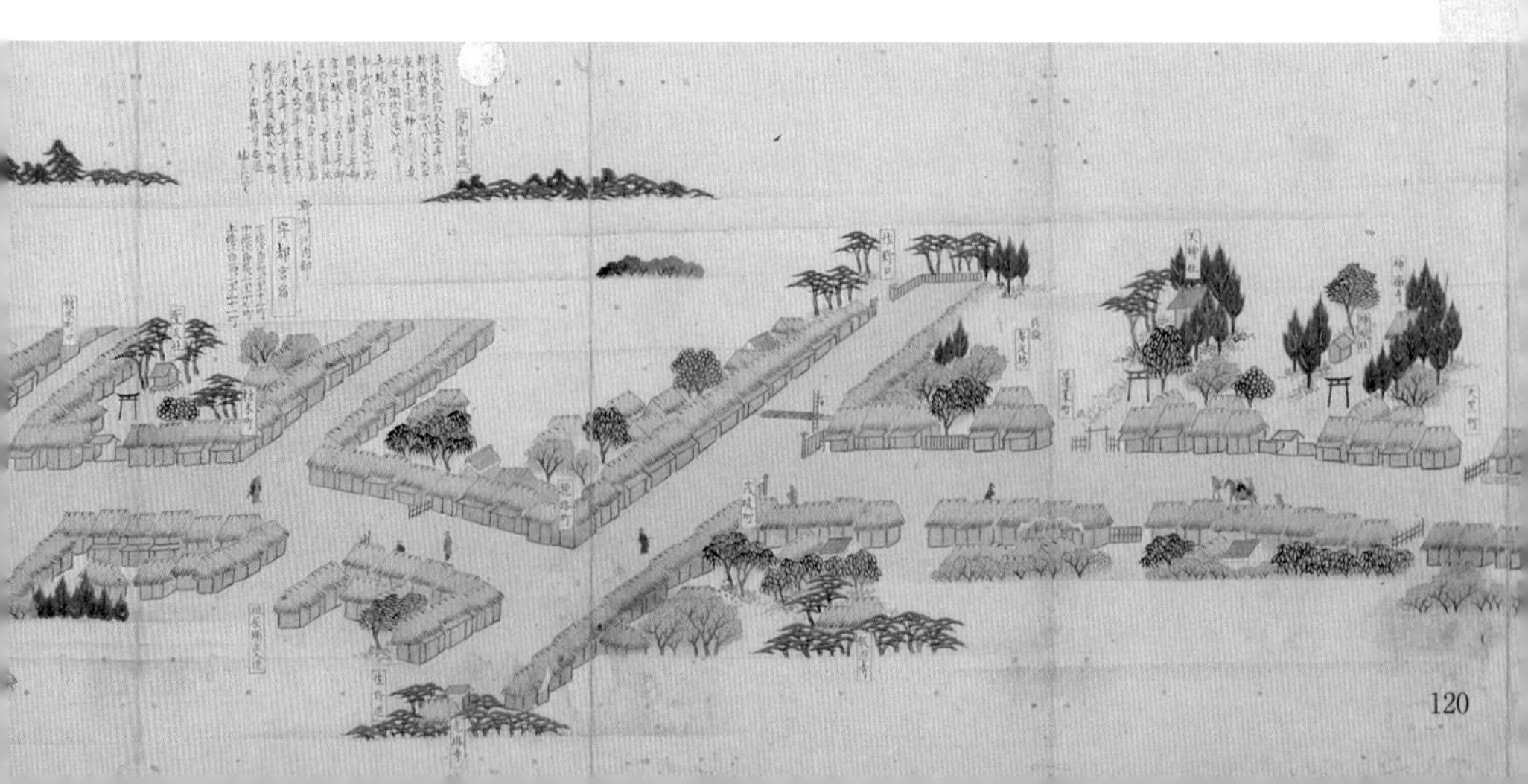

コースで計画されながら、帰路の宇都宮宿城を取り止め、壬生通を夜通し駆け抜け江戸へ戻った時である。表向きは「御台所不予」であったが、実は「宇都宮城に不審あり」との報によるものだった。俗に「宇都宮釣り天井事件」という本多正純（まさずみ）失脚の原因の一つとされる元和八年の出来事である。

江戸前期の一六回と後期の三回とでは、将軍の宿館に明らかな違いが見られる。前期は本丸御殿が将軍家専用であり、城の本丸自体を明け渡していたが、後期では二の丸の城主居所の奥向きの一画に、建坪が一〇坪余りの急拵（ごしら）えの増築を行っている。大人数の行列を仕立て、幕府の威光を示したはずの社参だが、居城の本丸全部を明け渡させた前期に比べ、新築とはいえ藩主の居所の一画に、間借りのような形で増築された宿館をみると、将軍の権威が墜ちてきた兆候といえる。

人とモノの往来の増加は、下野の経済に恩恵はあったが、社参は各方面に負担を与えていた。社参の行われる四月半ばから諸大名の参詣が落ち着くまでの時期は、田植えをはじめ農繁期に重なっていた。大行列の通行には馬や人足が必要であり、常備の人馬では賄えず、のちに「助郷」として制度化される街道筋以外の村々からの人馬の供出が命じられた。社参以外でも、日光道中・奥州道中という二本の主要道が通る下野はこの助郷制度の負担が大きく、江戸時代中期以降に深刻化する農村の荒廃の大きな要因となった。幕末に勃発した世直し一揆も、その端緒は幕府の瓦解で帰国する大名行列の対応への不満にあった。

宇都宮城から宇都宮明神（宇都宮二荒山神社）周辺を描いた『日光道中絵図』（江戸時代後期、栃木県立博物館蔵）。宇都宮城には、将軍の宿泊地であることを示す金の印が付けられている

第二節　下野の領主と領知

慶長二（一五九七）年に宇都宮国綱が改易されると、会津から宇都宮へ蒲生秀行が入部、下野中央部に他国出身の大名領が出現した。関ヶ原合戦に先立つ会津攻めで、奥州境の防備として大田原城・黒羽城をはじめ、那須諸城の修築・補強が行われた。防備に動員された那須氏とその一族である大田原・大関・伊王野・芦野・福原氏など北那須の領主たちも、本領安堵・加増を受けた。

関ヶ原合戦後、佐野や喜連川（きつれがわ）などは本領安堵・加増を受けた。また新たに入封した大名では、蒲生氏転封後の宇都宮に徳川家康の長女亀姫が産んだ奥平家昌、真岡に浅野長重、西方（栃木市）に藤田重信、壬生に日根野吉明、板橋に松平一生（かずなり）が新たに配された。

下野の領知分布の特徴

江戸時代の下野の領知は、領主から見ると三つの大きな特徴がある。①大名・旗本と幕府直轄領が錯綜していること。②平安時代末

芦野城跡（那須町）。戦国時代、那須衆のひとつ芦野氏により築城され、江戸時代以降は二の丸に陣屋が構えられた

から江戸時代末まで下野東北部に勢力を保っていた那須衆の所領。

③日光山の経営のために寄進した日光神領である。

下野は国を一円的に支配する大大名が置かれず、同じような所領高の大名が置かれていた。その多くは譜代の小藩で、しかも転封がめまぐるしく行われたため、領知替えのたびにこれを補完し調整する手段として幕府の直轄領が使われた。その間、相給（あいきゅう）※1という形で、多くの旗本知行所と他国大名の飛地領が設定されていった。

『旧高旧領取調帳』から幕末の下野の領知構成を見ると、大名領分（三八万八六四〇石）、旗本知行所（二六万三六五五石）、幕領（八万七〇四六石）、寺社領（二万六六四一石）の順となっている。大名領には下野国内を本拠地とする一一藩（二四万九二九二石）のほかに、他国大名一九藩の飛地領（一三万九三四八石）が含まれている。そのうち、古河藩や結城藩領のように下野国に隣接しているため、必ずしも飛地領とはいえないものもあるが、他国大名の飛地領が下野の大名領の約三分の一を占めていた。寺社領も二万六千石を超えるが、そのうち二万五千石は日光神領が占めていた。領内の村の多くは山間の地であり、石高では下野の三パーセント余にすぎないが、面積では下野の五分の一に達する広大な地域を占めていた。

※1　一つの村落に対して、複数の領主が割り当てられている状態。

桜町陣屋跡（真岡市、山本真次氏撮影）。元禄12（1699）年、小田原藩大久保家から分家した宇津家が野州桜町4000石を知行し創設された

下野に居城・居所のある大名 ―幕府要職につく藩主―

元和五（一六一九）年に宇都宮藩主となった本多正純は家康の側近であり、東照社建立の遺言を枕頭で聞いた人物である。また寛永年間（一六二四～四四）、阿部重次（しげつぐ）ら六人衆※2とよばれる三代将軍家光の側近たちは、壬生や鹿沼で二万石程度の所領で初めて城主となり、その後加増や老中への昇進とともに他所へ転出していった。

まず宇都宮藩主では、戸田忠真（ただざね）が老中、忠寛（ただとお）が大坂城代・京都所司代、忠温（ただはる）が老中。壬生藩主では、六人衆の阿部忠秋・三浦正次、三浦明敬（あきひろ）が若年寄、松平輝貞（てるさだ）が側用人、加藤明英（あきひで）が若年寄、鳥居忠英（ただてる）が若年寄、忠意（ただおき）が老中、忠挙（ただひろ）が若年寄。烏山藩では、板倉重矩（しげのり）と重種が老中、永井直敬、稲垣重富は若年寄、大久保常春は老中。鹿沼藩主では、阿部重次と朽木稙綱（くつきたねつな）が、後年再興された佐野藩主の堀田正敦（まさあつ）が若年寄にそれぞれ就いている（役職は最終のもの）。

下野北東部の塩谷・那須郡域には、鎌倉以来続く「那須衆」と言われる領主たちの所領が温存された。黒羽藩大関氏・大田原藩大田原氏は、天正一八年秀吉により旧領を安堵されて以後、大名として存続。那須衆のうち宗家となる那須氏は、天正一八年の宇都宮仕置や貞享（じょうきょう）四（一六八七）年の御家騒動（一三〇ページ参照）で大名から旗本

鳥居忠英画像（部分、壬生町常楽寺蔵：壬生町教育委員会提供）

※2　寛永一〇（一六三三）年から一五（一六三八）年まで置かれた職名。その職務は後の若年寄と同じ。

となり、伊王野・千本氏は寛永頃に改易となった。福原・芦野・森田大田原（大田原藩分家）そして那須氏は、交代寄合という参勤交代を行う老中支配の旗本として幕末まで続いた。

このほか、芳賀郡茂木一帯を領した細川氏は、江戸時代を通じて所領の移動がなかった大名だ。天正一八年に入封した喜連川氏は足利氏の末裔として、表向きは五千石ながら一〇万石の大名と同格に扱われ、幕末まで続いた。

また、他国に居城のある大名の飛地領も数多く存在した。主な大名では、近江彦根藩井伊氏（天明宿［佐野市］・安蘇郡内）や出羽秋田藩佐竹氏（薬師寺村［下野市］・河内郡内）、常陸水戸藩徳川氏は那須郡武茂（むも）領（那珂川町）、下総古河藩土井氏（寒川郡［小山市］など）など、幕末には一九家の他国大名の藩領があり、その場所は下野の中部から南・西部に分布していた。飛地領を支配するために陣屋を設け、藩士あるいは現地の名主などを代官としていた。

旗本知行所の変遷

旗本への知行宛行は、全国的には、寛永一〇年に「寛永の地方（じかた）直し」、元禄一〇（一六九七）年に「元禄の地方直し」が行われている。

薬師寺八幡宮（下野市）。領主佐竹氏の援助で、寛文２（1662）年に本殿と石の間が再建、翌年拝殿が修理された

下野では寛永と元禄の間、天和二（一六八二）年にも上野館林藩主徳川綱吉の五代将軍継承による館林領解体に伴う領知の再編で、梁田（やなた）・足利・安蘇郡域で新たに旗本の知行地が設定されている。

寛永の地方直しでは、稟米（りんまい）※3から采地、つまり地方知行への変更が行われ、多くの旗本に領知（知行）が与えられた。下野では、河内・都賀郡にその多くが設定された。元禄の地方直しでは、蔵米五〇〇俵以上を支給されている旗本が知行取に代わり、一村が数名の旗本に割られるという相給支配が実施された。また、関東にある三千石以上の大身旗本の知行地が東海や近畿地方へと振り替えられた。同時期、下野国内も宇都宮藩領の縮小や佐野藩堀田氏の転封など下野全域で行われた。旗本知行所は都賀郡南部・芳賀郡・安蘇郡・足利郡・梁田郡に多く分布した。元禄の地方直し以降は、下野国内の旗本知行所には目立った変化はみられない。

日光神領の成立

江戸時代の下野の領知の中で注目されるのが日光神領で、下野北西部、現在の日光・宇都宮・鹿沼の各市の一部に広がる広大な地域

※3　幕府や諸侯の蔵に蓄えてある米。

堀田佐野（植野）城本丸跡（推定、佐野市）。貞享元（1684）年に佐野藩初代堀田正高が築城。転封で廃墟となるも、文政9（1826）年6代正敦により再興された

にあった。天正一八年、中世以来の領知を没収された日光山は、わずかに社寺境内、社人・寺人等居住地のほかは、門前（鉢石町）と足尾の二カ村のみを豊臣秀吉から寄進されていた。慶長一四年には同所を徳川家康から安堵された。同一八年、家康の側近天海が日光山へ貫主として入り、断絶していた光明院を復活させるなど、日光山の復興と改革を行ったが、領知的には天正一八年のままだった。

　劇的な変化の契機となったのが、元和三年の東照社造営で、寛永一三（一六三六）年には家光による東照社の大造替が行われ、今日の絢爛豪華な建物群が完成した。東照社をはじめ日光山の領知は、元和六（一六三九）年に秀忠により寄進された。日光山領として鉢石町・足尾村に加え、今市村（以上、日光市）、上・下草久村、上・下久我村（以上、鹿沼市）の一部計一四〇〇石、東照宮領として小百、小来川村（日光市）など一七カ村・五千石だ。慶安四（一六五一）年に没した家光の大猷院廟が承応二（一六五三）年に完成するが、その前年に徳川家綱は大猷院（御霊屋）領三六〇〇石を寄進している。明暦元（一六五五）年には、東照大権現宮領一万石・大猷院領三六〇〇石余とあり、この合計一万三六〇〇石余が近世末まで日光神領の本高であり、実高は、計七八カ村・二万五一〇六石余だった。

木造天海坐像（日光山輪王寺蔵）

第二節　江戸時代の争いごと

江戸時代は、戦国時代のような武力衝突はなくなったが、武家、庶民ともにいろいろな争いごとは発生していた。

武家の争いと言えば、御家騒動が挙げられる。藩主の家督相続をめぐる争い、藩主と家臣の争い、そして家臣間での権力・派閥の争いがあった。江戸時代後期には、藩の財政や経済政策をめぐる対立・抗争も見られるようになった。幕末には、佐幕か勤皇かといった藩政の方向性での路線対立も御家騒動へと発展した。

庶民の争いとして有名なのが百姓一揆である。農民が集団になって、領主の政策などに反対した闘争は、年貢の減免、御用金免除、流通課役・専売制などの廃止、役人の排除などを要求。実現の手段として、越訴※1、強訴※2、逃散※3、打壊し※4の四つの方法が採られた。

庶民の争いとしては村方騒動もあった。大前と呼ばれた村役人に対する小前百姓たちの不正糾弾の争いである。通常は周辺村落の村役人や寺院などが扱人として、内済が成立して解決、というパター

※1　所定の手続を経ずに上級機関に訴願することをいう。領主や幕府役人の駕籠先へ訴状を提出する駕籠訴や、奉行所などへ駆け込む駆込訴などが典型である。

※2　集団の圧力で要求を強いる形態で、大規模な一揆では数千から万余の人々が結集し、城下などへ押し寄せた。

※3　訴願を貫徹するために居村を立ち退き、隣領や領主権力の力の及びにくい山や寺などに集団的に移動する行為をさし、訴願を前提とせず、集団性を伴わない「走り」や「欠落」とは区別される。

※4　集団で家々に乱入し、家財や書類などを破壊する行為。村人の一揆への参加を拒んだ村役人などの百姓一統の結合に反対する者や、政策に荷担する商人たちを襲うことで、一揆の目的達成を容易にしたが、しだいに独立し、百姓たちの経営を破壊する豪農・商人たちを打毀すことをおもな目的とする一揆・騒動が増えていく。

ンが多かった。江戸時代後期になると幕府や藩に越訴するものや、打壊しへ発展することもあった。

単独の村同士よりも、村々対村々の間で争われることの多かったのが山論・水論である。山論とは林野の境界、所有権、入会（いりあい）※5の権益をめぐる紛争で、水論とは用水や悪水（排水）をめぐる紛争のことである。幕府評定所での採決により解決することも多く、係争者の主張と、これに対する評定所の見解とを裏書した裁許絵図が当事者に交付されて決着した。評定所の裁許の効力は絶対で、不履行はもちろん再度の出訴を行うことも許されなかった。

慶応二（一八六六）年には、江戸・大坂での打壊しや武州世直し一揆などの大規模な一揆・打壊しが、慶応四（一八六八）年には、大政奉還から戊辰戦争という政治的空白・混乱の中で、再び大規模な打壊しが発生。「世直し」を目的に掲げた一揆は、鎮圧に苦慮する諸藩と新政府軍の進軍とも重なり、新政府勢力の浸透に一役買っていた。

下野での世直し一揆は「ぼっこし」と呼ばれ、慶応四年三月二九日、奥州中街道の安塚村（壬生町）あるいは日光道中の石橋宿（下野市）で一揆が発生した。三月末から四月末までの一カ月間、下野各地で発生と消滅を繰り返した（一三三・一三四ページ参照）。

※5 村落共同体等で慣習に基づいて、一定の山林原野または漁場を共同で利用し、草・薪炭材・魚介などを採取すること。

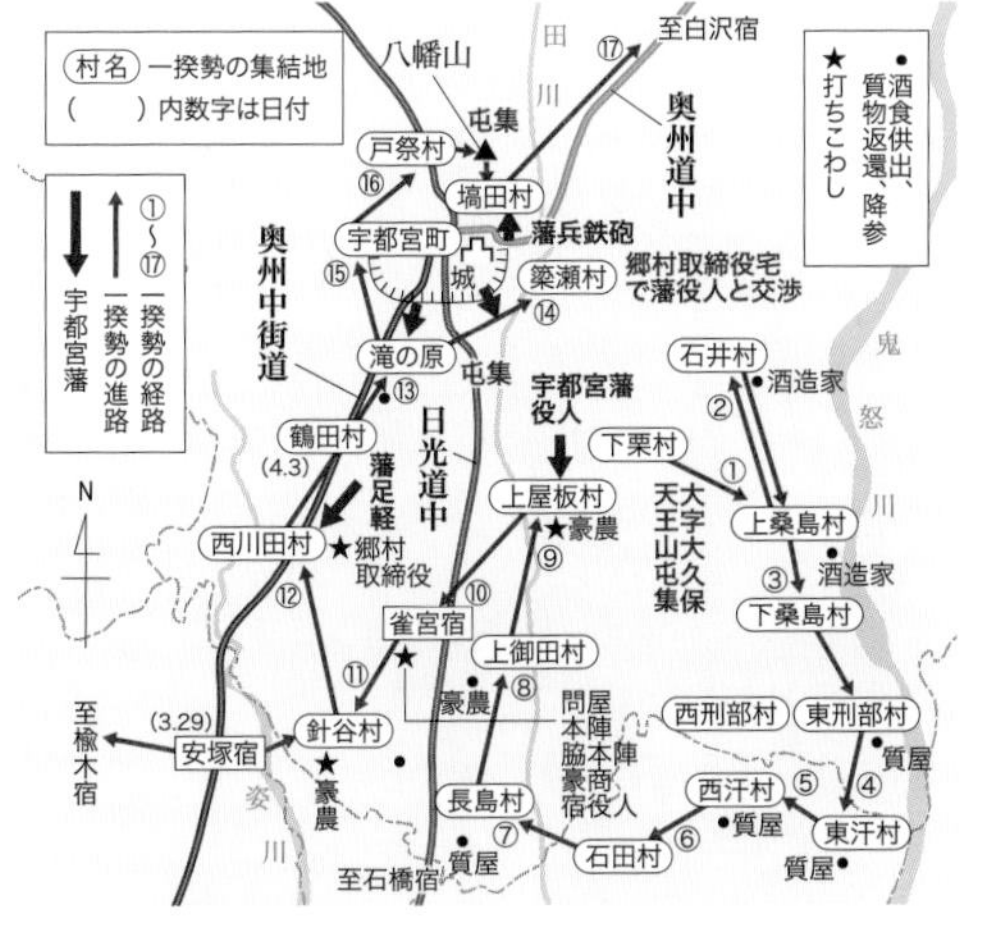

宇都宮における世直し一揆勢の集結地と経路
（大嶽浩良『下野の明治維新』掲載地図を基に作成）

実例に見る江戸時代の下野での争いごと

1 武家の争い ー御家騒動ー

① 家督をめぐる争い

《烏山藩》実子と養子の争い

那須資弥には二人の男子があった。長男の正弥は、資弥の実兄・増山正利の養嗣子、次男の資寛は、病身のため嫡子とならず、福原資寛と称した。嫡子には陸奥弘前藩主津軽信政の三男主殿を養子（資徳）とした。貞享四（一六八七）年資徳が藩主になると、福原資寛とその生母が、資徳の家督相続を不当であると幕府に訴え出た。実子の存在を隠したまま、養子に家督相続させたことを問題とした幕府は、同年十月一四日那須家を改易、資徳は実家に預けられた。のちに資徳は下野福原で一千石を与えられた。石高は低かったが、那須家は交代寄合那須衆上席として明治まで続いた。

② 主君と家臣の争い

《黒羽藩》藩主の強制隠居（押し込め）

黒羽藩一〇代藩主大関増陽は、財政改革の失敗を理由に、藩内保守派の家臣団から隠居と実子がいるにもかかわらず、養子を迎えることを迫られた。結局、家臣団の意向通り、伊予大洲藩主加藤泰衛の八男増業を迎えた。しかも、養子の方が三歳上という異例ずくめの家督相続だったため、持参金を狙った養子縁組との説もある。

文化八（一八一一）年十一月に一一代藩主となった増業であったが、文政六（一八二三）年五月一五日、これまでの失政四一カ条を突きつけられて隠居を迫られ、同年九月には、さらに隠居後は政治や財政への口出しはしないという六カ条を突きつけられた。反対派も抑えられ、翌七年七月に先代増陽の次男、増儀に家督を譲った。

大関家家臣団による藩主押し込めはまだ続き、一四代増徳は増昭の養子として丹波篠山藩青山家から迎えられたが、万延元（一八六〇）年八月、一二代藩主増儀の娘で正室であったお鉱と離婚。養子による大関家の乗っ取りであるとして家中に強い反発が生じた。文久元年（一八六一）一月家老らにより、座敷牢に監禁され、廃藩置県まで監禁された。同年一〇月に隠居し、養子増裕（西尾忠宝の三男）へ家督を譲った。黒羽藩大関家では、三代の藩主が家臣により、強制的に隠居（主君押し込め）させられたのである。

③ 家臣間の争い

《宇都宮藩》浄瑠璃坂の仇討ち

藩主の葬儀を契機とした有力家臣同士の争いは、刃傷沙汰から江戸時代で最も大規模な敵討ちへと発展した。寛文一二（一六七二）年二月三日、江戸市谷の浄瑠璃坂（新宿区市谷田町二丁目から同市谷砂土原町へ上る坂）で行われた「浄瑠璃坂の仇討ち」である。

発端は寛文八（一六六八）年二月、宇都宮藩主奥平忠昌の葬儀の場で家老の奥平隼人と同じ家老の奥平内蔵介(くらのすけ)とが口論・抜刀、それぞれ親類預けとなった。内蔵介は宿所で自害し、遺児源八らは内蔵介乱心により改易とされたが、隼人には切腹の沙汰はなかった。

当時の「喧嘩両成敗」の考え方に反するものだったことから、源八ほか奥平家中内にも不満が残り、隼人に対する敵討ちが企てられた。同一〇年七月、主家とともに出羽山形に移った隼人の弟主馬(しゅめ)を上山で討ち、隼人が潜んでいた江戸の旗本屋敷に主馬の首を投げ込んだ。同一二年二月二日の夜、源八は七〇余人の集団で江戸に入る。火消装束に身を固めた四三人は、市谷浄瑠璃坂の戸田七之助屋敷へ移り隼人の住居を襲撃。夜襲では討ち漏らしたものの、翌三日朝、牛込の土橋で隼人を討ち取り本懐を遂げた。

事後、源八らは彦根藩井伊家に口上書を提出、老中協議により伊豆大島へ流罪となった。六年後赦免され、源八は井伊家に召し抱えられた。将軍お膝下の江戸で行われた敵討ちとして当時から著名で、歌舞伎にも上演された。元禄の赤穂事件は、この浄瑠璃坂の一件が参考にされたと言われている。

那須氏墓碑（大田原市玄性寺）。ここ福原で交代寄合として復活した後、那須資礼（1792～1861）によって建てられた

《壬生藩》鳥居志摩事件

文久二（一八六二）年十二月、壬生藩江戸家老鳥居志摩と国家老鳥居千万之丞が相次いで切腹した。尊攘派の藩士が守旧派の門閥家老の専横を理由に起こしたクーデターによるものだった。大島金七郎・角田要・増田鏘太郎・渡辺温佐・石崎暢らが中心メンバーで、その後二年にわたり藩政を牛耳った。元治元（一八六四）年の天狗党の乱では、メンバーの一人である鎌田寸四郎が天狗党との連絡役として行動した。幕府により天狗党討伐が決まると一転、大島らは失脚して投獄された。処罰前に脱藩した者もいたが、前藩主鳥居忠挙の正室誠心院の助命嘆願により尊攘派の処罰は御家追放に留まった。獄中で自殺した鎌田以外に死亡者はなく、家中の分裂は避けられ、明治時代の尊攘派の活躍の途が開かれた。事件の顛末は尊攘派側の記録に拠ることが多く、発端から疑問の残る事件である。なお、「箱根八里」の作詞者で東京音楽学校教授となった鳥居忱は、切腹した鳥居志摩の長男である。

2 庶民の争い ―百姓一揆―

《宇都宮藩》籾摺騒動

明和元（一七六四）年松平忠恕の時に起こった一揆。前藩主の戸田氏の時代から宇都宮藩での年貢は「六合摺米納」（籾一升から玄米六合を取る）に口米や目米が賦課されていたが、種々の「引方」が多く、実質は年貢の収納は減少していた。宝暦三（一七五三）年松平氏は、当時の常法である「五合摺米納」とする代わりに年貢率の見直しや「用捨引き」を減じることで、均衡を図ろうとした。結果的に年貢の増徴傾向となったことに領民の不満が蓄積していった。明和元年九月、再び年貢を六合摺米納に戻し、不満の沈静化を図ろうとしたことが裏目となり、九月一二日夜、宇都宮明神の馬場に領民が集結し強訴に及んだ。翌一三日には領内の各所から数多くの領民が宇都宮城下に乱入した。宇都宮藩領の南郷二〇余カ村の数百人が押切口の木戸を壊して乱入。日光道中口からも二、三〇〇人が乱入して城下の商家を打ち壊した。藩の役人から、五合摺米納に戻すことが伝えられると一揆は沈静化して一四日早朝には解散。十月には藩庁より六合摺は免除との申渡しの一方で首謀者探しが進められ、翌年十月に獄門二人、打ち首一人の処刑で決着した。

3 世直し一揆

世直し一揆は、慶応四（一八六八）年三月末から四月末までの一カ月間、下野各地で発生と消滅を繰り返した。主な騒動は、次のとおりである。

① 四月一日～四日　下野中央部

宇都宮藩領で発生（一二九ページ地図参照）。四月一日夜、下栗村（宇都宮市）天王山に四、五〇〇人が結集。翌日から鬼怒川西岸の村々を進み、有力農民や商家の打ち壊しや酒食の供用を求めた。五千人になった一揆勢は城下への侵入を図り滝の原で藩兵と対峙。一部は鬼怒川を越え芳賀郡鐺山村・柳林村にも波及した。城下西方の村々からは、三万人もの領民が八幡山に集合。北方から城下への侵入を試みたが、藩兵の発砲により転進。奥州道中白沢宿（宇都宮市）に至った。鬼怒川を渡り氏家宿（さくら市）から塩谷郡の村々へ向かった一手と鹿沼宿（鹿沼市）に向かった主流の二手に分裂した。

② 四月五～六日　鹿沼宿とその周辺

白沢宿からの転進した一揆は、古賀志村（宇都宮市）・武子村（鹿沼市）での打ち壊しののち、鹿沼宿北口の御成橋で宇都宮藩兵と対峙。藩兵の発砲により再び分裂。主力は富岡村（鹿沼市）・文挟宿（日光市）というように壬生通を北上。板橋宿（日光市）で日光神領の役人に阻止されると板荷（いたが）村（鹿沼市）に結集したのち解散した。

一方で、鹿沼宿南方でも四日夜に塩山村大石坊に二〇〇人が集結、翌五日は籾山・下南摩村へと西進。油田村で豪農の家を打ち壊し口粟野村から下粕尾村（以上、鹿沼市）へと進んだところで、一揆の頭取二人が口粟野村で勝手に金策をしたという理由で、一揆への参加者により殺害される事件が発生。混乱の中、この一揆勢は解散となった。

③ 四月四日～八日　芳賀郡内

四日夜、真岡町で打ち壊しが勃発。一部は、真岡陣屋を襲撃するが、代官や手代等の陣屋役人はすでに逃亡していた。翌五日から八日にかけて、東に八溝山系、西に鬼怒川を望む南北に広がる台地上の村々へと波及した。この地域で一揆勢によって打ち壊されたり、一揆勢に降参した家は、六〇軒以上を数える。この地域の特徴として、襲撃対象の家に当地の特産物である真岡木綿関係の商家が含まれていたことと、一揆のリーダーの中に、亀山村（真岡市）名主役の勘兵衛がいたことが挙げられる。通常、名主家には豪農が多く襲撃の対象だが、勘兵衛家は名主とは言え、中程度の規模であり、勘兵衛自身が四年前に真岡代官と対立し、村々の代表として入牢した経験も大きい。

芳賀郡の一揆が下野の他の地域とは異なるのは、新政府軍により鎮圧されたことである。とくに一揆のリーダーは厳しく追及され、先の亀山村勘兵衛をはじめ三名が処刑された。

④四月九日〜一一日　金崎宿周辺

半田村に集まった一揆勢が磯村（以上、鹿沼市）に向かうが、藩領警備の壬生藩兵が空砲を放って参加者数十名を捕縛。翌一〇日から一一日朝にかけ、西方郷内の百姓が西方山に結集し、同日昼頃、金崎宿（栃木市）名主宅を打ち壊した。古宿村（栃木市）名主の要請で、磯村から壬生藩兵が出動。金崎宿から引揚げてきた一揆勢に発砲すると、西方郷内六カ村を知行地とする旗本横山氏の代官石川氏が、古宿村の横山氏陣屋より駆けつけ、百姓を殺されては困ると抗議したことから、壬生藩兵は発砲を中止して引揚げた。

附　下野の義民伝説

下野の百姓一揆では、いくつか「義民」物語が伝えられている。「籾摺騒動」では、同時代の記録には、処罰された人数のみで、処罰された者の名前は記されていないが、処刑された一人が御田長島村の鈴木源之丞だと記す史料とともに供養塔が残る。元禄年間の壬生藩で発生した「七色掛物騒動」では、領内一一カ村を代表して越訴を企て処刑された賀長市兵衛・石井伊左衛門と須釜作十郎（輪王寺門跡による嘆願により助命）を三義人としており、市兵衛八幡・惣代八幡社が今でも残る。享保一四年黒羽藩飛地の益子での一揆の身代わりとなり処刑された藤根善治などが百姓一揆での「義人」とされる。

これらの伝承は、残存する史料は後世に書かれたものであり、明治期の自由民権運動の高まりとともに明らかとなり語られた、という共通点がある。伝承や江戸時代の建立とみられる供養塔の存在は無視できないものの、義民として顕彰された明治中期の社会情勢のなかで、脚色された物語という性格が濃い。

V 近代

（上）那須野陸軍飛行場開設時のセレモニーで上空に舞う飛行機（昭和17［1942］年）
（下）熊谷陸軍飛行学校所有の飛行機前での少年たち（いずれも那須野が原博物館蔵）

一八五〇年代、開国を迫る欧米諸国による江戸幕府への圧力が引き金となり、日本国内は激動の季節を迎えました。一方、下野国内に目を向けると、これら一連の政治的大転換の中で深い影響を残したのが戊辰戦争でした。下野国内が戦場となったのは、旧幕府軍の主力だった会津藩と江戸との地理的関係、そして徳川家康が眠る日光を擁していたことが深くかかわっていたためでした。

明治の世に移り、中央集権化を目論む新政府は、明治四（一八七一）年二月（旧暦、以下同）に新政府直属の御親兵（ごしんぺい）を編成し、同年七月には御親兵の力を背景とした廃藩置県を実施。翌八月には情勢が不安定な各地の治安維持を目的とした鎮台制（ちんだいせい）※1を導入しました。

明治六（一八七三）年六月（新暦、以下同）に栃木県が誕生し、栃木県は東京鎮台の管轄下に置かれます。すでに明治五（一八七二）年十一月（旧暦）、歩兵大隊が宇都宮城跡に駐屯し、栃木県における防衛の要として宇都宮は重要視されていました。その点がより明確になるきっかけが、明治一八（一八八五）年七月の日本鉄道第二区線（JR宇都宮線）の開業です。宇都宮が終着駅となると、翌一九（一八八六）年十月には宇都宮－那須（西那須野）駅間が、さらに翌二〇（一八八七）年十二月には仙台と塩竈（しおがま）（当時）まで延伸されました。

栃木県小山町小山停車場汽車発着之真景（明治22［1889］年、小山市立博物館蔵）。右に小山駅舎、左に小山機関庫を描いている

※1 地方を守るために駐在する軍隊。明治二一（一八八八）年、師団制へ改編。

※2 陸軍軍隊がひとつの地に永久に配備駐屯すること。

鉄道によって物資や兵士などの大量輸送が可能となり、国外派兵への道が開けました。この点と首都防衛を念頭に置いて実施されたのが陸軍特別大演習で、明治二五（一八九二）年十月、最初の演習地として栃木県が選ばれました。また明治四〇（一九〇七）年九月には、陸軍第一四師団の宇都宮への衛戍（えいじゅ）※2が決まりました。これらもまた、鉄道による各軍事施設のネットワーク化と当時の仮想敵国ロシア※3からの侵略を想定した上で、首都東京に対する地上戦の防衛ラインとしての栃木県の位置関係と決して無縁ではありませんでした。

昭和になり、総力戦を前提とした戦時体制に入ると、栃木県内にも陸軍飛行場などが開設され、首都防空網に組み入れられました。また戦闘機や兵器の製造工場も建設され、成人男性たちの出征による人手不足から、女子学生や中学生男子たちは学徒動員として県内各地の軍需工場で働きました。しかし戦況の悪化で、軍需工場とその周辺は米軍による空襲に遭い、多くの死傷者を出しました。

アジア・太平洋戦争に敗れた後、第一四師団関係施設跡は病院や文教地区となりました。また陸軍飛行場跡は旧植民地から帰ってきた人たちなどが入植する開拓地となり、軍需工場跡のいくつかは、新たに陸上自衛隊関連施設が建てられ現在に至っています。

※3　明治二三（一八九〇）年三月、山縣有朋（首相）が意見書「外交政略論」の中で、シベリア鉄道着工によるロシア南下の危険性を憂慮し、日本の独立防衛のため主権線（日本）防御と利益線（日本の安全に密接な関係を持つ隣接地域＝朝鮮半島）保護の必要を論じていた。

（独）国立病院機構栃木医療センター南西敷地に遺る、第一四師団司令部赤レンガ営門跡（宇都宮市、増田俊雄氏撮影）

1 明治・大正時代

第一節 下野の戊辰戦争

嘉永六（一八五三）年六月三日（新暦七月八日、以下同）、アメリカ東インド艦隊司令長官ペリーが遣日国使として、軍艦四隻を率いて江戸湾入口の浦賀沖に現れた（黒船来航）。この時から明治維新期※1にかけて、時代を劃（かく）した大きなピークとなったのが戊辰戦争である。

戊辰戦争は、慶応三（一八六七）年十月一四日（十一月九日）の大政奉還、十二月九日（慶応四［一八六八］年一月三日）の王政復古の大号令を経て樹立された新政府軍（薩摩・長州・土佐三藩が中心）と旧幕府軍（奥羽越列藩同盟※2を含む）が一年余かけて戦った内乱の総称である。下野は戊辰戦争の戦場のひとつとして、わかっているだけでも一〇以上の戦

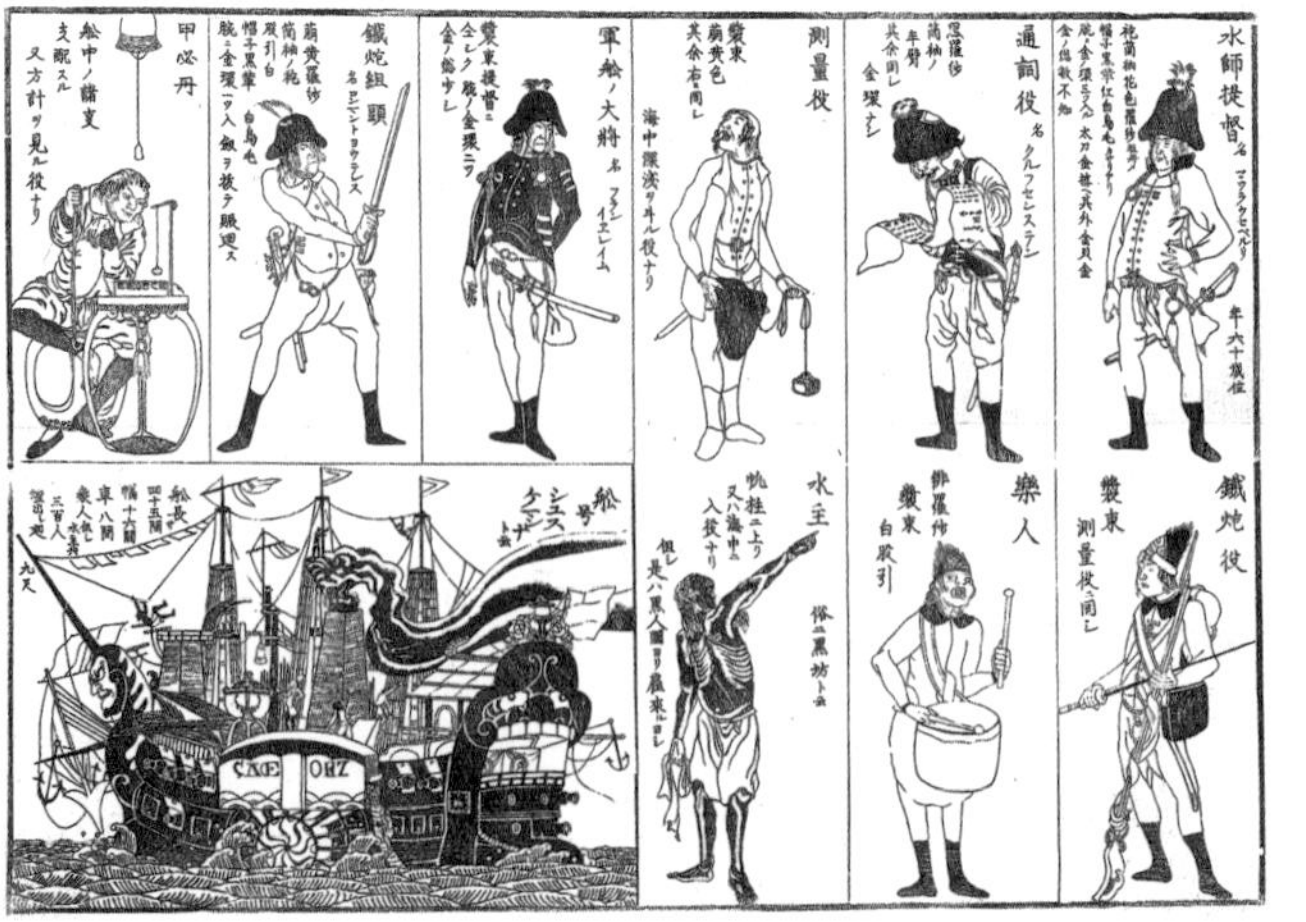

※1 明治一一（一八七八）年、「維新の三傑」のひとり大久保利通の暗殺までとする。

※2 慶応四年五月、輪王寺宮を盟主に陸奥（奥州）・出羽（羽州）・越後（越州）諸藩により成立した反新政府同盟。

※3 フランス軍事使節団の訓練を受けた旧幕府軍の精鋭部隊。

ペリー来航人物図（江戸末期、那須野が原博物館蔵）。
ペリーは「水師提督名 マワラウロペルリ」と描かれている

いが繰り広げられた（一四〇・一四一ページ参照）。では、なぜ下野国内で戊辰戦争関係の戦いが多く発生したのだろうか。

地理的視点から

旧幕府軍の動向を軸にこの戦争を見てみると、①宇都宮と日光山までの行軍、②会津藩領田島からの三方攻略がポイントとなる。

旧幕府軍の主力は、旧歩兵奉行大鳥圭介（おおとりけいすけ）率いる江戸小川町（東京都千代田区）伝習第二大隊※3だった。慶応四年四月一二日（五月四日）、下総鴻之台（しもうさこうのだい）（千葉県市川市）で会津藩士秋月登之助（あきづきのぼりのすけ）・新撰組土方歳三と合流し、秋月・土方軍は前軍として下総水海道（みつかいどう）（茨城県常総市）・常陸下館（茨城県筑西市）・下野谷田貝（やたがい）（真岡市）を、大鳥軍は日光東街道（関宿通多功（たこう）道）から小山・壬生を経て、それぞれ宇都宮での集結を約して進軍した。宇都宮は城下町であり、五街道のうちの二つ（日光・奥州の宿場町としても栄えていた要衝地だった。旧幕府軍はまず宇都宮を押さえることで、新政府軍の動きを寸断しようとした。

その後、宇都宮城攻防戦で敗れた旧幕府軍は、日光道中今市宿（日光市）から日光へ布陣するも、弾薬不備のため全軍退却を余儀なくされ、会津領田島（福島県南会津町）へ向かい立て直しをはかった。田島

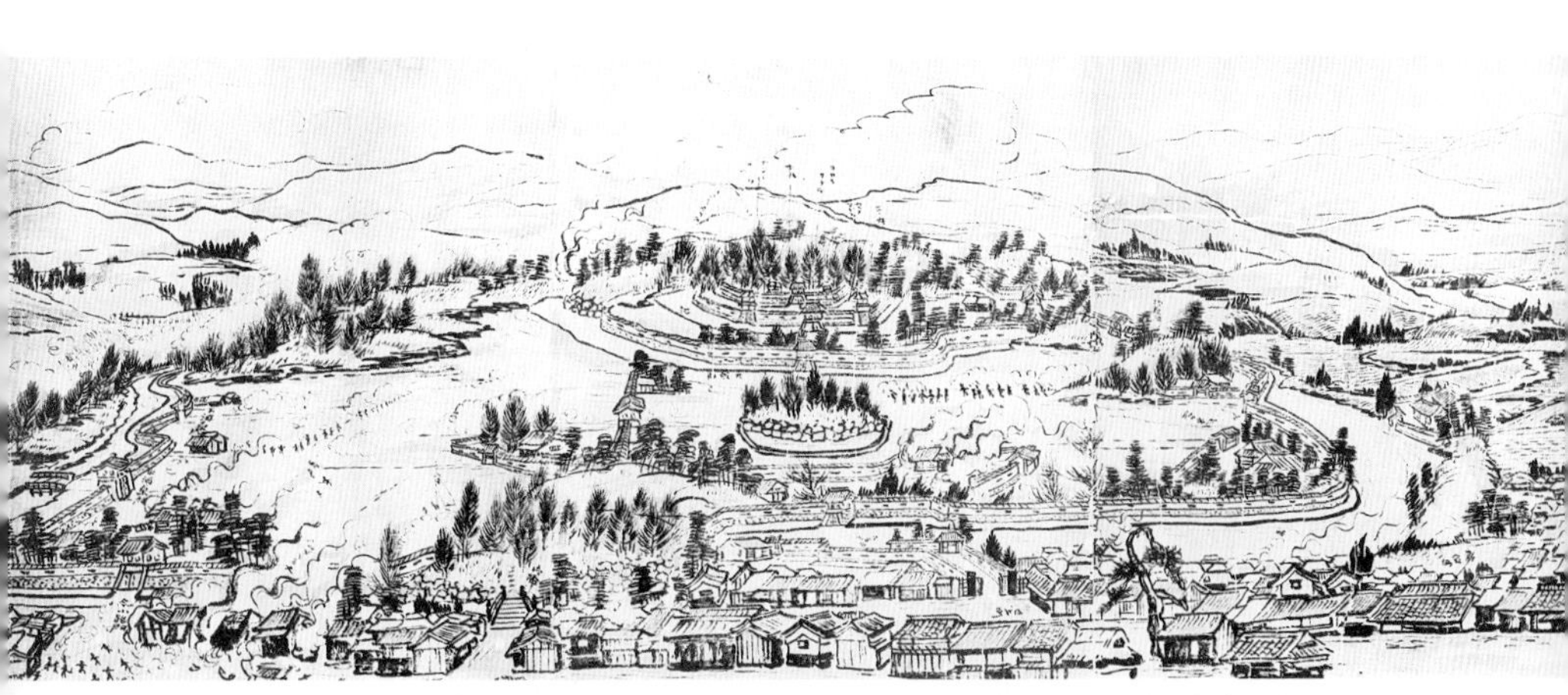

戊辰戦争宇都宮城攻防図（部分：明治初期、曹洞宗光明寺蔵、栃木県立博物館提供）。
4月19日（5月11日）の宇都宮城下での戦闘を描いている

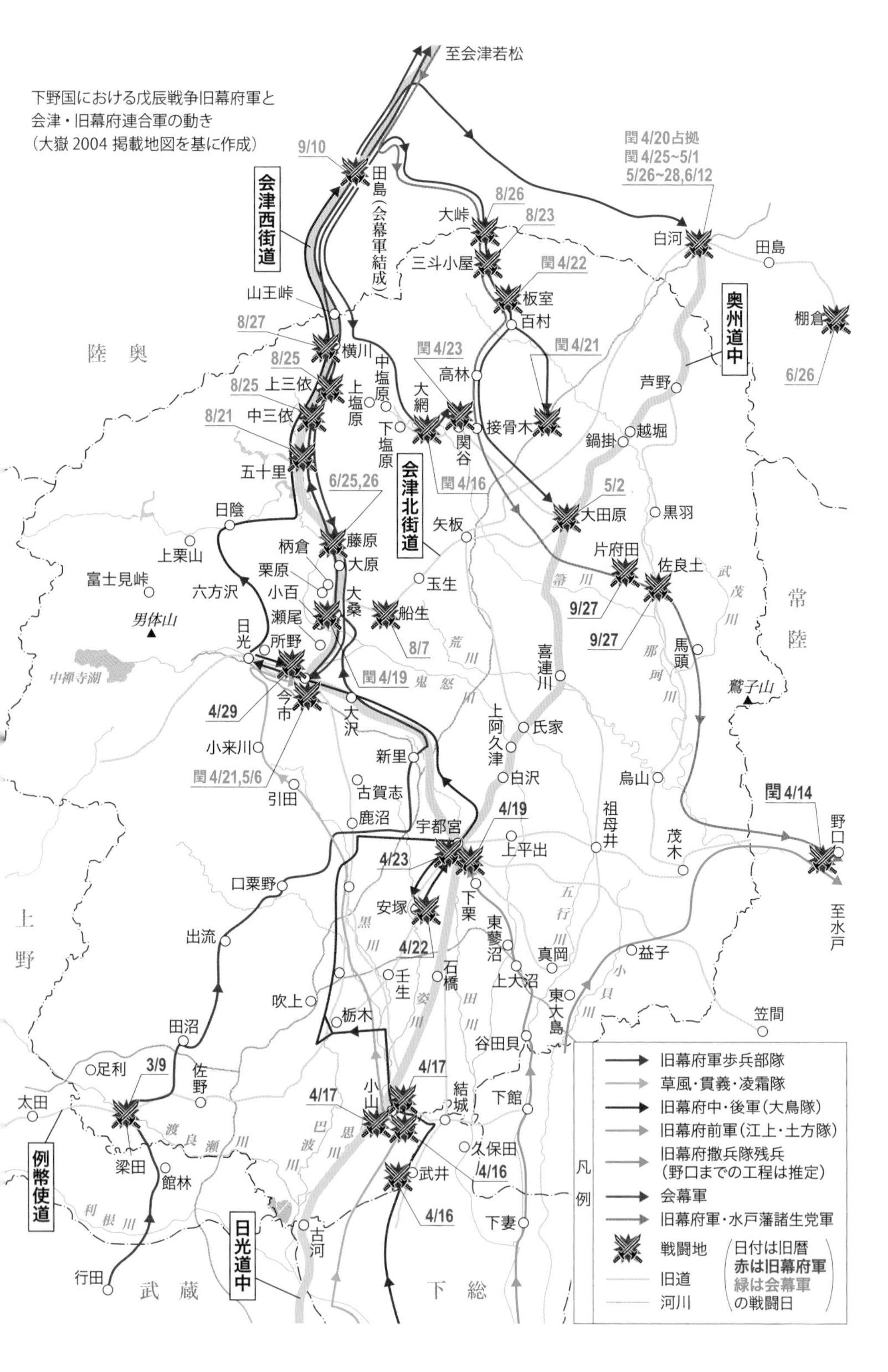

下野国における戊辰戦争旧幕府軍と
会津・旧幕府連合軍の動き
（大嶽 2004 掲載地図を基に作成）
至会津若松
会津西街道
田島（会幕軍結成）
9/10
大峠
8/26
三斗小屋
8/23
閏 4/22
板室
百村
閏 4/21
閏 4/20 占拠
閏 4/25~5/1
5/26~28,6/12
白河
田島
棚倉
6/26
奥州道中
山王峠
8/27
横川
8/25
上三依
8/25
中三依
8/21
五十里
中塩原
上塩原
下塩原
閏 4/23
大網
高林
関谷
接骨木
閏 4/16
会津北街道
芦野
越堀
鍋掛
5/2
大田原
黒羽
陸奥
日陰
上栗山
富士見峠
六方沢
6/25,26
藤原
柄倉
大原
栗原
小百
大桑
瀬尾
船生
矢板
玉生
片府田
佐良土
9/27
9/27
常陸
男体山
中禅寺湖
日光
所野
8/7
閏 4/19
4/29
今市
大沢
喜連川
那珂川
荒川
鬼怒川
箒川
武茂川
馬頭
鷲子山
上阿久津
氏家
小来川
閏 4/21,5/6
新里
引田
古賀志
白沢
鳥山
閏 4/14
野口
鹿沼
宇都宮
4/19
4/23
上平出
祖母井
茂木
至水戸
口粟野
安塚
4/22
下栗
東蓼沼
五行川
上野
出流
黒川
真岡
益子
壬生
石橋
上大沼
吹上
姿川
田川
東大島
小貝川
笠間
栃木
谷田貝
田沼
4/17
足利
3/9
佐野
4/17
小山
結城
下館
太田
渡良瀬川
巴波川
思川
久保田
梁田
館林
武井
4/16
4/16
例幣使道
利根川
日光道中
古河
下妻
行田
武蔵
下総
凡例
旧幕府軍歩兵部隊
草風・貫義・凌霜隊
旧幕府中・後軍（大鳥隊）
旧幕府前軍（江上・土方隊）
旧幕府撤兵隊残兵
（野口までの工程は推定）
会幕軍
旧幕府軍・水戸藩諸生党軍
戦闘地
旧道
河川
日付は旧暦
赤は旧幕府軍
緑は会幕軍
の戦闘日

戦名称	旧（和）暦	新（西）暦	場所	勝・敗
梁田の戦い	慶応4年 3月9日	1868年 4月1日	梁田宿（足利）	新政府軍・旧幕府歩兵部隊
小山の戦い	慶応4年 4月16・17日	1868年 5月8・9日	1次：小山宿南端 2次：下総武井宿付近 3次：小山宿 4次：小山宿	1次：旧幕府別隊・新政府軍 2次：旧幕府中後（大鳥軍）・新政府軍 3次：旧幕府中後（大鳥軍）・新政府軍 4次：旧幕府中後（大鳥軍）・新政府軍
宇都宮城攻防戦	慶応4年 4月19日	1868年 5月11日	宇都宮城	旧幕府（秋月・土方軍）・新政府軍
安塚の戦い	慶応4年 4月22日	1868年 5月14日	安塚宿（壬生）	新政府軍・旧幕府軍
六道辻の戦い 宇都宮城攻防戦	慶応4年 4月23日	1868年 5月15日	宇都宮城西六道口 宇都宮城	新政府軍・旧幕府軍
日光山麓・ 瀬川十文字の戦い	慶応4年 4月29日	1868年 5月21日	瀬川十文字 （日光・今市境）	旧幕府（大鳥）軍全軍退却 →会津領田島へ
第一次今市攻防戦	慶応4年 閏4月21日	1868年 6月11日	今市宿	新政府（土佐藩）軍・ 会津旧幕府（会幕）連合軍
大田原城の戦い	慶応4年 5月2日	1868年 6月21日	大田原城	会幕・新政府両軍退却
第二次今市攻防戦	慶応4年 5月6日	1868年 6月25日	今市宿	新政府軍・会幕軍
藤原の戦い	慶応4年 6月25・26日	1868年 8月13・14日	鬼怒川両岸	25日：会幕・新政府（佐賀藩・宇都宮藩）引き分け 26日：会幕軍・新政府軍（佐賀藩・宇都宮藩）
船生の戦い	慶応4年 8月7日	1868年 9月23日	船生宿	中途半端に終了 （会津藩対新政府［宇都宮藩］軍）
三斗小屋・ 横川の戦い	慶応4年 8月23～27日	1868年 10月8～12日	三斗小屋宿 横川宿	塩原全村焼き打ち（会津軍） 三斗小屋宿全戸焼き打ち （黒羽・館林藩残留部隊） 新政府（芸州藩ほか）軍・会津軍
片府田・ 佐良土の戦い	明治元年 9月27日	1868年 11月11日	三斗小屋宿 横川宿	片府田の戦い：新政府（大田原・彦根・阿波藩）・諸生党（→水戸へ） 佐良土の戦い：黒羽藩・諸生党 （→水戸へ）

下野国内における戊辰戦争での戦い一覧

『戊辰戦記絵巻物 後編』（小山之戦、明治27年、長岡市立中央図書館蔵）。
4月17日（5月9日）小山の戦い（第3次）を描いている

で編成された会津・旧幕府連合軍は、関東と東北地方の結節点である奥州道中の白河口、会津中街道の宿場町三斗小屋（さんどごや）（那須塩原市）越え、会津西街道の日光口の三方から北関東の制圧を目論んだ。中でも日光口攻略は重要視され、会津西街道の入口である今市宿の制圧、そして日光道中経由で再び宇都宮を占領し、奥州道中の遮断をはかろうと考えていた（大嶽二〇〇四）。その結果、閏四月二〇日（六月一〇日）からはじまった白河口の戦いと二度にわたる今市宿での戦いに勝利した新政府軍が戦局を有利に進めていった。

下野が会津・旧幕府軍連合軍と新政府軍との主な戦場の一つになったのは、古くは朝廷と蝦夷との関係から豊臣秀吉・徳川家康による奥羽対策まで続く、下野が宿命的に担う地政学的役割のためだったと考えられる。そのため、旧幕府軍の精神的支柱ともいえる日光を抱え、京・江戸から東北へと続く主要街道が通る下野は、非常時において最前線として戦場になる可能性を秘めていた。

庶民が見た戊辰戦争と生活への影響

ところで、庶民は戊辰戦争をどう見ていたのだろうか。旗本加々爪（かがつめ）氏領芳賀郡若旅村（真岡市）名主松本大八郎は、領主に呼ばれて江

八幡太郎義家奥州軍立之図（栃木県立博物館蔵）。源義家の名を借り、戊辰戦争の両陣営を描いており、奥州白河の戦略上の重要性や戦闘の激しさを象徴的に表現している

戸へ向け出立・帰村した三月一八日（四月一〇日）から四月二日（四月二四日）までの出来事を綴った「雑風日記」を残している（真岡市史編さん委員会 一九八五）。その中で、「徳川家落城ニ相成候而ハ、近年之内合戦可止様無之、万民塗炭之苦脳（ママ）不少候、日々動揺之世の中ニ相成中候」（徳川家［の江戸城］が落城したため、近年のうちに合戦がなくなりそうになく、万民はとても苦しい境遇になり、世の中が日々不安定になるであろう）と、大八郎の思いが淡々とした筆致で綴られている。

その後、下野は戊辰戦争の戦場として人びとの生活に影響を与えた。戦いが主に街道とその周辺地域で発生した小規模部隊による遭遇戦で、四斤山砲（よんきんさんぽう）※4など近代化された兵器を使って、熾烈（しれつ）な戦闘が繰り広げられてはいた。しかし庶民にとっては、生活圏内での戦いであることに変わりはなかった。さらに、宇都宮近郊の農村部を中心に、中下層農民や都市貧民が豪農・豪商を襲った世直し一揆（「ぼっこし」）が頻発してもいた（一三三・一三四ページ参照）。

行軍する両軍の兵士たち、軍神への手向けとして斬首された者たち※5など、非日常の空間が一気に立ち上がり、動乱の日々が目の前で展開される中、明治の世は幕を開けていった。

※4 一八五九年、フランスで開発。砲弾重量が四キログラムから名付けられた。比較的小型で、分解して運搬できるため、日本の地形とも相性がよく、幕末から明治初期にかけて主力野戦砲として使われた。

※5 四月一九日、旧幕府（秋月・土方）軍が斥候（せっこう：敵情などを密かに探ること）中に捕らえた黒羽藩関係者三名を陣取った河内郡東蓼沼村（上三川町）満福寺にて斬首した。

四斤山砲復元模型（栃木県立博物館蔵）

第二節　軍都宇都宮の誕生

戊辰戦争後、明治新政府による新しい国づくりが進む中、日本の近代陸軍は産声をあげた。明治四年八月（旧暦）、国内警備を目的とした四個鎮台（東北［仙台］・東京・大阪・鎮西（ちんぜい）［熊本］）が設置※1され、栃木県は東京鎮台の管轄下に置かれた。そして、明治四〇年九月に宇都宮が陸軍第一四師団※2（以下、「第一四師団」と表記）の衛戍地となって以降、アジア・太平洋戦争の敗北まで北関東を代表する軍都だった。

陸軍の編制と兵科の配備

陸軍の編制は、各鎮台に四個の歩兵連隊※3と騎兵・砲兵・工兵・輜重兵（しちょうへい）※4の特科部隊がそれぞれ配備された。その後、明治二一（一八八八）年五月の師団司令部条例で鎮台制から師団制に改められた。鎮台制では、国内の治安対策等を目指し、主に城址を要塞とした固定的な防御だったの対し、師団制では歩兵を中心とした諸兵科連合の部隊を平時から編制し、国外派兵にも対応できる機動的な戦略単

※1　明治六年一月、名古屋と広島を加えた六鎮台に改編。
※2　明治二一（一八八八）年、鎮台制から独立して作戦を展開できる編成へと改編。ドイツ語の「Ｄｉｖｉｓｉｏｎ」の和訳として使われた。
※3　正式には「歩兵聯隊」と表記するが、「聯」が常用漢字に含まれないため「連」と表記する。
※4　軍需品の輸送や補給にあたる兵。

位として整備された（松下 二〇一三）。

　師団は鎮台制を基本的に継承し、四個の歩兵連隊と特科部隊で構成された（下図参照）。一個の歩兵連隊は三個の大隊からなり、一個の大隊は四個の中隊から構成され、また歩兵連隊二個が組み合わされて一個の旅団を形成し、どちらかの連隊所在地に旅団司令部が置かれた。なお師団所在地には、二個の歩兵連隊と特科部隊を置く原則があった。つまり師団がやってくるということは、師団所在地の人口が一気に六千人近く増えることを意味した。宇都宮市が第一四師団誘致のため請願したのは、人口増加による経済効果が見込めるためだった。

師団衛戍以前の宇都宮と軍隊

　宇都宮と近代軍隊とのかかわりは、明治五年十一月（旧暦）、東京鎮台第四分営歩兵第七番大隊が宇都宮城跡に駐屯した時からはじまる（宇都宮市史編さん委員会 一九八一）。翌六年二月には、軍事拠点として宇都宮城跡が陸軍省の管轄下に指定された（松下 二〇一三）。

　明治七（一八七四）年三月、千葉県印旛（いんば）郡佐倉町（佐倉市）を営所※5とする歩兵第二連隊が新設され、宇都宮駐屯の歩兵第七番大隊は歩兵

※5　兵が居住しているところ

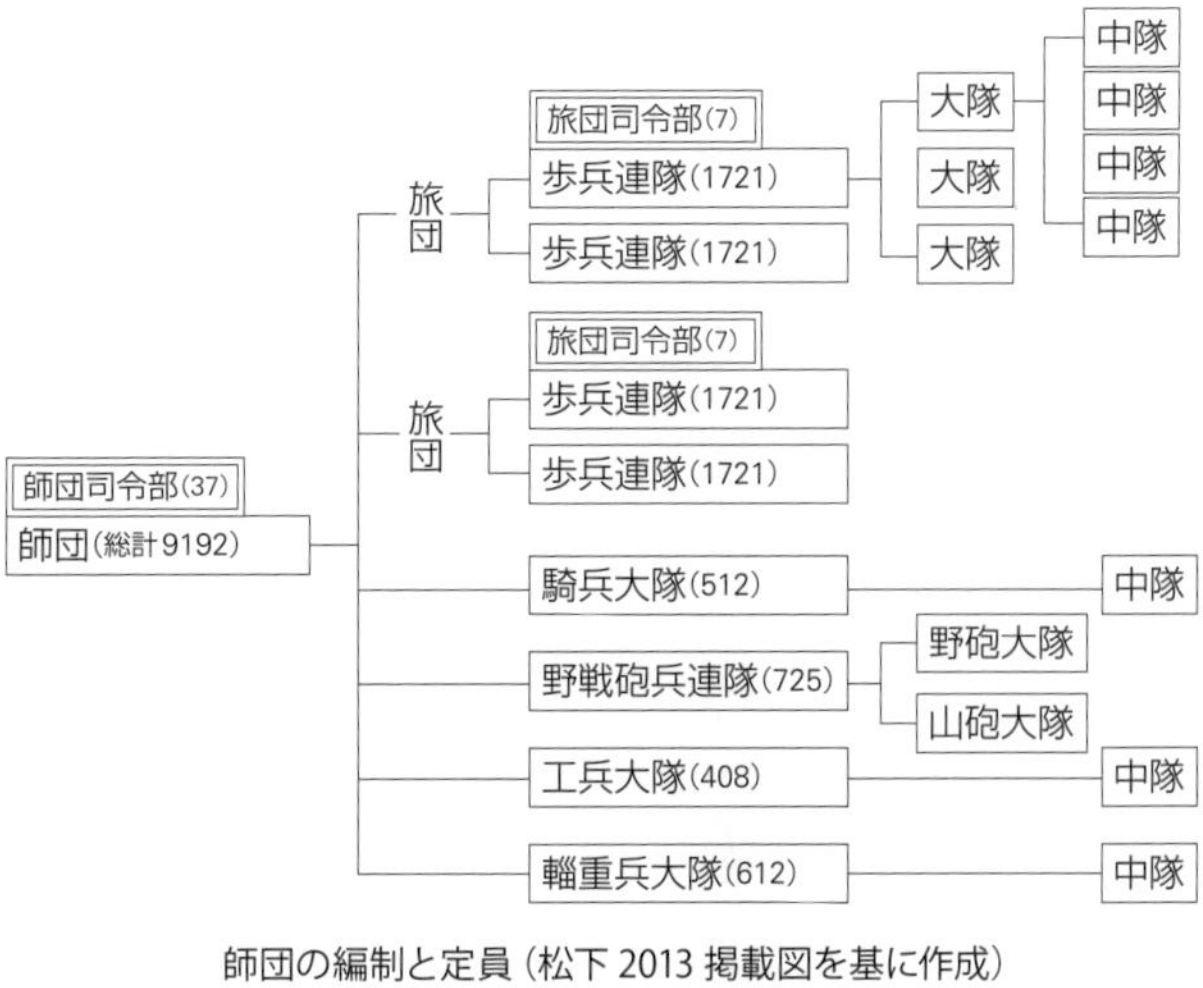

- 師団司令部(37)
- 師団(総計9192)
  - 旅団
    - 旅団司令部(7)
    - 歩兵連隊(1721)
      - 大隊
        - 中隊
        - 中隊
        - 中隊
        - 中隊
      - 大隊
      - 大隊
    - 歩兵連隊(1721)
  - 旅団
    - 旅団司令部(7)
    - 歩兵連隊(1721)
    - 歩兵連隊(1721)
  - 騎兵大隊(512)
    - 中隊
  - 野戦砲兵連隊(725)
    - 野砲大隊
    - 山砲大隊
  - 工兵大隊(408)
    - 中隊
  - 輜重兵大隊(612)
    - 中隊

師団の編制と定員（松下 2013 掲載図を基に作成）
＊カッコ内は部隊構成人数

第二連隊第二大隊に改編される。六月に連隊本部が佐倉から宇都宮城跡へ移設されるも、十月の台湾出兵による軍隊の東京集結方針により移動。翌八（一八七五）年三月、台湾出兵による日本と清国との開戦危機が去ったため、第二大隊は宇都宮へ帰営、五月には連隊本部は宇都宮から佐倉へ戻ることとなった（宮地 二〇〇六）。

明治一〇（一八七七）年の西南戦争に出動した後、明治一六（一八八三）年十二月に改正徴兵令が公布されると、一連の軍備拡張で宇都宮駐屯の歩兵第二連隊第二大隊は居場所を失い、翌一七（一八八四）年六月、佐倉に移駐した。以降、明治四〇年の第一四師団衛戍まで、宇都宮に軍隊が駐屯することはなかった。

師団誘致の実現に向けて

宇都宮への師団誘致の動きは、日清・日露両戦争と密接にかかわっていた。その背景には、陸海軍による大規模な軍備拡張があった。まず日清戦争後、陸軍は六個師団の新設を決め、秘密裡に候補地の調査・選定を行った。宇都宮市では、明治二九（一八九六）年五月、宇都宮市長から師団誘致の要望を受けて、県知事名で陸軍大臣へ上申書が提出されるも（『壱大日記』明治二九年六月）、この時すでに参謀

明治初期、佐倉城跡に建造された佐倉連隊兵営（模型：国立歴史民俗博物館提供）

本部内で師団配置計画（「陸軍常備団隊配備表」原案）が作成され（明治二八［一八九五］年十二月頃）、宇都宮のある関東地方は候補地に含まれていなかった。

そして日露戦争直後の明治三八（一九〇五）年十一月頃から、各地で再び師団誘致の動きが出てきた。十一月、宇都宮市長名で師団設置を求める上申書が陸軍大臣宛に提出されると（『壱大日記』明治三八年十一月）、翌十二月には県会で「師団設置ニ関スル意見書」が知事宛に提出、翌三九（一九〇六）年十一月にも再び「師団設置ニ関スル意見書」が知事宛に提出された。一方、十二月に招集された第二三回帝国議会で、日露戦争中に臨時編制された四個師団（第一三～一六師団）を常設化した上で、さらに二個師団を新設し六個師団を増設する方針が固められた。

第一四師団、宇都宮へ

明治四〇年九月、「陸軍常備団隊配備表」（改正）が発表され、第一四師団の衛戍地として宇都宮※6に正式決定した。四〇万坪（約一三二ヘクタール）余の広大な軍用地は、県民からの寄付で確保したという（高橋 一九九〇）。また、県知事名で県内各郡市に敷地買い上げにあたっ

※6　正式には、河内郡国本村・城山村・姿川村に駐屯。

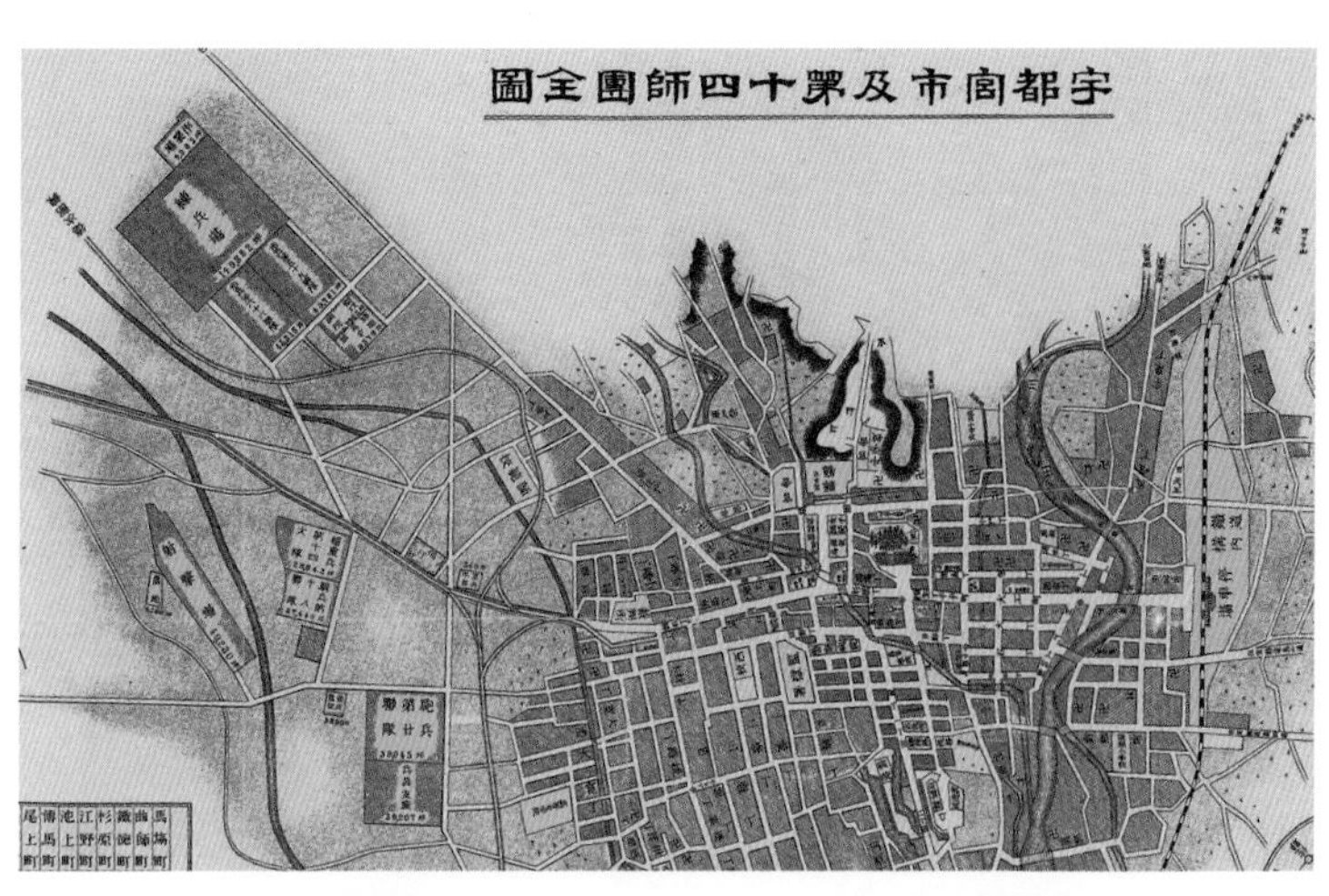

第一四師団駐屯図（部分、明治42年、個人蔵、随想舎提供）

ての割当額が決められた（「再度新設師団に就て」）。五万円という高額に設定された宇都宮市で師団敷地買収費の寄付を募ったところ、設定金額以上となる五万五三二七円三〇銭が集まった（宇都宮市史編さん委員会 一九八二）。

第一四師団は日露戦争中の明治三八年四月に師団動員令が下され、福岡県小倉市（北九州市）で編制された。七月満州（中国北東部）に出動し、奉天（瀋陽）以北の警備任務にあたり、その後は第十師団（姫路）と交代・帰還し、第一四師団は姫路に臨時駐屯した。

衛戍地に宇都宮が決まると、第二（水戸）・第一五（高崎）・第五九（習志野→河内郡国本村［県立宇都宮中央女子高等学校など］）の各歩兵連隊が、騎兵第一八連隊（新設、河内郡国本村［ポリテクセンター栃木周辺］）・第六六（姫路→河内郡城山村［作新学院］）・野戦砲兵第二〇連隊（姫路→河内郡姿川村［文星芸術大学附属中・高等学校ほか］）・工兵第一四大隊（水戸）・輜重兵第一四大隊（渋谷→河内郡城山村［作新学院］）がそれぞれ編制された（高橋 一九九〇）。明治四一（一九〇八）年三月末、各部隊に先立って歩兵第六六連隊が宇都宮へ到着・入営、四月には宇都宮陸軍衛戍病院（独立行政法人国立病院機構栃木医療センター）が創設、十月には陸軍衛戍病院南側に師団司令部が建てられた。またこの年、歩兵第五九連隊から

第一四師団司令部（個人蔵、随想舎提供）

野戦砲兵第二〇連隊の兵営を結ぶ軍用道路が整備された。

明治四一年十一月、師団司令部の開庁式が行われ、併せて栃木県知事を会長に、県内務部長と県会議長を「副長」とした軍隊歓迎会が催された（「軍隊歓迎趣意書」）。当日は宇都宮二荒山神社前に緑門（りょくもん）※7を設置し、「剣舞、手品師、大神楽、関白獅子舞」などで入営する兵士たちを歓迎。当日は兵士たちに「日用品は特別の割引にて販売し」、飲食店では食事を「格安」で提供したという（『下野新聞』明治四一年十一月一三日）。

師団衛戍による経済効果

ところで、陸軍は師団や連隊設置にあたって、「兵営地撰定に関する方針」を決めていた。その中に、「…可成（なるべく）運輸交通の利あり給養に便なること」と記されていた（松下二〇一三）。多くの兵士が生活する兵営にとって、必要な食糧や物品の調達（給養）が兵営地の近くにあるかどうかは重要だった。古くから門前・宿場町であり交通の要衝地でもあった宇都宮は、給養地としての条件が揃っていた。

では、第一四師団が宇都宮市にもたらした経済効果はどの程度だったのだろうか？　明治四四（一九一一）年、宇都宮商工会議所が調

※7　祝賀の際などに建てる、常緑樹の葉で包んだ弓形の門。

新設された第六六連隊の分列式（明治40年、筆者蔵）

査したデータによると（宇都宮商工会議所史編纂会 一九四四）、第一四師団全体での年間経費二四二万六六八二円のうち、宇都宮駐屯経費が一五六万三〇〇二円、そのうち直接宇都宮市内へ落ちる金額が七四万八五〇三円で、宇都宮駐屯経費の約四八パーセントを占めていた。この他、第一四師団に所属している兵士たちが市内の飲食店や遊廓等へ落とす金や入退営兵の見送りや面会人などといった間接的なものを含めると、この金額以上の経済効果が宇都宮市にもたらされたと考えられる。

師団廃止の危機と師団への経済依存

ところが、大正一一（一九二二）年からはじまった軍備縮小で、大正一三（一九二四）年八月、第一六師団（京都）を除く第一三から一八までの五個師団が廃止の対象であると報じられた（『下野新聞』大正一三年八月五日夕刊）。これを受けて、宇都宮市長は市会や市経済界の関係者等を招集・協議の上、同年八月と九月に首相や陸軍大臣、参謀総長を訪問し陳情書を提出した。当初、第一四師団の廃止は既定路線だったが（佃 二〇〇六）、結局「師団分布上不公平を」なくし、また「一県下には両師団の必要」がない等の理由から（『下野新聞』大正一三年十二月二日夕刊）、二個師団を有する愛知県（名古屋と豊橋）駐屯の第一五

輜重兵第一四大隊の営門。奥に見える兵舎建物は和洋折衷の下見板張りの外観となっている
（個人蔵、随想舎提供）

師団（豊橋）が廃止され、第一四師団の廃止は免れた。しかし第一四師団の機構改革により、歩兵第六六連隊は廃止された（その後、昭和一二［一九三七］年十月に宇都宮で再編成された）。

ここで見えてくるのは、師団衛戍は駐屯地の経済をこれまで以上に潤すが、経済面における師団への依存度も強くなるという点と、師団衛戍による経済効果が軍への支持につながってくるという軍部側の思惑である。当時、新聞では軍縮要求と軍部批判が盛んに行われ、人びとの間では反軍国主義の風潮が広まっていた（谷口二〇〇〇）。そうした中、四個師団（第一三［高田］、第一五、第一七［岡山］、第一八［久留米］）の廃止など、約三万四千名の将兵と軍馬六千頭の削減に踏み切った陸軍大臣宇垣一成（うがきかずしげ）は日記に「…部隊の廃止が如何に地方※8的の利害に痛き感響を及ぼすかを国民に自覚せしめたのである。恐らく今後は師団減少などの声は…国民の声としては起るまい」（大正一四年五月一日）と綴っていた（宇垣 一九六八）。この宇垣の思いは、地方都市にとって、師団や連隊の衛戍がどこまでも大きな存在だったことを物語っている。

酒保（兵営内にある日用品や飲食物を扱う売店）でくつろぐ野戦砲兵第二〇連隊の兵士たち（筆者蔵）

※8 軍隊用語で一般社会を指す。

アンガウルの戦い
―第一四師団歩兵第五九連隊第一大隊の最期―

昭和一八（一九四三）年九月、大本営政府連絡会議は千島列島から小笠原、内南洋（北太平洋赤道付近）および西部ニューギニアからビルマにかけてを「絶対国防圏」とする新防衛方針を打ち出した。そのため、満州駐屯の軍隊を南洋各地へ転用することとなった。その第一弾として、第一四師団にパラオ諸島への転進命令が下された。

総兵力一万一七九七名の第一四師団がパラオ本島（バベルダオブ島）に到着したのが翌一九（一九四四）年四月二四日。二日後の二六日、歩兵第二連隊（水戸）はペリリュー島、歩兵第五九連隊（宇都宮）第一大隊はアンガウル島へ「即日配備」し守備を命じられた。歩兵第五九連隊第二・第三大隊と歩兵第一五連隊（高崎、のち第二・第三大隊はペリリュー島へ派遣）は師団直轄としてパラオ本島待機となった。

パラオ諸島の最南端、南北約四キロメートル、東西約三キロメートルのアンガウル島では、化学肥料の原料となるリン鉱石の工場を日本の会社が経営しており、日本人や島民のほか、リン鉱石採掘のために徴用された朝鮮人もいた。この島を守ることとなった第一大隊の総兵力は約一二〇〇名で、武器は小銃と機関銃類のほかは野砲と中迫撃砲がそれぞれ四門のみで、支援の艦船や航空機もなかった。

九月一七日午前五時三〇分、米軍第八一歩兵師団が東港と東北港方面に向かって進軍を開始。総兵数は日本軍守備隊の一七倍余の二万一千名を超え、加えて海・空からの支援攻撃で島に爆弾の雨を降らせた。戦闘当初、同島在住の民間日本人や住民の大半（主に老人や女性）はすでに本島へ引き上げていたが、朝鮮人労働者や住民の青壮年男性たちは日本軍の軍夫として協力を強いられていた（平塚二〇一五）。

午前八時半過ぎ、米軍の水陸両用戦車を先頭に第一陣が東港と東北港に到着すると、戦力で圧倒する米軍は橋頭堡をすぐ築いた。その後、後続部隊を次々に上陸させ、守備隊殲滅戦を展開。艦砲や空爆の支援もあり、上陸三日目の一九日早朝、サイパン村を占領。日本軍の兵数は米軍の圧倒的兵力を前に、当初の半数近くにまで減った。

三〇日に米軍が島を全面占領した後、守備隊は島北西部山地の青池北東の鍾乳洞を拠点に、食糧や弾薬の補給が望めず飲料水が全くない中での筆舌に尽くし難い持久戦を展開。十月一九日深夜二時、生存者一三〇名を集結させ、青池南方へ兵を進めるも、米軍の攻撃や険しい地形で前進できず、同日夕方、重軽傷者を含む約一〇〇名を再編成し、「敵の飛行場設定を妨害する」ため最後の攻撃を敢行。一九日夜、大隊長以下守備隊の大半が戦死した。

アンガウル島から生還した日本兵は約五〇名、生存率は約四パーセントだった。翌十一月、ペリリュー島が米軍に占領され守備隊は壊滅。パラオ本島は食糧事情の悪化とアメーバ赤痢等の伝染病に苦しめられる中、翌二〇（一九四五）年八月敗戦となった。

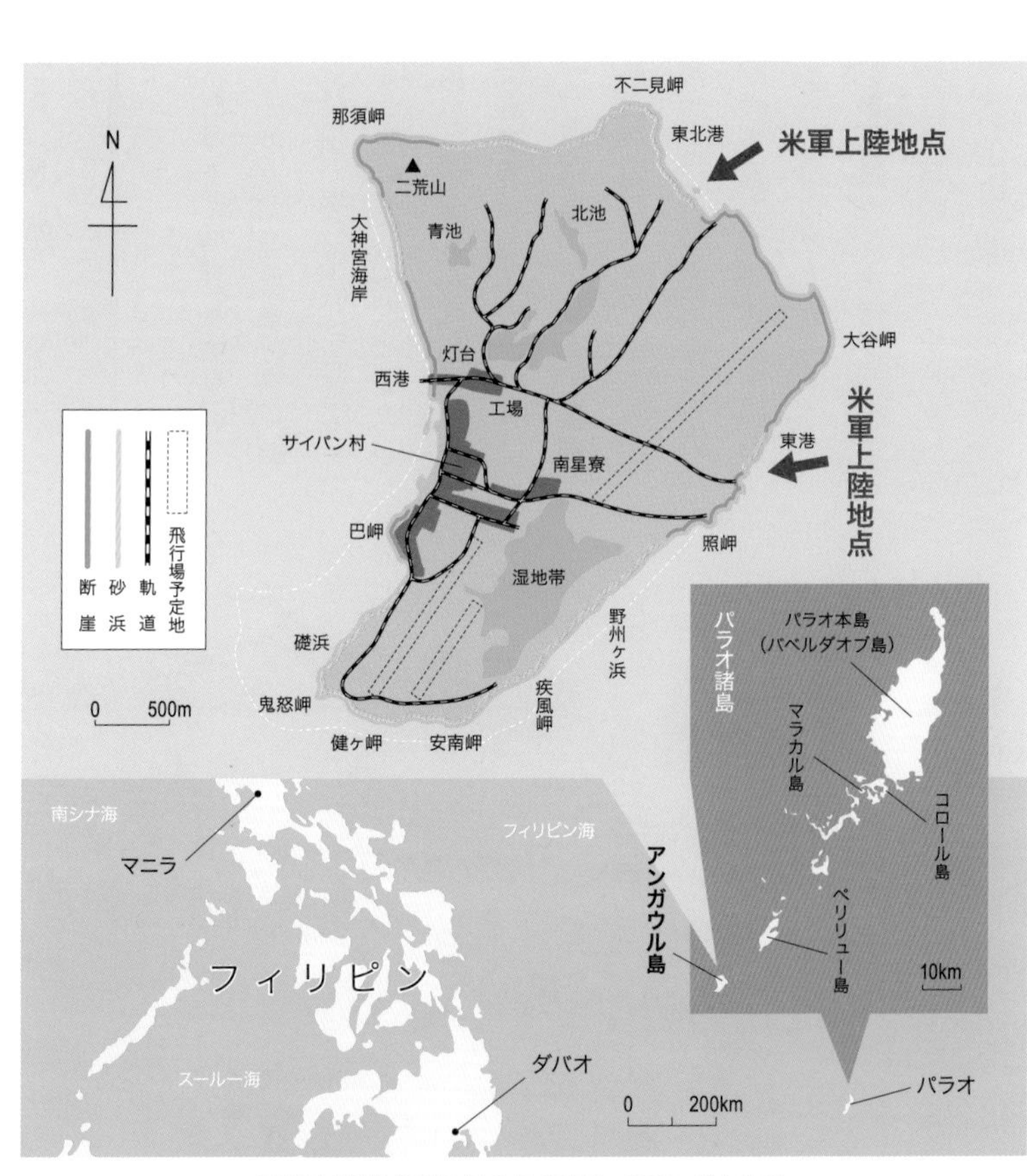

米軍上陸時（1944 年 9 月 17 日）のアンガウル島
（防衛庁防衛研修所戦史室 1968 掲載地図を基に作成）

第三節 陸軍特別大演習

「…今日氏家ニ大演習アルトテ見物ノ人引キモキラザルナリ、早ヤ小銃ノ音聞エ、我里ヨリモドシく（ママ）見ントテ行ク、僕モ遂行ク、誠ニ今日ハ大戦ナリキ」。明治四〇年十一月六日、塩谷郡熟田（にいた）村（さくら市）狭間田（はさまだ）に住む当時一五歳の渡辺清が綴った一文である。渡辺は農作業を休み、自宅近くで行われていた第三師団第一七旅団（豊橋）に属する歩兵第一八連隊と第三四連隊による演習を見に出かけていた（下図参照）。この時の様子を「…前方ニハ散兵濠（ママ）※1アリテ戦猛烈ナリ、ドンくくト（ママ）大砲ハ彼我共ニ凄ク、機械（ママ）砲ハドドくくト（ママ）永く続キ、打ツ壮快限ナク」と興奮気味に綴っている。多くの人たちがこの一大スペクタクルを渡辺のように固唾（かたず）を呑んで見物していたことだろう。

時あたかも、日露戦争で日本が大国ロシアに勝った余韻が残っていた時であり、またこの演習が行われた約二カ月前には、宇都宮へ第一四師団の衛戍が決まった時でもあった。

第一八連隊と第三四連隊による演習風景（「渡辺清絵日記」明治40年11月6日、個人蔵：さくら市ミュージアム ―荒井寛方記念館―提供）

※1 敵の弾から身を守り、また敵を射撃するために掘る壕。

※2 演習全体を統裁し、結果を講評すること。ただし、実際は参謀総長が統監の職務を代行した。

陸軍特別大演習のはじまり

渡辺が見ていたのは、明治四〇年十一月に茨城・栃木・埼玉・千葉の四県下で行われた陸軍特別大演習（以下、「大演習」と略す）に関連した演習のひとコマである。大演習とは、年に一回、大元帥である天皇自らが統監[※2]し、二個師団以上が参加して対抗させ「軍又ハ師団ノ作戦ヲ演練スル」軍事演習のことである（「陸軍演習令」）。

大規模演習のきっかけは、明治二二（一八八九）年二月、旅団や師団による演習が設けられた陸軍軍隊機動演習条例と天皇統監の演習を規定した陸海軍連合大演習条例の制定であった。後者の条例に基づいて、翌二三（一八九〇）年三月に第一回陸海軍連合大演習が行われた。そして、軍隊教育の一環として重視されたのが「秋季機動演習」で、毎年各師団で実施されたのが「師団機動演習」だった。その中でも最大規模だったのが大演習である（中野 二〇一五）。実施の背景には、先述した二つの条例と明治二一年五月に鎮台制から師団制への改編による国内の治安維持から国外派兵へと軍部が重きを置いたこと、そして鉄道によって兵士たちを迅速かつ大量に輸送できたこと（一六〇・一六一ページ参照）が考えられる。

第一四師団敷地内で行われた明治40年陸軍特別大演習に参加する第三師団（名古屋）の分列式（筆者蔵）

明治二五年大演習

明治二五年十月、陸軍による最初の大演習が栃木県を舞台に行われた。県内では、明治二五、四〇、四二、大正七（一九一八）、昭和九（一九三四）年の計五回の大演習が行われた。ここでは、明治二五年十月の大演習のうち、二三日に行われた塩谷郡氏家町（さくら市）・熟田村での大演習について見てみよう※3。

参加した師団は、近衛、第一（いずれも東京）そして第二（仙台）の各師団で、それぞれ南軍（近衛・第一師団）と北軍（第二師団）に分かれ、北軍を外国軍に擬し、南軍を自国軍として実戦さながらに演習を行なった。総勢約三万人余と馬約三八〇〇頭が参加した大規模なものだった。大本営は栃木県庁に置かれ、実施前日の二二日には明治天皇の御前にて軍議が開かれ、「特別方略」が決められた。

特別方略によると、北軍は仙台を占領し、東京方面へ退却する南軍を追って戦力を二分、半分は福島県棚倉を越えて茨城県水戸へ、もう半分は利根川に出てその渡河点を占領するため、陸羽街道（国道四号）を南進すると想定した。一方、南軍はなるべく北方で迎撃するべく、東京から宇都宮に向けて出発する想定だった。このことから、南下する北軍をくい止める防衛ラインのひとつとして、鬼怒川

※3　特に断りがない場合、中野二〇〇五を基に記述。なお、この時の大演習は、移動を含めた実施期間は約一カ月に及んだ。

フランス人画家のジョルジュ・ビゴーが描いた明治25年10月の大演習。画面奥に描かれた丘陵部と道の様子から、河内郡田原村（宇都宮市）付近での演習風景を描いたと考えられる（宇都宮美術館蔵）

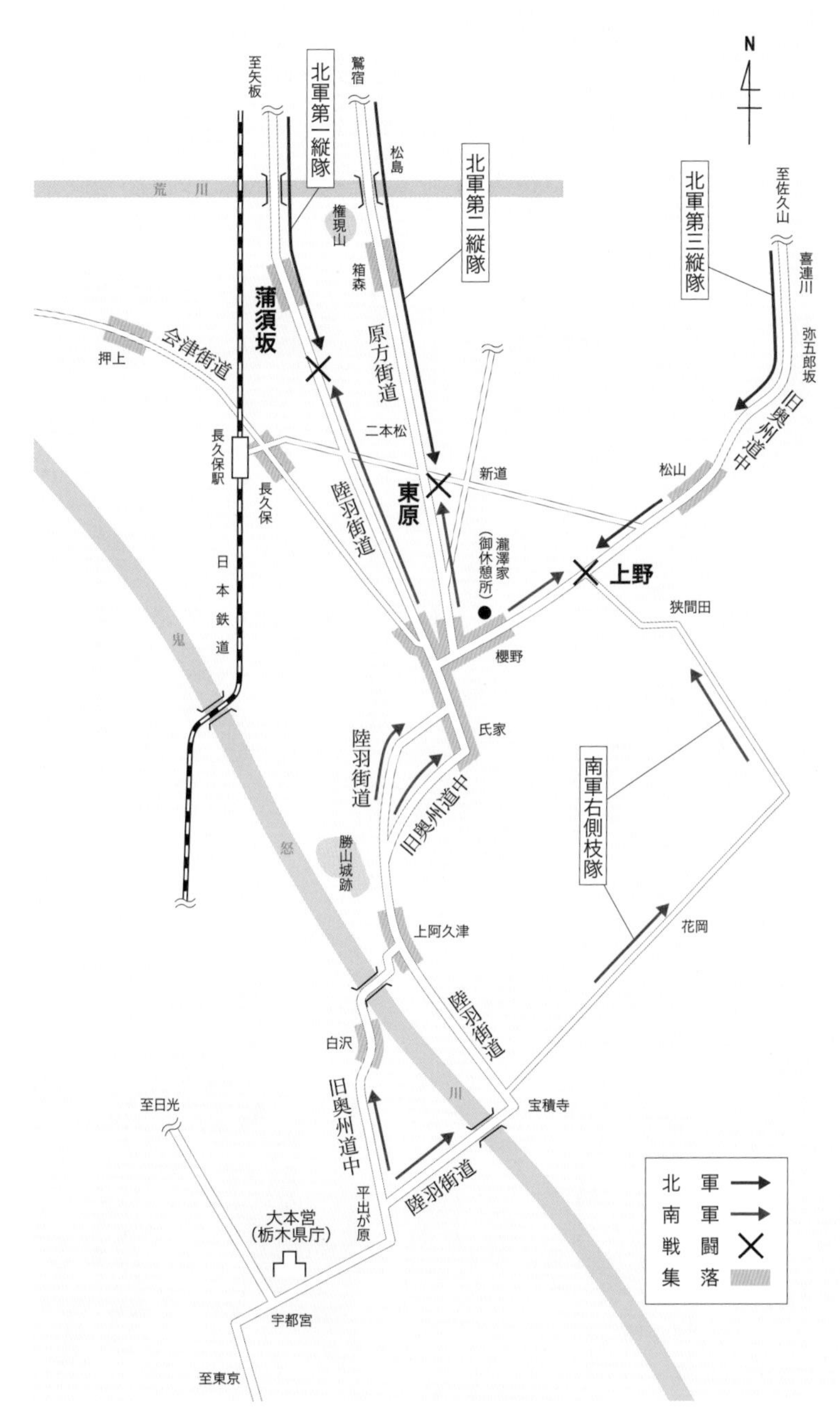

明治25年10月23日に行われた氏家町での大演習概略図（中野2005の掲載地図を基に作成）

を想定していたと考えられる。そのため、鬼怒川に近く、東北へと続く陸羽街道が通る氏家町付近が両軍による最初の衝突場所となった（一五七ページ地図参照）。

南北軍が衝突した場所は、蒲須坂口・東原・旧陸羽街道（さくら市上野の国道二九三号）の三地点だった。特に激戦だったのが東原で、天皇の演習観覧を前提としていたためと思われる。戦闘は北軍優勢で午前の演習は終了した。昼休憩をはさみ午後の戦闘が再開されるも、ほとんど戦闘らしい戦闘は行われず、氏家を制圧した北軍が優勢のまま一日目が終了した。二日目（二四日）は氏家に宿営した北軍が白沢・岡本（宇都宮市河内地区）から宇都宮を目指して攻め込み、平出が原※4（宇都宮市平出地区）で南軍と激戦を繰り広げ、三日目（二五日）は宇都宮郊外滝の原（県立宇都宮高等学校付近）で戦闘が行われた。翌二六日、参加した各師団の観兵式が平出が原で挙行された後、午後二時三〇分から宇都宮城跡で賜饌※5が供された（「大演習出張の軍楽隊御宴会場所へ差出方の件」）。

大演習による地域負担と利益

大演習は、実施地と周辺の地域社会に影響を与えた。明治四〇年

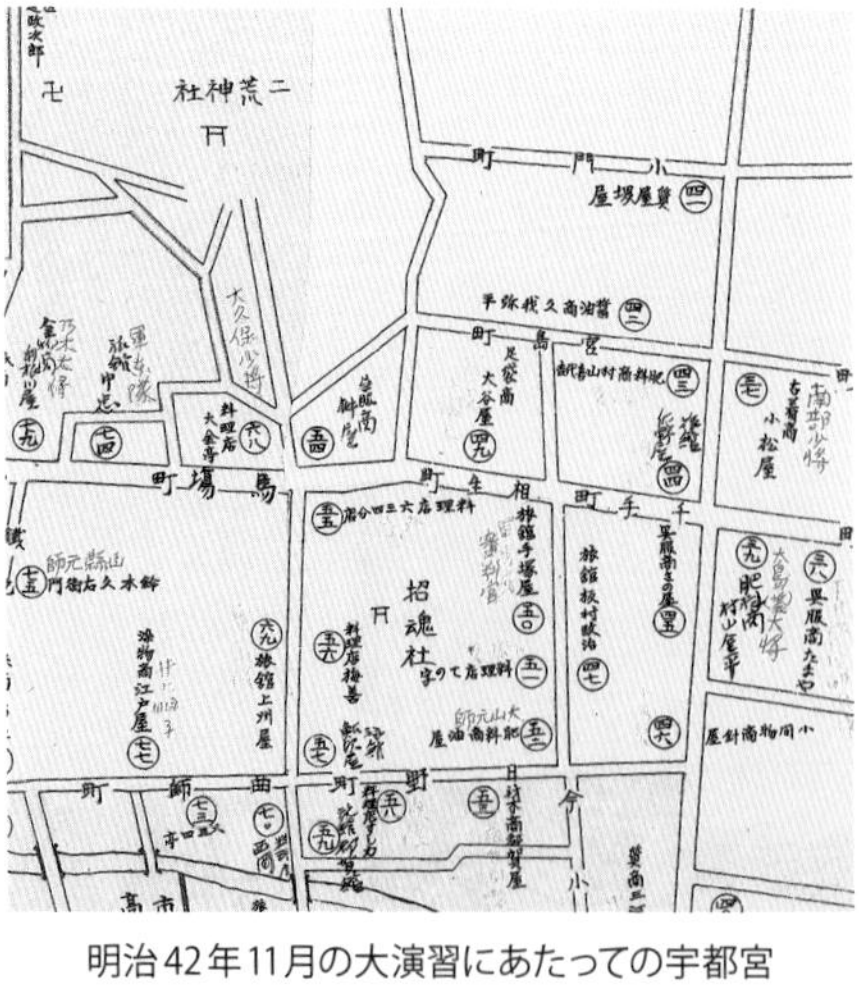

明治42年11月の大演習にあたっての宇都宮市内宿舎一覧図（部分、個人蔵：随想舎提供）

明治42年11月の大演習時、東北本線宇都宮駅前に設置された奉迎門（個人蔵：随想舎提供）

大演習の場合、北高根沢村（高根沢町）役場が各区長宛に、道路や橋梁の修繕、伝染病発見のための週一回の各戸巡察、飲み水の安全管理、そして早めの農作物収穫などを通知した（高根沢町史編さん委員会一九九九）。また、大演習に参加した兵士たちの宿泊を演習地周辺の農家が宿舎として提供し、応分の宿泊料は軍部から支払われた。

一方で、大演習は地域経済に利益をもたらした。とりわけ、大演習やその後の観兵式などを参観する人たちからの宿泊費や飲食費、土産代などの観光収入が得られた（中野二〇〇二）。宇都宮の場合、明治九（一八七六）・一四（一八八一）年の明治天皇奥羽巡幸で行在所（あんざいしょ）※6にあてられ、明治四二年大演習で上級軍人たちの宿泊場所としてもあてられた鈴木久右衛門宅（山縣有朋、一五八ページ図参照）や五代目上野松次郎が経営する肥料商油屋（大山巌）、初代村山金平が経営する肥料商（大島義昌）など、宇都宮を代表する名家が供された。

大演習を通じて、実施地域の人びとは兵士たちの日常をより身近に体感できた。その一方、地域社会にとっては、大演習後に行われた天皇への拝謁や物品献上、功労者への贈位・顕彰など、地域経済への利益をもたらしてくれるイベントとして大演習を考えていた。地域社会はあくまでも、現実主義的に大演習を利用していた。

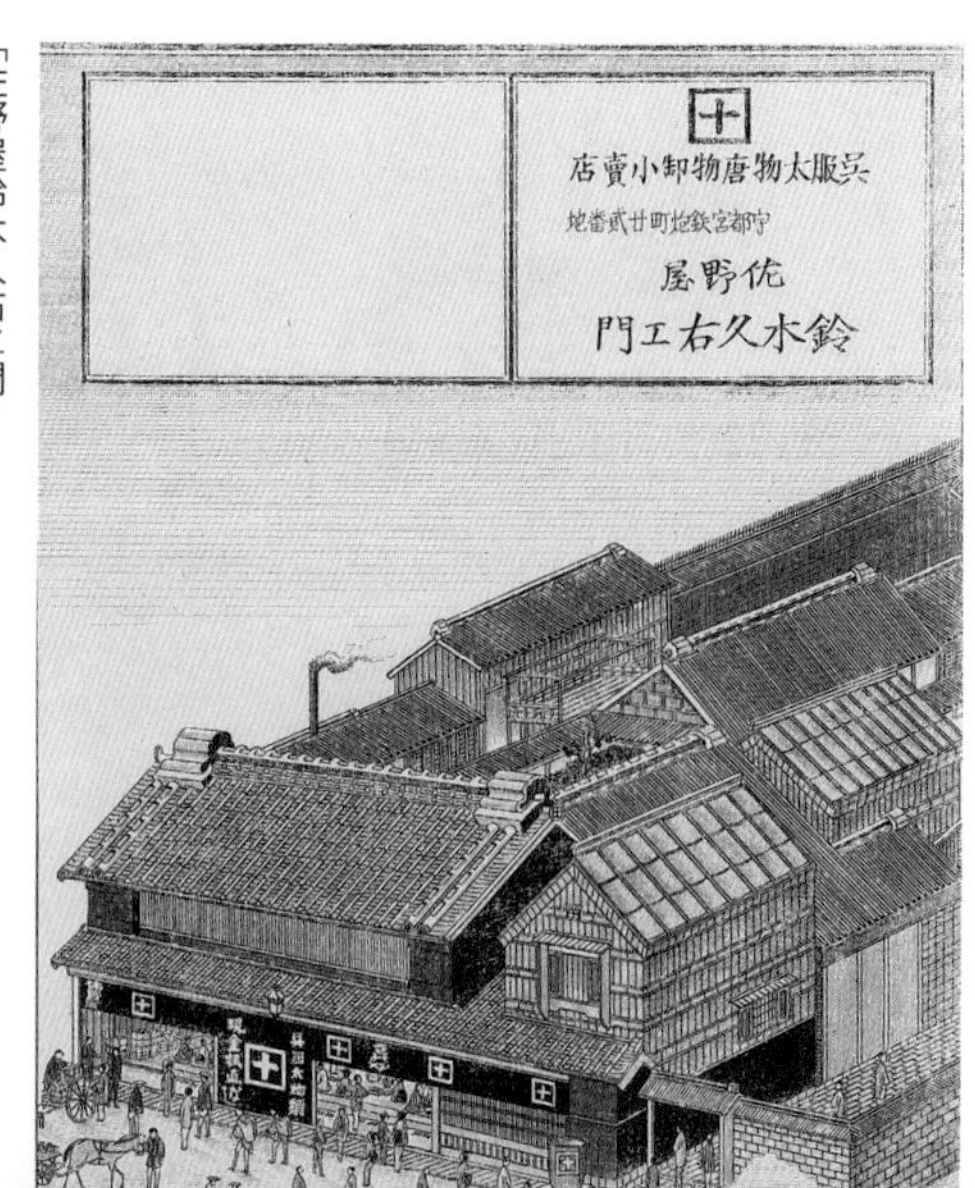

「佐野屋鈴木久右エ門」（『宇都宮諸商店之図』、那須野が原博物館蔵）

※4　この後、明治四二年の大演習でも明治天皇が平出が原に臨御されたため、のちに「御幸ケ原」と呼ばれた。
※5　天皇から賜る食事。
※6　天皇が旅先に出た際に設けられた仮御所。

鉄道による時空間の支配化

明治五年九月（旧暦）に開業した新橋─横浜駅間にはじまる鉄道の普及は、日本における近代化を象徴するトピックである。中でも、天皇による巡幸と軍事における物資や兵士などの輸送を担うロジスティックス（兵站）にとって、鉄道が果たした役割は大きかった。いずれにも共通しているのが、鉄道による時間と視覚的支配だった。

時間支配をもたらした鉄道の特徴として、速度とダイヤグラムが挙げられる。たとえば、明治一一（一八七八）年巡幸の場合、京都から東京までは基本的に馬車での移動※で二〇日間を要していたが、明治二三年の鉄道による行幸の場合、新橋─神戸間に要した時間は一五時間四七分だった。明治二三年の行幸では、ダイヤグラムによる一分ごとの精密な時間に従って御召列車を初めて運行した。これにより、分単位で刻まれるスケジュールを可能にした（原二〇一一）。

またロジスティックスという観点から見ると、迅速・大量に輸送できる鉄道は、防衛や戦時においてきわめて有利と見なされていた。その背景には、明治一八（一八八五）年にドイツから招かれたメッケル少佐による軍制改革があった。メッケルは、普仏戦争（一八七〇〜七一）でプロシアが勝利した要因として、鉄道による迅速な輸送を教訓として説き、鉄道利用による国防構想の確立を促した（松下二〇一五）。

メッケルによる軍制改革をきっかけに、参謀本部は自らの鉄道要求を広く

明治廿三年五月十六日改正　東京新橋神戸間汽

[illegible]

東京新橋神戸間汽車発着時刻及賃金表
（部分：明治23［1890］年発行、那須野が原博物館蔵）

アピールしていく。この前後には、明治政府の要人・黒田清隆が論じた鉄道利用による兵備の合理化や陸軍の総帥・山縣有朋が主張した財政難による軍備拡張が進められない点を鉄道の完備によって克服するという意見が出された。これらは、ロジスティックスの迅速化とともに、陸海軍の軍事拠点を鉄道で結んでネットワーク化させ、軍隊を効率的に配備できる狙いが込められていた（下図参照）。

　日清戦争開戦当時、栃木県内には師団と歩兵連隊は駐屯していなかった。しかし栃木県を縦断する鉄道は、青森から当時大本営が置かれた広島までつながっていた。鉄道網の観点から、来たる軍備拡張の際、栃木県、とりわけ宇都宮に師団や歩兵連隊などが駐屯する可能性は十分あった訳である。

　一方、鉄道は時間支配のみならず、より効果的な「視覚的支配」をもたらした。江戸時代の徳川将軍家による日光社参（一二〇・一二一ページ参照）という政治的パフォーマンスが、将軍の「ご威光」を人びとに与えたのと同じ効果として、鉄道が天皇を「物理的に見えない＝おそれ多い大元帥」あるいは「神」としての像を創り上げ、結果として国家レベルでの天皇の権威確立を促す装置としても機能していた（原二〇一一）。

　鉄道によるロジスティックスと権威者である天皇による鉄道利用は、軍部や権力側による時空間支配をもたらした。これがすなわち、明治政府が志向した「近代化」のひとつでもあった。

※山沿いや川は肩輿で移動。新橋―神奈川間は鉄道。

日清戦争開戦時（明治 27 年）の鉄道網（松下 2015 掲載地図を基に作成）

2 昭和戦中・戦後復興期

第一節 軍需工場とインフラ整備

昭和一二（一九三七）年七月にはじまった日中戦争の激化で、国内の経済は準戦時体制化した。翌一三（一九三八）年の国家総動員法により、政府は議会不承認で国民生活と経済全体の統制を行う権限を持った。そこで政府は、軍需産業に多額の資金を割り当て、「ぜいたくは敵だ」のスローガンの下、国民に生活の引き締めを求めた。昭和一五（一九四〇）年六月、兵器生産のための金属回収令が公布され、昭和一八（一九四三）年十月には軍需会社法が成立した。軍需会社は、計画した生産量の実現を義務化され、国家の管理下に置かれた。

栃木県内にはいくつもの軍需工場があった。その中、軍需工場が

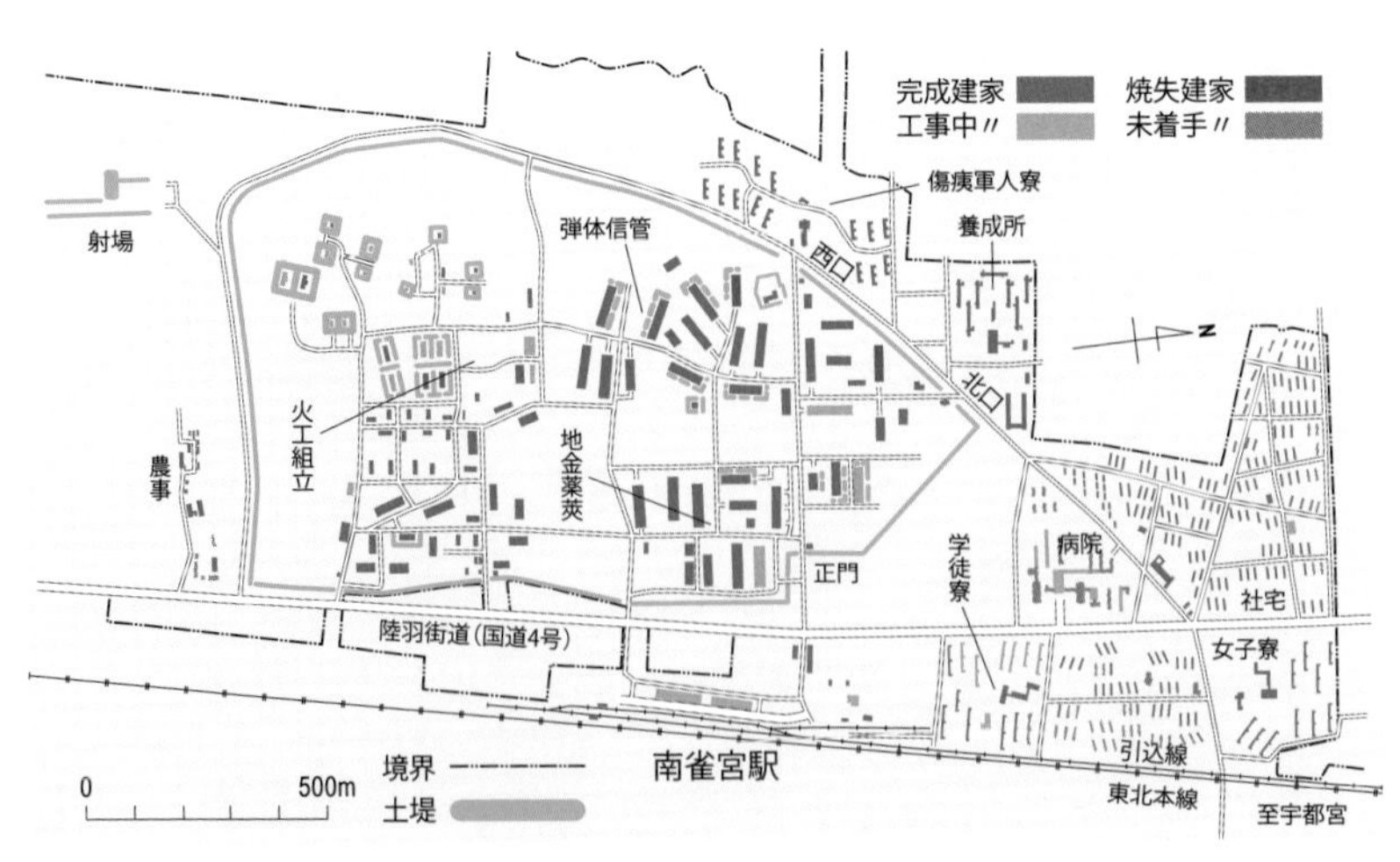

関東工業雀宮工場配置図（昭和20年9月30日時点、安原1977を基に作成）

やってきたことで、地域の生活空間が大きく変化した地区があった。河内郡雀宮村大字雀宮（宇都宮市雀宮地区）である。この変化をもたらしたのが、陸軍の航空機搭載用機関銃弾など各種弾丸を製造する関東工業株式会社（以下、「関東工業」と表記）雀宮工場である※1。

関東工業の設立

戦時中、日産自動車は陸軍から銃弾丸製造工場の新設を要請された。協議の結果、昭和一七（一九四二）年五月に日産自動車加工部を母体とする新会社の設立が決定、八月には雀宮への工場建設が内定した。広大な土地の確保が見込めそうだったのと、近くで壬生陸軍飛行場が建設中だったのが決め手となった。十月、新会社「関東工業」が発足、十二月に陸軍から工場建設命令が下りた。

昭和一八年八月から工場建設が着工された。建物は工期短縮のため木骨トラス※2とし、これを組み立てたものを採用した。翌一九（一九四四）年四月末に全数の二九棟が完成し、寮や社宅の多くは三月末までに完成した。日産自動車横浜工場からの人員移動が完了した四月、雀宮工場は本格的に稼働した。その他、食料自給を増やすため、農事部門が敷地の一角を開墾して野菜や薬草をつくったほか、

※1　特に断りがない場合は、安原 一九七七を基に記述。
※2　それぞれの部材同士が三角形に組まれた骨組みの構造物。

米軍撮影による関東工業雀宮工場付近の空中写真
（部分、南から北に向けて撮影：昭和22年10月25日撮影：国土地理院ウェブサイトより）

畜産も行っていた。昭和二〇（一九四五）年三月時点での就業人員は六四二三名だった。

インフラの整備

工場は雀宮の生活空間を大きく変えた。無電灯地域への配電、診療所の設置と病院建設計画、そして上水道の整備である。

昭和一八年六月、建設工事用仮受電所を開設、翌一九年六月に受電設備を完成させた。これにより、雀宮村のほぼ全域と河内郡瑞穂野村（宇都宮市）、本郷村・明治村（いずれも上三川町）では、この年の秋から翌二〇年春にかけて電灯がついた。ある地区では、電化を祝って演芸大会などの催しが行われたという。

工場では当初より病院建設計画があり、建設途中でも診療を行っていた。工員の養成所（昭和一八年九月入所開始）には診療所が設けられ、従業員やその家族が利用していた。当時、雀宮村は無医村だったため、伝手（つて）を頼って近隣の地区からも患者が訪れていたという。そして、工場から東へ約二キロメートルに位置する雀宮村御田長島（みたながしま）の田川伏流水を水源とする上水道を敷設し、昭和二〇年四月に給水を開始した（宇都宮市上下水道局 二〇一七）。

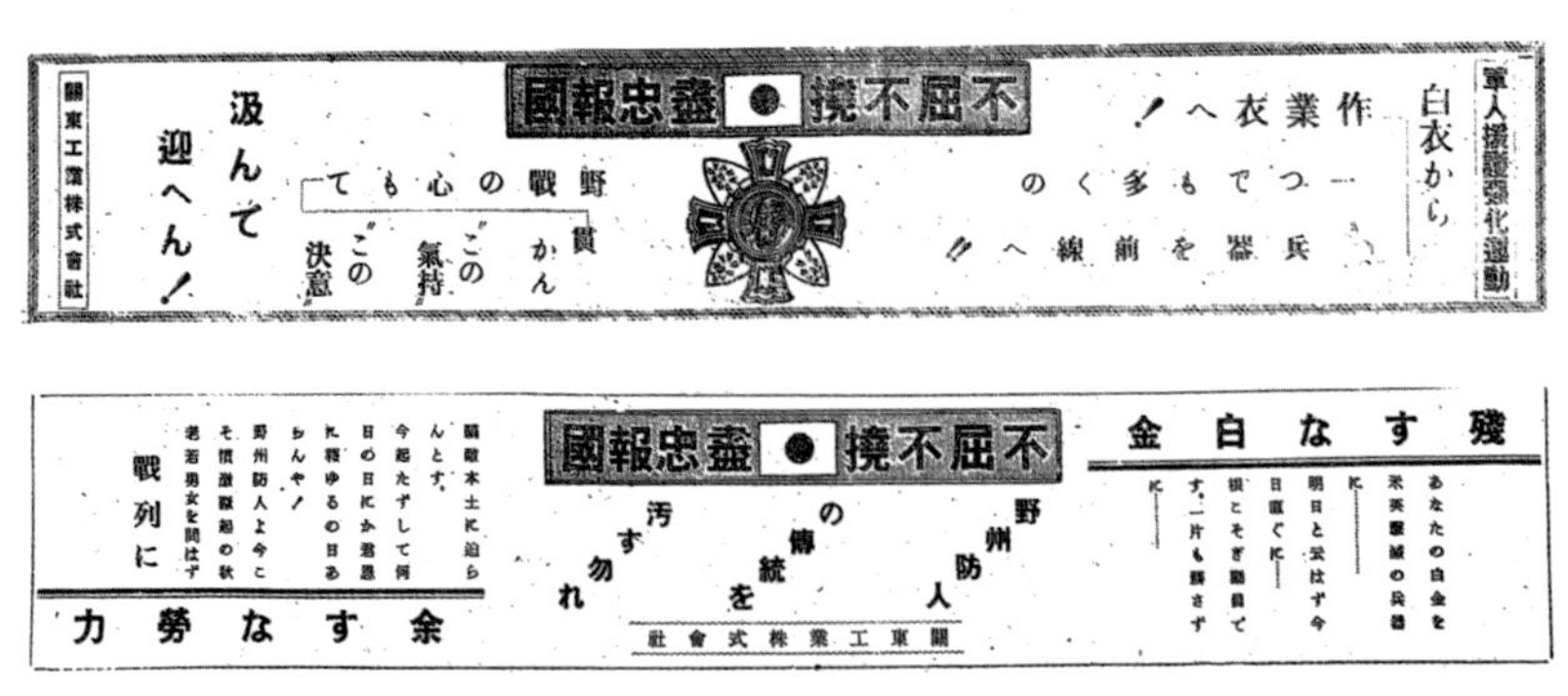

「軍人援護」と「白金」（プラチナ）供出を促す関東工業による広告
（『下野新聞』昭和19年10月8日付［上］と10月11日付［下］）

このほか、昭和一八年三月には、製品出荷のための鉄道専用引き込み線が内定し、十一月には関東工業専用駅として引き込み線が完成した。そして翌一九年十二月、旅客用の南雀宮駅が開設され、宇都宮駅間を朝夕往復し、四千人を超える通勤者を運んだ。

会社解散と跡地への誘致

敗戦後、昭和二〇年九月末日付で全員が解雇され、建物は大蔵省（財務省）へ移管された（吉野 一九八三）。昭和二二（一九四七）年、従業員一二〇〇名を再雇用し、平和産業として、農機具や鉄道車両などの生産を行うも、昭和二四（一九四九）年六月、業績が不振で再び工場は閉鎖、翌二五（一九五〇）年に会社は解散、同年十一月には新会社「共立精機」が発足した（宇都宮市教育委員会 二〇〇二）。

同年二月、工場跡地の一部を商店街にと考えた地元有志たちが、跡地を管理する大蔵省関東財務局と跡地買収の仮調印をし、八月に二七店舗が完成した。現在の日の出通り商店街である（吉野 一九八三）。一方、「警察予備隊令」が八月に公布・施行されると、県は工場跡地に警察予備隊営舎の誘致を実現させ、十一月に警察予備隊宇都宮営舎が設置された。そして昭和二九（一九五四）年七月、陸

ここに旧南雀宮駅舎があったが、当時の遺構はほぼ残っておらず、周辺は住宅地になっている（宇都宮市）

上自衛隊発足に伴い陸上自衛隊宇都宮駐屯地となった。

軍需工場が地域へ遺したインフラ

現在、関東工業の社宅跡地は住宅地となり、往時を偲ばせるものは何も残っていない。しかし、関東工業が残した遺産のうち、今なお多くの人たちに利用されているのが病院と上水道である。

昭和二一（一九四六）年八月、建設途中だった病院を栃木県国民健康保険団体連合会が買収し「健康保険 雀宮病院」（JCHOうつのみや病院）が設立された。一方、上水道は、敗戦後に大蔵省（当時）より無償貸与を受けて雀宮村が経営。昭和三〇（一九五五）年四月、宇都宮市との合併時に「雀宮町簡易水道※3」として市へ引き継がれた後、昭和四一（一九六六）年十二月には宇都宮市の上水道へ連結した（宇都宮市上下水道局 二〇一七）。

ところで、関東工業はなぜ自らの手でインフラを工場内外へ整備していったのだろうか。おそらく、「自給自活」という当時の関東工業社長の考えが深くかかわっていたためだろう。戦争の痕跡は残らなかったが、関東工業が雀宮地域に残した遺産は有形無形を問わず、今なおここで暮らす人びとの生活を静かに支え続けている。

宇都宮市茂原地内にあった配水塔（高さ 17.5 メートル）。
老朽化のため、平成 28（2016）年 3 月解体された（宇都宮市上下水道局提供）

※3 水道法により、給水人口一〇一人以上五千人以下に給水計画をした小規模の水道事業のこと。施設の設備構造は水道と同じ。

第二節 「空」の戦争遺跡

昭和六（一九三一）年九月の満州事変から昭和二〇年八月のポツダム宣言受諾までの間（十五年戦争期）、全国各地に数多くの軍事施設や軍需工場、防空関連施設が造られた。敗戦後、これらの施設の多くが破棄され、中にはわずかながらも、戦争を伝える痕跡として残っているものもある。これらの遺跡は「戦争遺跡」と呼ばれている。

戦争遺跡とは、近代日本の国内・対外戦争とその実行過程で形成された遺跡のことを指す。時代範囲は幕末からアジア・太平洋戦争敗戦頃までとし、戦争に関するあらゆる遺跡などを対象としている※1。また調査研究の対象地域は国内に限らず、日本軍がかかわったアジア・太平洋地域にまで及ぶ（菊池二〇一五）。

なお、「軍事遺跡」（軍事遺産）と表現する研究者たちもいるが（鈴木二〇一〇など）、本節では「戦争遺跡」と表記する。「軍事」という言葉では軍隊に限定されてしまい、空襲・戦災跡や戦災を受けた非軍事施設などの歴史的経緯を伝える遺跡がもれてしまうためである。

旧熊谷陸軍飛行学校桶川分教場に残る復原整備前の兵舎棟（埼玉県桶川市：桶川市提供）。栃木県内にあった各分教場兵舎棟も同じような建物だった

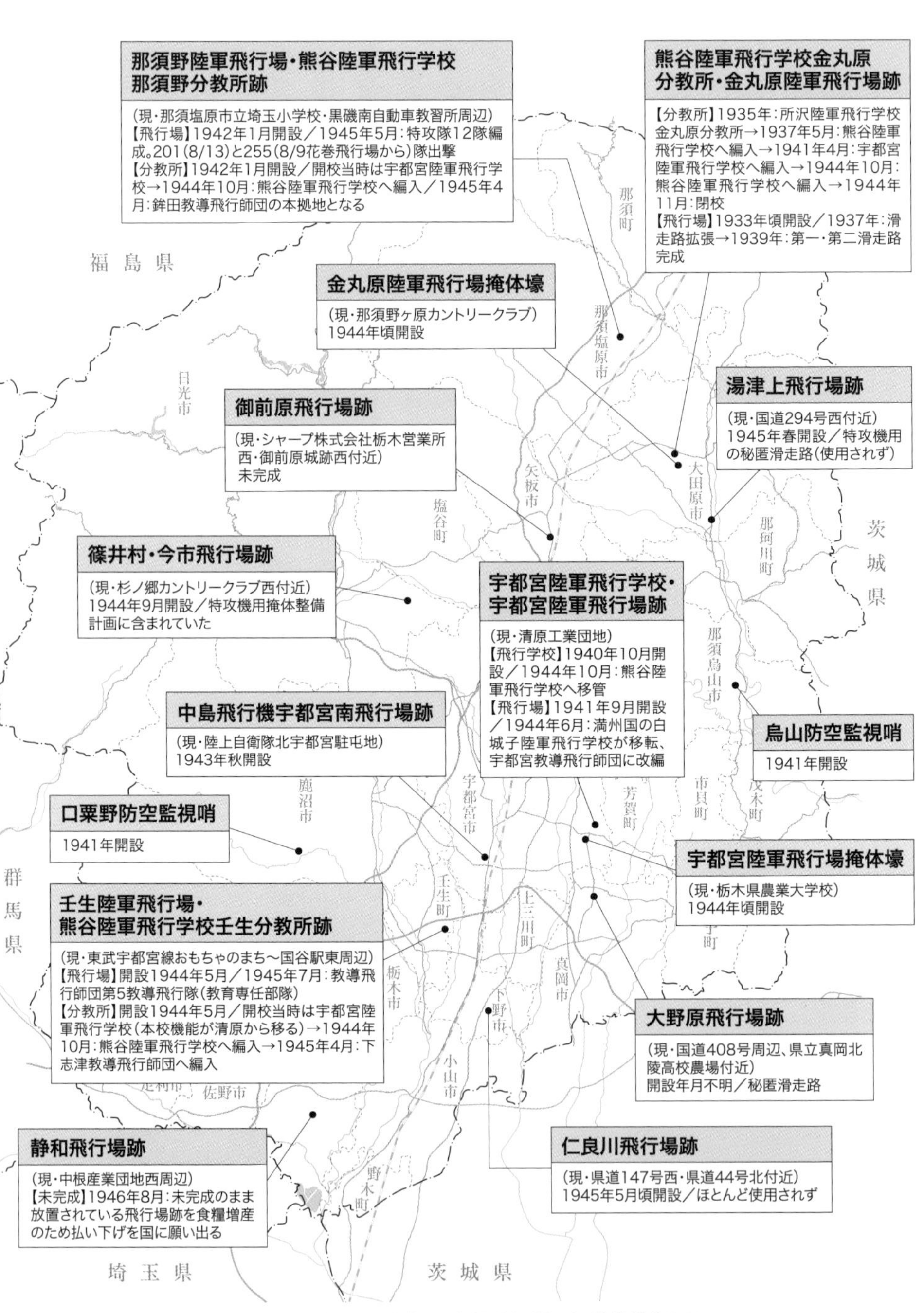

栃木県内の飛行学校・飛行場跡と監視哨・掩体壕位置図

首都防空網と陸海軍飛行場・監視哨・掩体壕の建設

栃木県の場合、戦争遺跡についてまとまった調査報告書は残念ながら出されていない。ただ、各自治体史での言及や、人びとの生活空間のそばにあった軍事施設跡や軍需工場跡、防空壕跡や空襲の調査・研究報告は行われている（宇都宮市教育委員会 二〇〇一、北那須郷土史研究会 一九九六など）。県内の戦争遺跡で特徴的なのは、飛行場をはじめとする「空」にまつわる遺跡が多く確認できる点である（一六八ページ地図参照）。その背景にあるのが、アジア・太平洋戦争開戦前の昭和一六年頃に成立した首都防空網構想である（下図参照）。

首都防空網の特徴は、大小二つの同心円状に飛行場が配置されている点である。第一の小円弧は東京都心部を中心点に半径五〇キロメートルの灯火管制※2区域とし、第二の大円弧はその外郭の太平洋沿岸に首都防空の前衛として海軍飛行場を、栃木県など内陸諸県には首都防空の後衛として陸軍飛行場を重層的に配置した。また常駐飛行場の周辺には、首都防空網を継続的に支えるため、パイロット※3や機体整備員養成の教育飛行場を配置した。栃木県内の場合、常駐飛行場は宇都宮（昭和一六年九月開設）と壬生（昭和一九年五月開設）、教育飛行場は那須野（昭和一七年一月開設）の各陸軍飛行場だった。

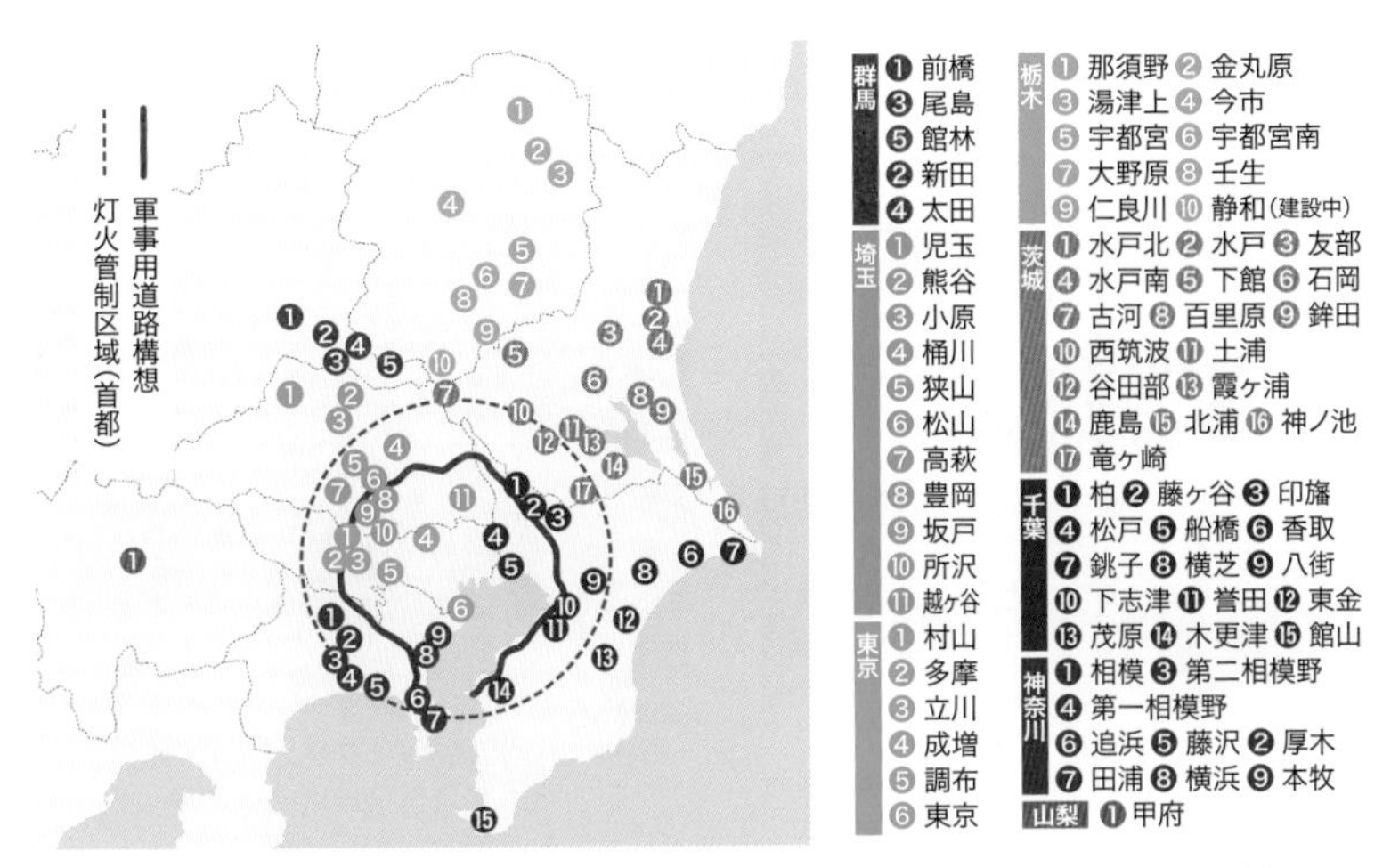

1都7県に配置された飛行場（昭和20年6月：鈴木2012を基に一部修正の上作成）

飛行場建設は、陸軍航空本部が計画し経理関係業務を専門とする第三部が実務を担った（菊池 二〇〇八）。飛行場選定では、国民生活や食糧生産をできるだけ圧迫せず、水田地帯を避けた広大で平坦な森林や畑地に絞って検討された。その結果、条件に合ったのは、東京・神奈川をのぞく関東の五県と九州の宮崎・鹿児島・熊本の三県のみだった。こうして、敗戦前までに日本本土だけで陸海軍合わせて約二一〇カ所以上の飛行場が建設された（鈴木 二〇一二）。

なお、戦局が一層厳しくなった昭和一九年秋以降になると、軍部は米軍機に見つからないよう秘匿飛行場の建設を密かに進めていた。しかし、米軍はすでに偵察によってその存在を察知していた※4。また、ほとんど使われなかった飛行場や未完成の飛行場もあった。

首都防空網の成立と同じ頃、「防空監視隊令」（昭和一六年）の発令を受けて策定された『栃木県防空計画』により、県内に監視隊本部三カ所（宇都宮・大田原・佐野）と四三の防空監視哨（かんししょう）※5の常設が義務づけられた。監視哨では、隊長一、副隊長三、隊員二四名で構成され※6、二四時間体制で敵機の監視にあたっていた。

また戦局が厳しくなると、各地で飛行機などを敵の攻撃から守るためドーム状の掩体壕（えんたいごう）※7が造られた。県内の各陸軍飛行場のうち、

烏山防空監視哨跡
（那須烏山市商工観光課提供）

那須野ヶ原カントリークラブに残されている
金丸原陸軍飛行場掩体壕跡
（大田原市教育委員会提供）

宇都宮・金丸原・那須野・壬生・今市で特攻機用の掩体壕建設がそれぞれ三〇カ所計画されていた（「特攻機用掩体整備計画」）。

なお、県内に現存する二箇所の監視哨と宇都宮と金丸原陸軍飛行場跡に残された掩体壕は、歴史的価値のある土木構造物を顕彰するため、平成二四（二〇一二）年度土木学会選奨土木遺産に認定された。

飛行場跡地での開拓

敗戦後、栃木県内に残された飛行場跡の多くは開拓地として生まれ変わった。ここでは、壬生陸軍飛行場跡（壬生町壬生丁ほか・下野市下長田）での開拓について見てみよう※8。

敗戦後、残された軍需品をＧＨＱ（連合国軍総司令部）へ引き渡すための残務処理が行われた。一〇月末までには完了し、リストアップされた約四〇機の軍用機は滑走路跡で焼却処分されたという※9。

昭和二一年一月、県は食糧増産推進本部を設置すると（昭和二五［一九五〇］年三月解散）、壬生・金丸原・黒磯（那須野）の旧陸軍飛行場に開拓基地農場を設け、昭和二一年度から入植者への訓練を行った（栃木県開拓十周年記念事業委員会 一九五六）。また同月、壬生帰農組合（壬生開拓団）が設立された。入植戸の内訳は、引揚者一〇、軍人一五、疎開

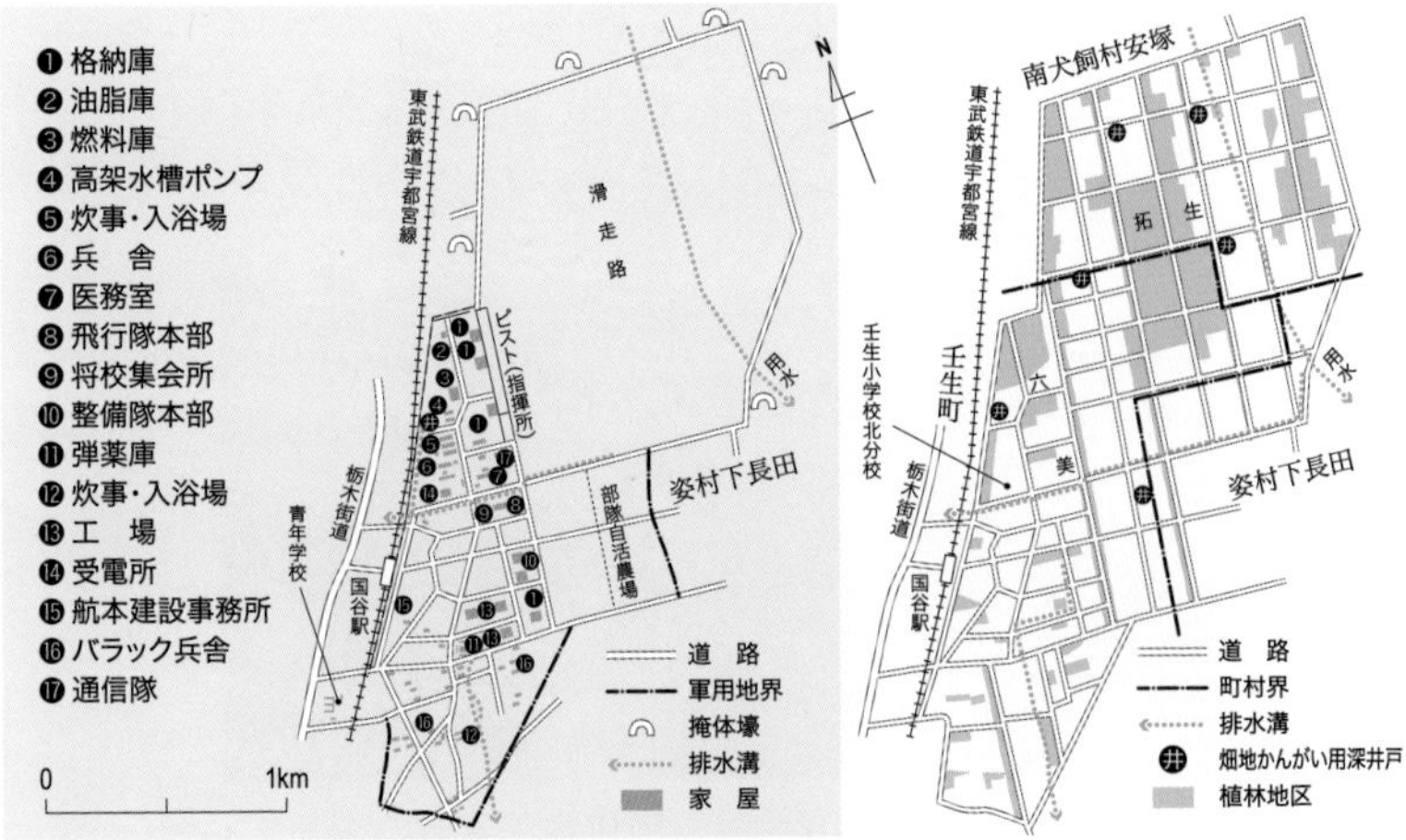

教導飛行師団および壬生陸軍飛行場関係図（左：昭和20年7月）と壬生（六美・拓生）開拓地略図
（右：昭和26年、安原 1975掲載地図を基に作成）

一三、地元二〇の計五八戸で、中には敗戦時に壬生の第五教導飛行隊長だった陸軍大佐など幹部も入植した（安原 一九七五）。

昭和二二年十一月、GHQの指示により農業協同組合法が公布されると、翌二三年一月に壬生帰農組合を解散させ、壬生開拓農業協同組合を設立した。開拓地も新たな名前が命名され、昭和二二年十月には北部地区の小字名を「拓生（たくにゅう）」、昭和二三年四月には南部地区の小字名を「六美（むつみ）」と決定※10し、土地の記憶に深く刻み込んだ。

開墾と本格的な営農

当時の入植者の住まいは、飛行場跡に残された兵舎や事務室、倉庫のほか、五〇坪ほどの粗末な木造兵舎だった（一六七ページ写真参照）。しかし、木造兵舎のガラス窓や出入口の扉は持ち去られ、天井には大きな穴があき、荒れ果てた状態だったという（安原 一九七五）。

入植者は、堆肥づくりのための落ち葉さらいや開墾地確保のためナラ・クヌギ、マツなどの平地林を伐り倒した。農業未経験の入植者にとっては、慣れない農作業で鍬をもつ手がマメだらけになり、腰も痛めてとても辛かったという※11。水はけがよかったため、主に陸稲（おかぼ）、落花生、ユウガオの実（かんぴょうの原材料）、スイカ、麦類、

14歳ながら、下志津教導飛行師団通信隊員として壬生で採用された岩田（旧姓荒川）幸治氏。敗戦後、壬生陸軍飛行場跡で残務整理に従事。背後に見えるのは、壬生陸軍飛行場跡で処分される前の一〇〇式司令部偵察機（昭和20年10月中頃撮影、岩田幸治氏提供）

サツマイモ、栗、桃、梨などの作物をつくった。このほか、ヤギや鶏などの家畜も飼い※12、乳や卵は貴重な現金収入となった。

昭和二一年三月、県は飛行場跡（三三九ヘクタール）を道路・水路・防風林などの建設工事に着手した（～昭和二四年度、総事業費は四五万六八七九円）。また同月、組合による各入植者への土地の割り当てが決まった。そして昭和二四年（一九四九）二月、壬生・拓生両地区で各入植者へ二四年払いで土地が売り渡され、営農に取り組んだ。

念願の小学校創立

開拓地で暮らす子供たちの教育問題は、入植者家族にとって切実な問題だった。壬生・拓生地区の場合、東武宇都宮線国谷駅から壬生駅まで電車で通学していて、通学時や学校での不測の事態への対応に苦慮していた。そのため、子供たちのいる家族からは地元に学校をつくって欲しいという要望が多く寄せられていた。これを受けて昭和二四年一月、農林省の開拓予算と町の経費で、壬生町立壬生小学校壬生北分校が創立された。校舎はさしあたり旧兵舎を利用し、敷地は壬生基地農場用地のうちの約二ヘクタールを充てた。その後、昭和二八（一九五三）年四月、壬生小学校壬生北分校は壬生町立壬生

昭和56年1月、六美会館東側に建てられた壬生開拓記念碑（壬生町）

壬生陸軍飛行場関係遺構で唯一残っている防火水槽跡（壬生町）

北小学校として独立校となった。

「無から有を生ずる」

現在、飛行場関連の痕跡は防火水槽しか残っておらず、入植者たちによる開拓生活の痕跡もまた、わずかしか残っていない。昭和三八（一九六三）年、拓生地区への輸出玩具工場団地進出が決まると、拓生地区は「おもちゃのまち」として生まれ変わった。地区に住む組合員の多くは代替地を求めて六美地区へ移り住んだ。入植した人びとにとって開拓にまつわる記憶は、字名とし今でも残る「拓生」という地名とともに、こころと身体にずっと刻み込まれた。

「（開拓地での暮らしは）無からはじまったようなもの。でも人間ないなりにやっていくもんだなと。…毎日が大変だった。食べて生きていくということが。けれども、なんとかなるっていう希望はあったんだろうと思う[※13]」。この言葉は、開拓地で生きた人びとに共通する思いであろう。それ故、壬生小学校壬生北分校の教育理念「無から有を生ずる」は、開拓地で生きた入植者の理念そのものだった。

※1 明治二（一八六九）年の兵部省（のちの陸海軍省）設置を日本の近代軍制の成立と考え、遺跡形成の開始時期と考える場合もある（菊池二〇一五）。
※2 敵が状況を把握するのを防ぐため、軍事・民間施設などでの照明を制限すること。
※3 陸軍では「操縦者」、海軍の場合は「操縦員」と呼称。
※4 栃木県の場合、篠井村・今市飛行場や湯津上飛行場など
※5 敵機飛来をいち早く発見し、防衛司令官に報告するための施設。
※6 各監視哨によって隊員数は異なる。
※7 物資や装備、飛行機などを敵の攻撃から守るための施設。通常はかまぼこ型をしたコンクリート製で、爆風や破片除けの土堤でできた屋根のない簡易なものもある。
※8 本項以降、特に断りがない場合は、壬生開拓団一九八五を基に記述。
※9 岩田幸治氏インタビュー（平成二七［二〇一五］年五月一五日収録）。
※10 この地では月・ススキ・松・水・風土・人情の「六」つがとても「美」しく、また、清く、正しく、健やかに、力合わせて、逞しく、豊かな村を築くことを祈って命名。
※11 岩田清子氏インタビュー（平成二七年六月二日収録）。（朝鮮からの引揚者で六美地区北部へ入植。平成二七年六月二日収録）。
※12 夫婦の場合、主に妻の仕事だった。
※13 岩田清子氏インタビュー（平成二七年六月二日収録）。

VI 座談会

月岡芳年「藤原秀郷竜宮城蜈蚣を射るの図」『新形三十六怪撰』
（明治23［1890］年、東京都立中央図書館特別文庫室蔵）

なぜ今「戦乱」なのか？

江田　まず、本書がどのような意図で書かれたのかを簡単に述べますと、戦乱や災害などといった「非日常」という視点から、とちぎの歴史を改めて考えるためにつくられた本、ということになります。

そして、私たちが踏み込んでなぜ戦乱から歴史をみたのかというと、平成の時代は表面的には平和だったと見なせますが、実際国外に目を向けると、地域紛争やテロが止むことはなく、少し現実を見れば、私たちは戦乱の危機に直面している時代を生きている。そういう中で、私たちの歩みを「戦乱」という視点から見直すと、どんな「今」が、どんな「過去」が見えてくるのかというのは、一見平和な今だからこそ、改めて考えてみる必要があると思います。私たちは「過去」のことを書きましたが、本書を通じて「現在」のことを、そして「未来」をどう考えていくのかというのが、本書の意義だと思うのです。

山口　二〇〇〇年以降、地震や水害などの自然災害が頻発し、国際間でも緊張状況が続き、未知の病気が流行し、政治経済も先が見えない現代は、一三〇〇年前の天平時代と似ているんですね。もし、今が七四〇年だったら「国分寺建立の詔（みことのり）」（七四一年）が発せられそうな状況です。詔の中で聖武天皇は、自分の徳が足りないから災害や争乱が起こるんだと自戒しています。つまり、昔も今も非日常としての災害や戦乱が社会不安の根幹なのです。日本には古来より「ハレ」と「ケ」という考え方があります。庶民にとって戦乱は「ケ」なのだと思います。だから、昔のことを知った上で、今やこれからの事を考えることが必要なのです。

地政学的にみる「とちぎ」の特徴

下田　ちなみに、栃木県に関する通史的な本として、一九六八〜八四年にかけて編さんされた『栃木県史』（全三三巻）のほか、河出書房新社刊の『図説 栃木県の歴史』（一九九三年）、山川出版社刊の『栃木県の歴史』（一九九八年）がありました。しかし、「戦乱」の視点からとちぎの歴史を叙述した本は、これまでありませんでした。「戦乱」からとちぎの歴史を見ることで、「とちぎ」という地域の地政学的特徴がはっきりわかると思います。

山口　そこでまず指摘できるのは、下野国という場所が北（奥州）と南（京・鎌倉・江戸）をつなぐ結節点になっていますね。

笹﨑　そして、下野国が奥州の玄関口という点ですね。

江田　古代・中世でいえば、「辺境」（都から遠く離れ、開けていない場所）と呼ばれる地域があって、辺境との境界が下野国ということになり、辺境に暮らす蝦夷（えみし）との絶えざる緊張関係の中で戦闘技術（弓・馬）を鍛え上げた精鋭中の精鋭として、南北朝時代まで最先端をいっていたのが「下野武士団」という軍事技能集団であり、それを象徴する存在が藤原秀郷でした。しかし、南北朝時代以降の全国的な戦乱状態を迎えると、絶えざる軍事的緊張の中で鍛え上げられていくというのは辺境に限らない状況になり、戦国時代になると新しい武器（鉄砲）と戦術を身につけた連中が辺境を支配していくという現象が起こる訳です。そういう意味で、古代以来、辺境との最前線に下野国があって、それがある段階までは下野の歴史を規定したと思うのです。

笹﨑　そして江戸時代を通じて、下野国にとってエポック・メイキングだったのが、日光東照宮の存在だったと思います。古代の東山道、中世の奥大道が開通以降、対奥州の街道は整備されたこともあり、奥州道中が先に整備されつつありました。しかし日光東照宮が造営されると、日光道中がメイン街道となり、徳川家康が眠る聖地＝日光への将軍参拝（日光社参）が深くかかわることになります。このことと関連して、たとえば三代将軍徳川家光の信頼厚い家臣（六人衆）や譜代大名たちは、まず下野国の大名となり、その後それぞれの相応の出世を遂げていきました。

江田　つまり、下野国に将軍家の側近が置かれるというのは、日光社参にあたって、護るべき対象（将軍家）との信頼性の厚さと東照宮が存在するという下野国の立地が関係している。

笹﨑　また下野国の場合、南北に街道や水運が発達していたため、川と街道の結節点に河岸ができ、そこに奥州南部からの年貢米などが運ばれるルートが確立されたことで、下野国の経済が発展する大きな特徴だったと考えられます。南北に走る東北新幹線が東西へ行くよりも近いという現象（近年では、北関東自動車道が開通して大きく改善された）は、江戸時代にそのルーツを求めることができるのではと思います。

江田　街道が整備されたことで、奥羽とのつながりはより活発になったと思うんです。日光道中は実際には日光が終点ではなく、そこからさらに奥州会津へとつながって、出羽米沢にもつながっていきます。それらが最終的に下野国でひとつになるのは大きいと思います。ですから、日常的なつながりという意味では、平和な時代こそ、活発な流通が行われていたのですね。

山口　江田さんが書かれていましたが、南北朝時代に関東（北畠親房）と東北地方の南朝方の共闘を阻止したのが、北朝方の那須氏なんですね（七二ページ参照）。つまり、東北と関東を「遮断する弁」のような役割です。古代においては、那須国や白河関あるいは烽家（「のろし」をあげる施設）のあった飛山城（宇都宮市）など、それらが「線」になって時代ごとのフロントラインになるんですね。中世以降に街道が整備され、人やモノの流れが活発化しますが、非常時には、「弁」を閉じる機能が政治的措置として置かれていたわけです。つまり、首都東京防衛の前線であり、軍需や生活物資などの供給地としてクローズアップされたと言えます。

下田　近代に入って、栃木県における地政学的な特徴として四点挙げられます。①第一回陸軍特別大演習が栃木県を舞台に行われたこと、②鉄道の敷設、③陸軍飛行場の建設、④軍需工場と立地周辺の生活空間の変化です。つまり、首都東京防衛の前線であり、軍需や生活物資などの供給地としてクローズアップされたと言えます。

①については、首都東京の最終防衛ラインとしての利根川を敵軍に越えさせないという想定のもとで特別大演習が行われました。それゆえ、第一回第一日目の舞台は鬼怒川左岸の宿場町氏家で行われました。氏家は奥州道中、会津、そして水戸へ通ずる道が交わる結節点でしたし、また阿久津河岸があったところです。この時の大演習は、塩釜港へ上陸した敵（北軍）が仙台を占拠し、首都東京を狙って白河と水戸経由の二方向で進軍し、東京からの軍（南軍）が鬼怒川手前でまずくい止めるというのが一日目の大きなタスクでした。

②ですが、日本鉄道第二区線（現在のＪＲ宇都宮線）が一八八五年に宇都宮まで開通し、八八年に両毛鉄道（現在のＪＲ両毛線）が、翌八九年に水戸鉄道（現在のＪＲ水戸線）が開通します。これらの鉄道開通当時、関東に歩兵連隊があったのは高崎（歩兵第一五連隊）と佐倉（歩兵第二連隊）だけで

した。そして一九〇七年に第一四師団が宇都宮に衛戍（えいじゅ）することで、鉄道によるロジスティックス（兵站（へいたん））の重要性と、古代から続く栃木県が担ってきた地政学的役割が改めてわかります。

江田　家康が会津の上杉氏を討つという時に、実際には美濃関ヶ原に向かっちゃうわけですけど、その時の防衛網というのは第一回の特別大演習といっしょですね。まず鬼怒川を防衛ラインとし、その前衛として大田原と氏家に防衛軍を置いて、蒲生秀行は氏家に、結城秀康は後衛として宇都宮にいて、これらがとりあえず利根川を守る最初の防衛網になる。ですから、「歴史は繰り返す」の言葉通り、北から攻められた場合にそういう防衛網を敷くのは、誰がやっても戦略的にそういう手段を取るんだと思います。

下田　一九世紀末の日本はロシアが仮想敵国でしたが、北から攻めてくるという意味での対東北（奥州）という感覚は古代から変わっていません。

それから③についてですが、栃木県内には多くの陸軍飛行場が建設されていました。これはアジア・太平洋戦争開戦直前に形成された「首都防空網」（一六九ページ参照）が深く関わっています。そして④については、関東工業という日産自動車系の弾丸製造工場が立地する河内郡雀宮村とその周辺の家々に電気を灯したことや簡易水道の敷設などのインフラを整備したことです。雀宮村に工場を建設したのは、近くに壬生陸軍飛行場があったことと、この地に東北本線が敷かれていたことが深く関わっています。鉄道にいたっては、専用の引き込み線と旅客用の「南雀宮駅」という駅もつくりました。

藤原秀郷再考

山口　ところで、秀郷流藤原氏が二〇〇年も三〇〇年も「うちの先祖はあの将門をやっつけた人だ」ということを言い続けています。つまり「家」の重さといいますか、「武士団」という組織体ができ上がっていく中で、そこに精神的なつながりの象徴となったのが藤原秀郷という人だと思います。平安時代から鎌倉・南北朝時代に話題となった人びとが近世になって蘇るように話題となります。その頃になると史実か伝説かが問題ではなく、ヒーロー・ヒロインのような取り扱いがされます。その物語の原点は『平家物語』や『太平記』などで、そこから浄瑠璃や歌舞伎などの演目がつくられていくようです。それをビジュアル化したものが錦絵ですね。

錦絵には一一世紀から一二世紀にかけて活躍した東国の人物たちが多く登場しますよね。しかし、基本的にはヒーローは八幡太郎義家で終わりなんですよ。鎌倉時代以降、執権政治になった段階で組織化されると、よくも悪くも突出した人がいなくなるんです。

江田　結局、秀郷流藤原氏は「忘れられたブランド」だということですよね。江戸時代までは間違いなく正真正銘の名門ブランドで、武士といえば藤原秀郷流だったけれども、明治以降、急速に忘れ去られてしまった。源頼朝以来の歴代の天下人も認めたブランドが秀郷流藤原氏だということで、秀郷流のブランド力というのは強調しても強調したりないくらい重要だと思いますね。

戦乱終結の難しさ

江田　最後にまとめとして私が感じたことですが、結局戦乱のおわりというのは一人勝ちでは終わらず、誰かが俺はまだやめないと言い続ける限り、戦乱は終わらない。信長にしても秀吉にしても最終的には一人勝ちになるけれども、それを納得しない連中がいる限り、戦乱は続くんだと思うんですよ。

山口　特徴的なのは小山義政の乱（八〇ページ参照）ですね。

江田　私が書いた喜連川早乙女坂合戦（一〇二ページ参照）では、宇都宮方は間違いなく負けた。ただ負けたとは認めない。あとはもう復讐戦です。ずーっと自分が納得するまで挑み続ける。

下田　戦乱の一番恐ろしい面ですよね。

江田　結局、一方的な勝ちで終わらないんですよ。それは肝に銘じる必要がありますね。負けた方が納得するまで戦乱が続いてしまう。そこが悲惨であり、戦争の惨禍はそこが怖いところだと思いますね。

下田　アジア・太平洋戦争の場合、水面下で和平工作が行われていましたが、結局は御前会議における大元帥・昭和天皇による「聖断」というかたちで終結せざるを得なかった訳です。敗戦直後に詠まれた昭和天皇の御製（ぎょせい）（天皇が詠まれた歌）「爆撃にたふれゆく民の上をおもひ　いくさとめけり身はいかならむとも」からは、「いくさ」（戦）を「と（止）め」るという強い決意とともに、戦乱終結の難しさが如実に表れていると思います。

笹﨑　そういった面だと、強制終了をさせる必要がある訳で、近世でそれをやったのが一国一城令や武家諸法度（いずれも、一六一五年）だと思います。これらの法令で、拠点としてのお城をとにかく凍結させ、反乱の芽をここで摘むというひとつの方策だったんじゃないかなと思いますね。力を見せつけていれば、そこで屈服せざるを得なくなってきますから。

江田　笹﨑さんが担当した近世というのは、戦乱の逆の達成点ですよね。戦乱が長く続きすぎて、その中での知恵や願いが、たとえば武器を封印した刀狩令（一五八八年）であったりする訳です。戦乱があったからこその平和だと思いますね。

笹﨑　いきなり平和になった訳じゃないですからね。結局、正徳年間（一七一一〜一六年）あたりでようやく落ち着くんですから。

江田　浪人問題がそれこそ一番象徴的ですよね。戦乱がもたらした負の側面がさまざまなかたちで尾を引いていて、江戸時代の御家騒動にもその一面がありますよね。

笹﨑　生活する術がない訳ですからね。特に初期の御家騒動はそうです。軍事が膨れ上がった歪みですから。

下田　負けを認めるという点では、先の戦争の総括を日本はしてきたのかどうかという議論がずっとあって、このことが現在の歴史認識問題に少なからず影を落としています。戦乱が起きたこと、あるいはこれらに付随する事象を皆さんに知っていただき、今後の生活の中で何が現在へとつながっているかを確認していただく素材を提供するという意味では、本書の持つ意義があると思いますし、そこにこそ、歴史を知ることの意義があると思います。

あとがき

過去においてヒトは何と戦い、これから未来に向かって何と戦っていくのであろう?

三〇数年前、私が就職した頃、「二四時間戦えますか?」のコマーシャルがテレビで流れ、世の中はバブル景気に向けて突き進んでいた。私を含め同世代の同僚たちは、競うように働いたが、決して嫌な仕事をした記憶は残っていない。ある意味、ゲームをクリアしたような感覚で、仕事に戦いを挑むような楽しい日々だったのかもしれない。

いにしえの昔から、人間は欲望というものに引きずられ、個人と個人、共同体という集団と集団、国家と国家のような「うつわ」同士が、振り上げた拳を素直に下せない恥ずかしさから「終わりのない戦争」が何度も繰り広げられてきた。律令期の三十八年戦争、小山義政の乱、アジア・太平洋戦争などがその典型である。大きさの違いはあるが、個人・家・国家など、それぞれの立場、いわゆる「面子」にこだわることで戦乱が起こるのであろう。本書に登場する平安末期から鎌倉期にかけての武士団は「家」という一族の名声を護るため命を懸けて戦った。歴史上の英雄とされる人びとは、ある意味、個人と家の名声を護り抜いた人たちであるが、その名声は多くの犠牲により成り立ったものであることも忘れてはならない。

戦いで敗れたことが一度もなく、ギリシアからインドまでの大帝国を築いたアレクサンドロス三世は、紀元前三二六年、インド軍とのヒュダスペス河畔の戦いで勝利した後、ギリシア・マケドニア出身兵士たちの進軍拒否にあい、その意見を汲んでやむなく兵を引いている。歴史上、最も成功した軍事指揮官で、ハンニバル、カエサル、ナポレオンなど歴史上の英雄たちが「決して負けない人」として尊敬された彼でさえ、一人では戦えないのである。

E・H・カー『歴史とは何か』の冒頭には「歴史は現在と過去の対話である」と記されている。「戦乱」をキーワードに、過去から現在、未来を見通すような意味を込めて本書を構成した。下野新聞社編集出版部の齋藤晴彦氏による企画・プロデュースの下、不慣れな私を編者に選んでくださった江田郁夫氏、共同執筆者の笹﨑明氏と下田太郎氏、貴重な史（資）料の掲載を許可していただいた関係各所と関係者各位、そして本書のテーマに最もふさわしい作品を表紙カバーに使うことをお許しいただいた山口晃氏に心から御礼申し上げたい。

山口　耕一

関係年表

時代	和暦（西暦）年	出来事	戦い／御家騒動など
奈良	宝亀五（七七四）	朝廷、陸奥国按察使（兼・鎮守将軍）大伴駿河麻呂に蝦夷征討を命じる	三十八年戦争
平安	弘仁五（八一四）など	朝廷に帰属した俘囚が地方官の強圧政策に対して各地で反乱	俘囚の反乱
	天慶二（九三九）	関東に独立勢力圏を打ち立て「新皇」を自称した平将門が、平貞盛、藤原秀郷ら追討軍の攻撃を受けて敗死	平将門の乱
	長元元（一〇二八）	平忠常が房総三カ国（上総・下総・安房）で反乱を起こす	平忠常の乱
	天喜四（一〇五六）	陸奥安倍氏一族の納税拒否で、朝廷が陸奥守兼鎮守府将軍の源頼義を派遣	前九年合戦
	永保三（一〇八三）	出羽清原氏が内紛を起こし、頼義の子・源義家と藤原清衡により平定される	後三年合戦
	保元元（一一五六）	皇位継承問題や摂関家の内紛で、後白河天皇方と崇徳上皇方に分裂し戦乱勃発	保元の乱
	平治元（一一五九）	藤原通憲と平清盛を倒そうと源義朝と藤原信頼が挙兵するも平清盛らに敗北	平治の乱
	治承四（一一八〇）	後白河法皇の皇子以仁王の挙兵を契機に、各地で平氏政権に対する反乱勃発	以仁王の挙兵（治承・寿永の乱）
		五月、宇治川を挟んで平氏・源氏両軍が対峙する中、平氏方の藤姓足利忠綱の活躍により、源氏総崩れとなった	橋合戦（治承・寿永の乱）
		源頼朝と大庭景親ら平氏方と相模石橋山で戦い、頼朝大敗して安房へ逃れる	石橋山合戦（治承・寿永の乱）
	治承七・寿永二（一一八三）	源頼朝とその叔父・志田義広が下野野木宮で争う	野木宮合戦（治承・寿永の乱）
	治承八・寿永三（一一八四）	摂津福原・須磨の一の谷の城郭で、源範頼・義経軍が武蔵・相模・下野等の武士たちの活躍で平氏軍を敗走させる	一の谷合戦（治承・寿永の乱）
鎌倉	元暦二・寿永四（一一八五）	平氏の本拠地である讃岐屋島で源義経率いる源氏が屋島を陥落。この時、平氏軍の小舟の竿先に掲げられた扇の的を那須与一宗隆が射落す	屋島合戦（治承・寿永の乱）
	文治五（一一八九）	源頼朝が奥州の藤原泰衡を倒し、陸奥・出羽両国を支配下に置く	奥州合戦
	承久三（一二二一）	後鳥羽上皇が鎌倉幕府の執権・北条義時に対して討伐の兵を挙げるも敗北	承久の乱
南北朝	建武三（一三三六）	足利尊氏方の那須資忠が居城の高館城に立てこもり、南朝方との攻防を繰り広げる	那須高館合戦
	観応二（一三五一）	足利尊氏軍と足利直義軍が駿河薩埵山で激突。宇都宮氏綱や小山氏政の活躍で尊氏軍が勝利	薩埵山合戦（観応の擾乱）
	観応三（一三五二）	足利尊氏軍が武蔵金井原で新田義興軍を破り、その後敵方主力の宗良親王（後醍醐皇子）・新田義宗勢を武蔵小手指原で宇都宮氏綱や小山氏政らの活躍で撃退	武蔵野合戦（観応の擾乱）
	文和四（一三五五）	足利尊氏・足利義詮軍と足利直冬・山名時氏軍が京都洛中等で戦い、那須一族を率いて戦った那須資藤が名誉の戦死を遂げる	東寺合戦（観応の擾乱）
	貞治二（一三六三）	越後守護に復帰した上杉憲顕の関東管領再任をめぐって、足利基氏と宇都宮氏綱重臣の芳賀高貞が戦うも、芳賀高貞が敗北し、氏綱は上野守護職を没収	岩殿山合戦（宇都宮氏綱の反乱）
	康暦二（一三八〇）	五月、所領支配をめぐって下野守護小山義政率いる軍勢が宇都宮基綱勢と戦い、基綱が戦死	茂原合戦
		鎌倉公方足利氏満が小山義政追討に乗り出し、義政は降参するも翌年と翌々年にも氏満と戦って、粕尾山中で自害	小山義政の乱
	至徳三（一三八六）	小山義政の遺子・若犬丸がかつての居城祇園城を占拠し氏満に反抗するも、応永四年一月に逃亡先の奥州会津で自害	小山若犬丸の乱

時代	年	出来事	合戦
室町	応永二三（一四一六）	前関東管領上杉氏憲（禅秀）が鎌倉公方足利持氏に反乱を起す。反乱は幕府の支援によって翌年一月に鎮圧されたが、以後幕府との関係が悪化	**上杉禅秀の乱**
	永享一〇（一四三八）	関東管領上杉憲実と鎌倉公方足利持氏の対立を機に将軍足利義教が武力介入。各地で激戦が続き、敗れた持氏は義教の命で子の義久とともに自害	**永享の乱**
	永享一二（一四四〇）	持氏の遺児（安王丸・春王丸）が結城氏朝（親鎌倉派）に擁立され結城城に籠城。翌年、結城城は落城し、安王丸・春王丸は義教の命で美濃で殺害	**結城合戦**
	享徳三（一四五四）	鎌倉公方足利成氏による関東管領上杉憲忠暗殺をきっかけに、室町幕府（山内・扇谷両上杉氏）方と足利成氏方の抗争が続く（～一四八二年）	**享徳の乱**
戦国	永正一一（一五一四）	山内上杉氏の後継者等をめぐって古河公方足利政氏と嫡男高基が対立。高基派の宇都宮忠綱は政氏派の佐竹・岩城氏の大軍を宇都宮城下北端の竹林で撃破	**宇都宮竹林合戦**
	大永三（一五二三）	結城政朝が宇都宮に攻め寄せ、宇都宮忠綱は宇都宮城南東の猿山で迎え撃つも敗北。鹿沼城の壬生綱房のもとへ逃れる	**猿山合戦**
	天文一八（一五四九）	宇都宮尚綱が対立する那須高資の喜連川進軍によって出陣し、早乙女坂で敗死	**喜連川早乙女坂合戦**
	元亀三（一五七二）	宇都宮広綱重臣皆川俊宗が手勢で宇都宮城を占拠、病中の広綱を擁して宇都宮氏の実権を握るも、広綱と同盟関係にある佐竹義重の反撃にあう	**皆川俊宗の乱**
織豊	天正六（一五七八）	北条氏政の結城攻めで、味方中（佐竹・宇都宮・那須・結城氏）が結城氏の後詰めとして常陸小川に布陣し、北条勢が退くまで在陣	**小川合戦**
	天正一二（一五八四）	長尾・由良氏（味方中方）を攻める北条氏と味方中が下野沼尻で対陣	**沼尻合戦**
	天正一八（一五九〇）	北条氏による名胡桃城攻略を理由に、豊臣秀吉が北条氏を攻め滅ぼす	**小田原合戦**
		豊臣秀吉は宇都宮滞在中、参向した関東・東北の大名・国衆には本領を安堵し服属を認めなかった大名・国衆からはその所領を没収する（**宇都宮仕置**）	
	文禄元（一五九二）	豊臣秀吉が明の征服を目指し、明の冊封国李氏朝鮮を攻める。この時、宇都宮国綱も朝鮮へわたり軍役を果たすも、慶長二（一五九七）年に改易	**文禄・慶長の役**
	慶長五（一六〇〇）	豊臣秀吉死後、政治的影響力を強めた徳川家康が軍事力増強をはかった会津・上杉景勝の釈明上洛拒否によって、景勝の征討を決定	**会津攻め**
		石田三成・毛利輝元ら反家康派征討のため、家康は美濃関ヶ原で三成らの軍勢と戦って家康軍が勝利	**関ヶ原合戦**
江戸	元和元（一六一五）	江戸幕府が諸大名統制を目的に「**武家諸法度**」を発布	
	元和三（一六一七）	三月、江戸幕府開祖・徳川家康の遺言により、**東照社**建立	
		四月、二代将軍秀忠が東照社に参拝する（**日光社参のはじまり**）	
	寛永一一（一六三四）	三代将軍家光による**東照社大造替**の実施（～一六三六年）	
	正保二（一六四五）	朝廷より宮号が宣下（授与）され「**東照宮**」となる。以後、朝廷から毎年四月一七日の東照宮例祭に日光例幣使が派遣される	

時代	和暦(西暦)年	出来事	戦い/御家騒動など
江戸	寛文八(一六六八)	下野宇都宮興禅寺で、前宇都宮藩主奥平忠昌の法要で家臣相互の口論がきっかけで刃傷事件発生。四年後の江戸牛込浄瑠璃坂の仇討ちの原因となった	**宇都宮興禅寺刃傷事件**
	貞享四(一六八七)	**那須資弥**(四代将軍家綱の叔父)が二万石で旧領に復するも、実子がいながら津軽家から養子を迎え入れ家督を相続させたため、那須氏は改易される(後に下野福原一千石を与えられる)	**烏山騒動**
	明和元(一七六四)	宇都宮藩による米六合摺(約二割増税)に改めたことで、反対する百姓ら約千名が一揆を起こすも、首謀者河内郡御田長島村庄屋の**鈴木源之丞**らが打ち首	**籾摺騒動**
	天保一四(一八四三)	一二代将軍家慶が東照宮へ参拝(**最後の日光社参**)	
	文久元(一八六一)	**大関増徳**(黒羽藩主、養子として家督相続)が正室(先々代藩主娘)と離縁したことで、藩主による御家乗っ取りと反発、家老らにより座敷牢に監禁	**黒羽藩主君押し込め**
	文久二(一八六二)	壬生藩江戸家老として実権を握っていた鳥居志摩が、尊王攘夷派藩士らに捕らえられ国元に護送、謹慎の命を受けたのち自刃に追い込まれる	**鳥居志摩事件**
	元治元(一八六四)	水戸藩士藤田小四郎率いる天狗党幹部の田中愿蔵率いる別働隊が、資金捻出を断った栃木宿を襲撃し火を放ち、宿内二三七戸を焼失させる	**天狗党の乱**
	慶応三(一八六七)	武力倒幕を目指した薩摩藩の西郷隆盛の指示の下、浪士たちなどを糾合し下野出流山満願寺で挙兵。栃木宿や新里村(栃木市岩舟町)で幕府軍と戦うも壊滅	**出流山事件**
明治	慶応四(一八六八)	一月、京都の南郊で新政府軍(主力・薩長両藩)と大坂から入京しようとする旧幕府軍との間で激突	**鳥羽・伏見の戦い(戊辰戦争)**
		三月、奥州中街道の安塚村や日光道中石橋宿で「世直し一揆」(ぼっこし)発生	**世直し一揆**
		四月、世直し一揆鎮圧のため宇都宮に派兵された新政府軍と日光を次期戦闘地と見なし進軍していた土方歳三ら旧幕府軍が宇都宮城で激突	**宇都宮城攻防戦(戊辰戦争)**
		閏四月、日光道中と会津西街道(日光口)との結節点である今市宿掌握をめぐり、新政府軍が旧幕府・会津軍と激突し勝利	**今市攻防戦(戊辰戦争)**
		閏四月、南東北の要地白河小峰城(白河城)をめぐり、新政府軍と奥羽越列藩同盟が激突し勝利	**白河口の戦い(戊辰戦争)**
	明治四(一八七一)	国内警備を目的とした四個鎮台(東北[仙台]・東京・大阪・鎮西[熊本])が設置	
	明治五(一八七二)	**東京鎮台第四分営歩兵第七番大隊が宇都宮城址に駐屯**	
	明治七(一八七四)	歩兵第二連隊が新設され、**宇都宮駐屯**の歩兵第七番大隊は**第二大隊に改編**	
	明治一七(一八八四)	**歩兵第二連隊第二大隊が連隊本部のある千葉県佐倉に移駐**	
	明治一八(一八八五)	日本鉄道第二区線(JR宇都宮線)大宮—宇都宮間鉄道開通(小山・石橋・宇都宮駅開業)	
	明治一九(一八八六)	日本鉄道第二区線(JR宇都宮線)宇都宮—黒磯間鉄道開通(矢板・那須[西那須野]・黒磯駅開業)	
	明治二一(一八八八)	両毛鉄道(JR両毛線)小山—桐生間開通	
	明治二二(一八八九)	水戸鉄道(JR水戸線)水戸—小山間開通	
	明治二三(一八九〇)	日光鉄道(JR日光線)宇都宮—日光間開通	

時代	年	事項	
明治	明治二五（一八九二）	**初の陸軍特別大演習が栃木県（主に宇都宮近郊）で実施**（大本営：栃木県庁）	
	明治二七（一八九四）	李氏朝鮮の地位確認と朝鮮半島の権益をめぐって緊張関係にあった清国に宣戦布告し、日清戦争開戦	
	明治三七（一九〇四）	朝鮮半島と満州の権益をめぐって対立していたロシアに対し、日本海軍駆逐艦の奇襲攻撃（旅順口攻撃）で、日露戦争開戦	
	明治四〇（一九〇七）	九月、**陸軍第一四師団（一九〇五年小倉で新設）が宇都宮への衛戍が決定**	
		十一月、茨城・栃木・埼玉・千葉の四県下で**陸軍特別大演習を実施**（大本営：結城高等小学校［茨城県結城郡結城町］）	
	明治四二（一九〇九）	栃木県（主に那須野が原）で**陸軍特別大演習を実施**（大本営：栃木県庁）	
大正	大正七（一九一八）	栃木・茨城両県で**陸軍特別大演習を実施**（大本営：県立栃木中学校［下都賀郡栃木町］）	
昭和	昭和八（一九三三）	この頃、**金丸原陸軍飛行場開設**	
	昭和九（一九三四）	群馬・栃木・埼玉の三県下で**陸軍特別大演習を実施**（大本営：群馬県庁［群馬県前橋市］）	
	昭和一〇（一九三五）	陸軍第一四師団金丸原演習場近くに**所沢陸軍飛行学校金丸原分教所（のちに熊谷→宇都宮→熊谷陸軍飛行学校へ編入）開設**	
	昭和一五（一九四〇）	十月、**宇都宮陸軍飛行学校開設**	
		『栃木県防空計画』に基づき、**県内に監視隊本部三カ所（宇都宮・大田原・佐野）と四三の防空監視哨の常設を義務化**	
	昭和一六（一九四一）	九月、**宇都宮陸軍飛行場開設**	
		十二月、アジア・太平洋戦争開戦	
	昭和一七（一九四二）	一月、**那須野陸軍飛行場と宇都宮陸軍飛行学校那須野分教所（のちに熊谷陸軍飛行学校へ編入）開設**	
		五月、陸軍から銃弾丸製造工場の新設を要請され、日産自動車加工部を母体とする**関東工業株式会社を設立。河内郡雀宮村に工場建設を内定**	
	昭和一九（一九四四）	一月、中島飛行機宇都宮製作所開設。陸軍機専用組み立て工場として、制式採用された四式戦闘機「疾風」の生産を開始	
		四月、**関東工業株式会社雀宮工場が本格稼働**	
		五月、**壬生陸軍飛行場と宇都宮陸軍飛行学校壬生分教所（のちに熊谷陸軍飛行学校→下志津教導飛行師団へ編入）開設**	
		十月、**陸軍第一四師団歩兵第五九連隊第一大隊（宇都宮）、パラオ諸島アンガウル島で壊滅**	アンガウルの戦い
		十一月、**熊谷陸軍飛行学校金丸原分教所閉校**	
	昭和二〇（一九四五）	五月、**那須野陸軍飛行場にて、特攻隊一二隊編成される**	
		八月、**那須野陸軍飛行場で編成された特攻隊201隊（8／13）と255隊（8／9：花巻飛行場から）が出撃**	
		八月、昭和天皇による連合国側からのポツダム宣言を受諾する旨（終戦の詔書）のラジオ放送（玉音放送）。日本の敗戦により、アジア・太平洋戦争終結	
		八月、敗戦により中島飛行機は富士産業株式会社に改称するも、十一月に財閥会社としてGHQに解体を命じられる	
	昭和二一（一九四六）	**県、食糧増産推進本部を設置。壬生・金丸原・黒磯（那須野）の旧陸軍飛行場に開拓基地農場を設け、開拓地入植者への訓練実施**	
	昭和二五（一九五〇）	戦後、平和産業へ転換した**関東工業株式会社解散**　五月、富士産業株式会社解散	

参考文献

II 古代から中世へ

荒井秀規（二〇一七）『覚醒する〈関東〉』（古代の東国 三）吉川弘文館
岩井市史編さん委員会編（一九九六）『平将門資料集』新人物往来社
川合　康（一九九六）『源平合戦の虚像を剥ぐ』講談社選書メチエ
川尻秋生（二〇〇七）『平将門の乱』（戦争の日本史 四）吉川弘文館
川尻秋生（二〇一七）『坂東の成立』（古代の東国 二）吉川弘文館
倉本一宏（二〇一八）『内戦の日本古代史』講談社現代新書
五味文彦（二〇〇〇）『増補　吾妻鏡の方法』吉川弘文館
坂井孝一（二〇一八）『承久の乱―真の「武者の世」を告げる大乱―』中公新書
笹山晴生（一九七五）『古代国家と軍隊』中公新書
佐藤信編（二〇一九）『古代史講義　戦乱篇』ちくま新書
鈴木哲雄（二〇一二）『平将門と東国武士団』（動乱の東国史1）吉川弘文館
高橋昌明（二〇一八）『武士の日本史』岩波書店
野口実（一九九四）『武士の棟梁の条件　―中世武士を見なおす―』中公新書
細川重男（二〇一九）『執権―北条氏と鎌倉幕府―』講談社学術文庫
本郷和人（二〇一九）『乱と変の日本史』祥伝社新書
元木泰雄（一九九四）『武士の成立』吉川弘文館
桃崎有一郎（二〇一八）『武士の起源を解きあかす―混血する古代、創発される中世―』ちくま新書
森公章（二〇一三）『古代豪族と武士の誕生』吉川弘文館

III 中世から近世へ

池享ほか編（二〇〇七）『増補改訂版上杉氏年表　為景・謙信・景勝』高志書院
市村高男（二〇〇九）『東国の戦国合戦』（戦争の日本史 一〇）吉川弘文館
江田郁夫（二〇〇八）『室町幕府東国支配の研究』高志書院
江田郁夫・簗瀬大輔編（二〇一三）『北関東の戦国時代』高志書院
江田郁夫（二〇一四）『戦国大名宇都宮氏と家中』（地域の中世 一四）岩田書院
小川剛生校訂（二〇一一）『迎陽記』（史料纂集古記録編 第一六〇回）八木書店
加地宏江校注（一九九六）『源威集』（東洋文庫 六〇七）平凡社
喜連川町史編さん委員会編（二〇〇一）『喜連川町史』（第二巻資料編2 古代・中世）喜連川町
さくら市史編さん委員会編（二〇〇九）『氏家町史』（史料編 古代・中世）さくら市
高木市之助ほか校注（一九八五）『平家物語』（日本古典文学大系）岩波書店
栃木県史編さん委員会編（一九七三～七九）『栃木県史』（史料編 中世 一～五）栃木県
塙保己一編（一九八五）『群書系図部集』（第一～第七）続群書類従完成会
兵藤裕己校注（二〇一四～一六）『太平記』（一～六）岩波書店
本多隆成（二〇一九）「「小山評定」再々論」（『地方史研究』三九八号）地方史研究協議会
森田武ほか編訳（一九九三）『邦訳日葡辞書』岩波書店
結城市史編さん委員会編（一九七七）『結城市史』（第一巻 古代中世史料編）結城市

IV 近世

宇都宮市史編さん委員会編（一九八二）『宇都宮市史』（第六巻 近世通史編）宇都宮市
大嶽浩良（二〇一四）『下野の明治維新』下野新聞社
小山市史編さん委員会編（一九八二・八三）『小山市史』（史料編 近世I・II）小山市
小山市史編さん委員会編（一九八六）『小山市史』（通史編II 近世）小山市
鹿沼市史編さん委員会編（二〇〇〇・〇二）『鹿沼市史』（資料編 近世1・2）鹿沼市
鹿沼市史編さん委員会編（二〇〇六）『鹿沼市史』（通史編 近世）鹿沼市
笹﨑明（二〇一二）「宿城としての壬生城」（『壬生城本丸御殿と徳川将軍家』企画展図録）壬生町立歴史民俗資料館
高根沢町史編さん委員会編（二〇〇〇）『高根沢町史』（通史編I）高根沢町
栃木県史編さん委員会編（一九七四～七九）『栃木県史』（史料編 近世一～七）栃木県
栃木県史編さん委員会編（一九八一・八四）『栃木県史』（通史編 近世四・五）栃木県
中野正人・笹﨑明（二〇一九）『壬生藩』（シリーズ藩物語）現代書館
寶月圭吾監修（一九八八）『栃木県の地名』（日本歴史地名大系）平凡社
壬生町史編さん委員会編（一九八六）『壬生町史』（資料編 近世）壬生町
壬生町史編さん委員会編（一九九〇）『壬生町史』（通史編1・2）壬生町

真岡市史編さん委員会編（一九八五）『真岡市史』（第三巻 近世史料編）真岡市
真岡市史編さん委員会編（一九八八）『真岡市史』（第七巻 近世通史編）真岡市
「旧高旧領取調帳」（国立歴史民俗博物館データベース）

Ⅴ 近代

宇垣一成（一九六八）『宇垣一成日記1』（角田順校訂）みすず書房
宇都宮市教育委員会編（二〇〇一）『うつのみやの空襲』宇都宮市教育委員会
宇都宮市史編さん委員会編（一九八一）『宇都宮市史』（第八巻 近・現代編Ⅱ）宇都宮市
宇都宮商工会議所史編纂会編（一九四四）『宇都宮商工会議所五十年史』宇都宮商工会議所史編纂会
宇都宮市上下水道局編（二〇一七）『宇都宮市水道百周年 下水道五十周年史』宇都宮市上下水道局
大嶽浩良（二〇〇四）『カラービジュアル版 下野の戊辰戦争』下野新聞社
大嶽浩良（二〇一四）『下野の明治維新』下野新聞社
加藤陽子（二〇一九）『天皇と軍隊の近代史』勁草書房
菊池実（二〇〇八）『戦争遺跡の発掘―陸軍前橋飛行場―』（シリーズ「遺跡を学ぶ」）新泉社
菊池実（二〇一五）「近代の戦争遺跡」（原田敬一ほか編『地域社会編 軍隊と地域社会を問う』〈地域のなかの軍隊9〉）、吉川弘文館
北那須郷土史研究会編（一九九六）『那須の太平洋戦争』下野新聞社
鈴木淳（二〇一〇）「近代遺跡の多様性」（鈴木淳編『史跡で読む日本の歴史』〈一〇 近代の史跡〉）、吉川弘文館
鈴木芳行（二〇一二）『首都防空網と〈空都〉多摩』吉川弘文館
高根沢町史編さん委員会編（一九九九）『高根沢町史』（通史編Ⅱ 近現代）高根沢町
高橋文雄（一九九〇）『第十四師団史―日本陸軍の精鋭―』下野新聞社
谷口俊一（二〇〇〇）「両大戦間における軍人のイメージ：新聞投書欄を中心として」（『京都社会学年報』第8号）京都大学大学院文学研究科社会学教室
佃隆一郎（二〇〇六）「宇垣軍縮での師団廃止発覚時における各〝該当地〟の動向」（『国立歴史民俗博物館研究報告』第一二六集）国立歴史民俗博物館
栃木県開拓十周年記念事業委員会編（一九五六）『開拓十年の歩み』栃木県開拓十周年記念事業委員会
栃木県史編さん委員会編（一九七七）『栃木県史』（史料編 近現代二）栃木県
中野英男（二〇〇五）「氏家町における明治25年陸軍特別大演習」（『History & Culture』第4号）、氏家歴史文化研究会
中野良（二〇〇二）「陸軍特別大演習と地域社会―大正十四年、宮城県下を事例として―」（『地方史研究』二九六号所収）、地方史研究協議会
中野良（二〇一五）「秋季演習・大演習・特種演習」（荒川章二ほか編『基礎知識編 日本の軍隊を知る』〈地域のなかの軍隊8〉）、吉川弘文館
原武史（二〇一一）『〔増補版〕可視化された帝国―近代日本の行幸啓―』みすず書房
平塚柾緒（二〇一五）『写真で見るペリリューの戦い―忘れてはならない日米の戦場―』山川出版社
防衛庁防衛研修所戦史室（一九六八）『中部太平洋陸軍作戦〈2〉―ペリリュー・アンガウル・硫黄島―』（戦史叢書第一三巻）朝雲新聞社
松下孝昭（二〇一三）『軍隊を誘致せよ―陸海軍と都市形成―』吉川弘文館
壬生開拓団編（一九八五）『我等この地を拓く』（私家版）
宮地正人（二〇〇六）「佐倉歩兵第二連隊の形成過程」（『国立歴史民俗博物館研究報告』第一三一集）国立歴史民俗博物館
安原一郎（一九七五）『開拓農民』（私家版）
安原一郎（一九七七）『雄図挫折―関東工業外史―』（私家版）
吉野益太郎（一九八三）『今昔雀宮』（私家版）
「雑風日記」（一九八五）『真岡市史』（第三巻 近世史料編）真岡市
「大演習出張の軍楽隊御宴会場所へ差出方の件」JACAR（アジア歴史資料センター）Ref.C03030743100、壱大日記・明治二十五年十月（防衛省防衛研究所蔵）
「別冊第4 決号兵站準備要綱 附表第7 特攻機用掩体整備計画」『連合軍の質問に対する回答文書綴』JACAR（アジア歴史資料センター）Ref.C15010007500、陸軍一般史料・中央・終戦処理（防衛省防衛研究所蔵）

執筆者略歴

江田 郁夫（えだ・いくお）
1960年生まれ　栃木県立博物館学芸部長
〈著書・共著など〉
『室町幕府東国支配の研究』（高志書院、2008年）
『下野の中世を旅する』（随想舎、2009年）
『栃木県の歴史散歩』（共著：山川出版社、2007年）ほか

山口 耕一（やまぐち・こういち）
1964年生まれ　下野市教育委員会事務局文化財課長
〈共著・論文など〉
「食器からみる古代の下野」（『とちぎを掘る』随想舎、2016年）
「下野国河内・都賀郡の地域開発」（『古代の開発と地域の力』高志書院、2014年）
「下野国分寺」（『国分寺の創建 思想・制度編』吉川弘文館、2011年）ほか

笹﨑 明（ささざき・あきら）
1961年生まれ　日本城郭史学会委員
〈共著・論文など〉
『城郭の見方・調べ方ハンドブック』（共著：東京堂出版、2008年）
『国別城郭・陣屋・要害・台場事典』（共著：東京堂出版、2002年）
「宿城としての壬生城」（企画展図録『壬生城本丸御殿と徳川将軍家』壬生町立歴史民俗資料館、2012年）ほか

下田 太郎（しもだ・たろう）
1975年生まれ　有限会社随想舎編集部
〈著書・共著など〉
『占領期（1945～49年）栃木県内発行メディアに関する基礎的研究』（私家版、2010年）
『宇都宮市水道百周年下水道五十周年史』（共著：宇都宮市上下水道局、2017年）
「占領下の地方における性と生殖の啓蒙的言説」（『Intelligence』第11号、早稲田大学20世紀メディア研究所、2011年）ほか

戦乱でみるとちぎの歴史

2020年2月2日 第1刷発行

編　者　江田郁夫・山口耕一
発　行　下野新聞社
〒320-8686 栃木県宇都宮市昭和1-8-11
TEL 028-625-1135（編集出版部）
URL https://www.shimotsuke.co.jp
企　画　齋藤晴彦（下野新聞社）
編集協力　有限会社 随想舎
装　丁　栄舞工房
印　刷　モリモト印刷株式会社

ISBN978-4-88286-745-6 C0021